Dedico este livro a alguém
que desejo que seja muito feliz!

_____

Jamais desista das pessoas que você ama!
Lute sempre pelos seus sonhos!
Seja profundamente apaixonado pela vida!
Decifre os códigos da felicidade!
Pois a felicidade sustentável não pertence aos que
   não se estressam,
Mas aos que transformam seus invernos em primaveras
E aos que fazem da vida um espetáculo único e imperdível!

_____ ___/___/___

O Dr. Augusto Cury, autor desta obra, desenvolveu o primeiro programa mundial de gestão da emoção para a prevenção de transtornos emocionais e suicídios. Ele é 100% on-line e 100% gratuito, e está disponível para todos os povos, sem prévia autorização. Já há tradução para o inglês, o espanhol, o coreano e outras línguas. Acesse www.voceeinsubstituivel.com.br.

Copyright © 2022 por Augusto Jorge Cury

Todos os direitos reservados.
Nenhuma parte deste livro pode ser utilizada ou reproduzida sob quaisquer meios existentes sem autorização por escrito dos editores.

preparação de texto: Rafaella Lemos
revisão: Luis Américo Costa e Priscila Cerqueira
projeto gráfico e diagramação: Valéria Teixeira
capa: Raul Fernandes
impressão e acabamento: Lis Gráfica e Editora Ltda.

CIP-BRASIL. CATALOGAÇÃO NA PUBLICAÇÃO
SINDICATO NACIONAL DOS EDITORES DE LIVROS, RJ

C988m

    Cury, Augusto, 1958-
       O Médico da emoção / Augusto Cury. - 1. ed. - Rio de Janeiro : Sextante, 2022.
       288 p. ; 23 cm.   (O homem mais inteligente da história ; 4)

       Sequência de: O maior líder da história
       ISBN 978-65-5564-307-7

       Ficção brasileira. I. Título. II. Série.

21-75033   CDD: 869.3
                                         CDU: 82-3(81)

Camila Donis Hartmann - Bibliotecária - CRB-7/6472

Todos os direitos reservados, no Brasil, por
GMT Editores Ltda.
Rua Voluntários da Pátria, 45 – Gr. 1.404 – Botafogo
22270-000 – Rio de Janeiro – RJ
Tel.: (21) 2538-4100 – Fax: (21) 2286-9244
E-mail: atendimento@sextante.com.br
www.sextante.com.br

Augusto Cury

O Médico da Emoção

SUMÁRIO

	Prefácio	5
1	O poderoso e destrutivo vírus do ego	7
2	O céu e o inferno emocionais vividos pelo jovem Marco Polo	27
3	As lágrimas invisíveis de Marco Polo: sua grande dor	53
4	Os capítulos dramáticos por que os rebeldes passaram	66
5	Um homem resiliente que não se curva à dor e aos riscos	82
6	A felicidade sustentável se conquista com treinamento	89
7	O Médico da emoção desarmava seus inimigos sem pressão	101
8	O Médico da emoção ensinava a difícil arte do autocontrole	113
9	O Médico da emoção liderava a mente nos focos de tensão	122
10	O poder do senhor das trevas da universidade	130
11	O líder tem de ser um sonhador para formar líderes mundiais	140
12	O Médico da emoção ensinava a libertar o imaginário	152
13	O Médico da emoção considerava cada ser humano único e irrepetível	161
14	O Médico da emoção tinha de garimpar ouro nos solos da mente humana	172
15	O líder precisa se fazer pequeno para tornar os pequenos grandes	180
16	O líder precisa superar o caos: primeiro linchamento	189
17	Predador dos sonhos	195
18	Formando a maior startup mundial de educação	204
19	O líder vacina seus liderados contra o vírus do poder	219
20	O maior teste de um líder: ame-me pelo que sou, não pelo que tenho	228
21	O golpe dos golpes antes do teste final	248
22	O Médico da emoção foi traído e negado, mas não desistiu dos seus sonhos	254
23	O julgamento de Marco Polo e o implacável promotor	269

PREFÁCIO

Este é o volume que encerra a incrível e inspiradora saga em que o Dr. Marco Polo reflete, à luz das ciências humanas, sobre o personagem mais fascinante que passou pelo teatro da humanidade: Jesus Cristo.

Através das ricas biografias de Jesus – os evangelhos –, podemos conhecer a história da mente mais complexa que já pisou nesta Terra. Mas pouquíssimo se fala sobre como o carpinteiro da existência transformou alunos cheios de defeitos em mentes brilhantes, proativas, criativas e capazes de escrever os capítulos mais importantes de sua personalidade nos momentos mais dramáticos da vida.

Por esse motivo o Dr. Marco Polo embarcou nessa ambiciosa empreitada, buscando demonstrar, na prática, as extraordinárias ferramentas de gestão da emoção e de desenvolvimento da inteligência global que o Mestre dos mestres usou para transformar seus alunos, seus discípulos. Para isso, o psiquiatra precisou desafiar seus pares, os intelectuais que são professores e reitores nas mais renomadas universidades do mundo, e acolher, ele mesmo, um grupo de jovens problemáticos considerados irrecuperáveis.

Neste livro, chega ao fim o intenso programa de treinamento desses rebeldes, e o intrépido professor enfim está perto de provar que esses rapazes e moças difíceis aprenderam a não se curvar à dor, a trabalhar perdas e frustrações com dignidade e a desenvolver uma resiliência sólida e inabalável mesmo em face da exclusão, da discriminação e da possibilidade da morte – tudo isso com maturidade e uma admirável capacidade de serem líderes de si mesmos.

No entanto, ele ainda precisa enfrentar perigos inimagináveis. Toda a sua trajetória se baseia, antes de tudo, em uma confiança absoluta no potencial dos seres humanos. Afinal, esse instigante pensador é o alter ego do Dr. Augusto Cury. Mas seu maior antagonista nesta saga, o robô The Best, tem crenças opostas. Para o humanoide de inteligência artificial, a espécie humana não é mais digna de viver no palco desta Terra porque se tornou excessivamente predadora, violenta, exclusivista e radical.

O debate entre o Dr. Marco Polo e o robô The Best sobre os meandros da mente humana, os mistérios da existência e os segredos da personalidade de Jesus Cristo é uma discussão épica e inesquecível.

Nesta obra, você vai conhecer passagens importantes da vida de Marco Polo desde a sua infância. O grande psiquiatra, famoso por ter teses e livros escritos e publicados mundialmente, vai descortinar a sua história para seus alunos, mostrando também suas dores, perdas e frustrações, as crises e rejeições dramáticas por que passou. E sua história tem muitos pontos em comum com a biografia do Dr. Augusto Cury.

Em *O médico da emoção*, você vai entender que, usando as ferramentas do maior ser humano que já existiu, não há mentes impenetráveis, apenas chaves erradas. Este romance é um exemplo solene de que a espécie humana está em xeque, mas, se reinventarmos a educação e passarmos da era do apontamento de falhas para a era da celebração dos acertos, é possível que formemos uma casta de pensadores no mundo todo, de pessoas que pensem antes de reagir, que sejam altamente empáticas, resilientes e, acima de tudo, que tenham um caso de amor com a humanidade. Pessoas capazes de penetrar nas camadas mais profundas da própria mente, de pilotar a aeronave emocional com maestria, de ser líderes de si mesmas e autoras da própria história.

Bem-vindo a esta grande aventura. Prepare-se para refletir e, em alguns momentos, verter lágrimas. Boa leitura!

1

O PODEROSO E DESTRUTIVO VÍRUS DO EGO

Seis meses antes:

A existência é uma colcha de retalhos tecida pelos fios dos desafios. E os desafios são tão imprevisíveis no planeta mente que o céu e o inferno emocionais estão muito próximos. Num momento bebemos dos mananciais da tranquilidade, noutro mergulhamos nas torrentes da ansiedade; num período colhemos sorrisos, noutro ceifamos decepções. A vida não é lógica, mas um mundo agradavelmente imprevisível.

Se na história de qualquer ser humano há imprevisibilidades, na história do psiquiatra Marco Polo há muito mais. Sua existência sempre foi um caldeirão de aventuras temperadas com experiências inesperadas. Terremotos emocionais, tempestades sociais, rejeições atrozes, dores inexprimíveis, lágrimas ocultas, júbilos contemplativos, golpes de ousadia, sonhos poderosos e desejos irrefreáveis de autossuperação teceram a formação da sua personalidade. Isso tudo o levou a entender que a vida é inenarravelmente bela para se viver e dramaticamente breve para ser vivida no teatro do tempo. Entre a meninice e a velhice, são alguns instantes.

Um empresário, um artista ou um cientista tendem a turbinar a própria ousadia e capacidade de se reinventar no começo da sua jornada, pois não têm nada a perder, nem mesmo sua diminuta reputação social em fase de construção. Por isso as grandes empresas, obras de arte ou descobertas ocorrem na imaturidade intelectual. Na matemática, as mais notáveis descobertas ocorreram através de mentes ao redor dos 20 anos. Einstein tinha apenas 27 anos quando desenvolveu os pressupostos básicos da teoria da relatividade. A ousadia promove os sonhos e o sucesso, mas, se não for reciclada, os sepulta, levando intelectos brilhantes a se tornarem estéreis.

O sucesso de Marco Polo não sepultou sua capacidade de querer ir mais longe, enxergar o invisível e explorar o inaudível. Alguns cabelos brancos despontavam em sua cabeça, mas sua emoção era incontrolavelmente jovem. Foi assim que aceitou mais um desafio arriscadíssimo que poderia jogar no lixo sua reputação acadêmica, comprometer sua carreira de cientista e fragmentar sua jornada como escritor e pensador. Seis meses se passaram desde que abraçara o desafio dos desafios educacionais. Tudo começou quando o ousado psiquiatra estava presente num evento internacional de que participavam reitores das mais respeitadas universidades do planeta. No meio do congresso, o intrépido pensador acusou o sistema educacional de preparar os alunos não para a vida, mas para os consultórios de psiquiatria e psicologia clínica:

– Uma em cada duas pessoas tem ou desenvolverá um transtorno psiquiátrico ao longo da vida. Metade da plateia de seus alunos terá ansiedade, depressão, síndrome do pânico, doenças psicossomáticas, psicoses, dependência digital e outras. Isso não os perturba, senhores reitores? Os alunos ficam sentados por anos a fio diante de professores, em aulas presenciais ou on-line, mas raramente aprendem a ser líderes da própria mente. Sequer são ensinados a proteger sua emoção diante de críticas, perdas, rejeições ou do sofrimento por antecipação. Seu psiquismo é terra de ninguém!

Houve um alvoroço na pequena e magna plateia de líderes acadêmicos. Em seguida, o provocante Marco Polo deu um golpe fatal:

– Se não mudarmos a educação, passando da era da exposição de informações para a era do Eu como gestor da mente humana, a humanidade será inviável. O racismo, o sexismo, o consumismo, o preconceito, a intoxicação digital, a necessidade neurótica de poder, a necessidade ansiosa de evidência social nas redes sociais continuarão patrocinando o desenvolvimento coletivo de doenças emocionais! Isso não lhes tira o sono?

Alguns reitores ficaram tensos, outros refletiram assombrados e ainda outros ficaram irados – entre estes, Vincent Dell, reitor da importante universidade que hospedava o evento, na Califórnia. Marco Polo era professor e chefe de departamento dessa mesma instituição. Uma sólida amizade nascera entre eles após Marco Polo desembarcar nos Estados Unidos, mas pouco a pouco o reitor desenvolveu uma inveja sabotadora à medida que as ideias e os livros do psiquiatra ganhavam notoriedade internacional. Ele considerava inadmissível que um pensador brasileiro pudesse ter mais notoriedade que ele, de origem anglo-saxã. Além disso, Marco Polo criticava duramente o cartesianismo acadêmico que queria transformar alunos em máquinas de fazer provas, e não ensiná-los a pensar criticamente. Assim, passou de amigo a seu grande desafeto.

Todavia, Vincent Dell era uma sumidade no ramo da lógica, um notável especialista em inteligência artificial. Era ótimo para lidar com máquinas, mas péssimo para se relacionar com seres humanos.

– Você está louco, Marco Polo? Exijo que se cale! – disse Vincent Dell descontrolado. Depois, tremendo os lábios, falou em voz baixa para quem estava ao seu lado: – Preciso bani-lo da minha universidade.

Reitores japoneses, russos, alemães, chineses, franceses, americanos faziam comentários paralelos uns para os outros. Um reitor japonês se levantou e disse:

– Que coragem é essa de questionar o processo de formação de engenheiros, economistas, médicos, advogados? Não basta formar excelentes técnicos?

– Em hipótese alguma – afirmou o psiquiatra e pensador da psicologia. – O sistema educacional mundial há séculos é tecnicista, racionalista, incapaz de desenvolver coletivamente ferramentas de gestão da emoção para que os alunos sejam livres, resilientes, empáticos, autônomos, capazes de pensar antes de reagir e de filtrar estímulos estressantes. A educação mundial ensina línguas, mas não ensina os alunos a falarem com seus fantasmas mentais; ensina matemática numérica, mas não ensina a matemática da emoção, em que dividir seus conflitos aumenta sua capacidade de superação; ensina a cuidar do meio ambiente, mas não ensina a reciclar seu lixo emocional. Apenas os que são exceção desenvolvem essas habilidades socioemocionais.

Foi um escândalo geral. Vincent Dell quase teve um ataque de pânico. Tudo piorou muito quando alguns reitores perguntaram a Marco Polo se em alguma época houve uma escola ou um mestre que tivesse formado mentes brilhantes a partir de mentes toscas. O psiquiatra, que havia desenvolvido uma longa teoria sobre o processo de construção de pensamentos e formação de pensadores, deu a resposta bombástica:

– Sim. Houve um mestre que revolucionou a educação há dois milênios. Ele escolheu propositadamente alunos que lhe deram muitas dores de cabeça, alunos com baixíssimo limiar para suportar frustrações, que viviam na mediocridade existencial e que certamente morreriam no anonimato, sem ninguém se lembrar que existiram. Mas, por inacreditável que pareça, ele os treinou socioemocionalmente e os transformou em líderes mundiais que mudaram o traçado da humanidade. Não é isso espantoso?

E ainda comentou que o Mestre de Nazaré trabalhou ferramentas de gestão da emoção ultramodernas para que seus alunos aprendessem a extrair força da fragilidade, esperança do caos, ousadia dos fracassos e a usar as lágrimas como vírgulas para escrever seus mais nobres textos em seus dias mais dramáticos. Numa terra dominada pelo tirânico e promíscuo imperador Tibério César, ele os ensinou a sonhar. E completou:

– O Mestre dos mestres era um notável Médico da emoção, usava técnicas de prevenção de transtornos psíquicos, inclusive contra o conformismo. Para ele, sem sonhos, o intelecto não tem saúde; sem metas, os sonhos não têm alicerces; sem prioridades, os sonhos não se tornam reais. Era melhor errar por tentar do que errar por se omitir.

O pensamento arguto e corajoso de Marco Polo, questionando o sistema educacional, já havia deixado os reitores chocados, mas agora, quando apontou Jesus Cristo como o professor dos professores da educação da emoção, deixou-os mais perplexos ainda. Alguns tiveram taquicardia e falta de ar. Vincent Dell se levantou completamente tenso e bradou:

– Você está louco! Está querendo misturar a pequenez intelectual de uma religião com nossas notáveis universidades?

– Só uma mente asfixiada pelo preconceito não entende os argumentos que citei. Não respeita as religiões, Dr. Vincent Dell? Ou você é um deus diante dos mistérios que cercam a vida? Por acaso misturei ciência com religião ou você insiste em fazer essa mistura para diminuir os impactos das minhas teses? Tanto as religiões quanto as universidades foram tímidas e omissas em não estudar a mente de Jesus Cristo sob os ângulos da psiquiatria, da psicologia, da sociologia e da psicopedagogia.

– O que Marco Polo está querendo dizer? Nossas universidades falharam em não estudá-lo? – questionou um reitor russo para um reitor chinês.

Sim, haviam falhado, mas ninguém pensava criticamente sobre isso.

Marco Polo confirmou o que dissera antes:

– Deixando de lado todas as questões religiosas, teológicas ou espirituais, é indubitável que o preconceito débil e infantil do sistema acadêmico levou ao banimento dos treinamentos, das técnicas e das ferramentas socioemocionais de Jesus Cristo. Deixar isso tudo longe dos bancos das escolas e universidades dificultou muito a evolução da humanidade e o desenvolvimento dos direitos humanos. Qualquer pensador medíocre ou mediano é digno de ser estudado nos livros acadêmicos, mas o Mestre dos mestres, o homem mais inteligente da história, o maior líder que pisou no teatro da humanidade, foi banido desses livros!

A plateia de reitores ficou atônita, estarrecida, sem voz. Surgiram debates e mais debates. Vincent Dell estava quase infartando. Ao seu lado estava The Best, um super-robô humanoide construído no próprio megalaboratório de inteligência artificial no qual o reitor trabalhava. Dell era um dos líderes da sua criação. The Best passou com louvor no teste de Turing, ou seja, seus comportamentos eram tão indistinguíveis dos de um ser humano que, ao conversar com ele ou questioná-lo, ninguém acreditava que estava falando com um robô, mas com um ser humano, inclusive na aparência e nos movimentos articulares finos.

O robô The Best era portador de uma sofisticada inteligência artificial, mas ninguém imaginava que poderia ser também intensamente perigoso. The Best era assombroso, tinha o poder da plasticidade para mudar sua face e seu tom de voz e se fazer passar por outros, inclusive por pessoas que conhecia. Possuía uma força descomunal e um banco de dados inimaginável. Ele falou algo ao pé do ouvido de Vincent Dell, seu senhor. Ao ouvir os "conselhos" de The Best, o reitor imediatamente saiu do caos da ansiedade para o ápice da euforia.

– Você é demais, The Best – disse ele em voz baixa. – Surpreendente.

Foi então que surgiu uma ideia genial, o mais incrível desafio que um educador poderia vivenciar. O reitor levantou-se novamente e falou, agora num tom mais brando e irônico:

– Estimado Marco Polo, já que você descobriu técnicas revolucionárias desse judeu de Nazaré para formar grandiosos líderes a partir de mentes débeis, tenho uma proposta para lhe fazer. Eu o desafio também a formar líderes mundiais a partir de 12 alunos de nossas universidades. – Depois respirou profundamente, olhou para os demais reitores e, com ar sarcástico, certo de sua vitória sobre o psiquiatra, citou o perfil dos alunos que ele treinaria: – E esses alunos são considerados sociopatas, intratáveis, insubordinados, violentos, anarquistas, insubmissos a qualquer regra, peritos em odiar sua universidade, seus professores e o sistema acadêmico.

Os reitores ficaram paralisados por alguns momentos, depois aplaudiram de pé a proposta de Vincent Dell. Calariam Marco Polo. A seleção dos alunos passou não apenas por critérios humanos, mas também pelo crivo de The Best, o robô humanoide. The Best tinha em sua supermemória os comportamentos antissociais e o perfil psicológico de dezenas de milhões de alunos das mais diversas universidades do mundo. Sua escolha criteriosa dos alunos-problema logo foi chancelada pelos reitores que participavam do evento.

Para alguns deles, os 12 alunos escolhidos eram mentalmente desequilibrados; para outros, eram emocionalmente insuportáveis; e ainda havia os que acreditavam que esses jovens eram psicopatas irrecuperáveis, sérios candidatos aos presídios. Marco Polo caiu em sua própria armadilha. Mas sua paixão pela educação não se diluiu nem se dissipou. Observando a pequena plateia de intelectuais, tentou renovar suas forças dizendo:

– Toda mente é um cofre. Não existem mentes impenetráveis, mas apenas chaves erradas.

Alguns reitores deram risadas de sua aparente ingenuidade. Para eles, o professor de psiquiatria não tinha a menor ideia do que o aguardava. The Best aplaudiu Marco Polo como se estivesse simulando um deboche, embora jamais soubesse o que é sentir emoções. O robô se aproximou passo a passo, não parecia uma máquina. Como um grande boneco de terror, falou em voz baixa palavras apavorantes:

– Ingênuo! Estarei observando seus passos. Treinará seus alunos para serem gestores de sua mente? Crê mesmo que a humanidade pode ser viável? Tolo! A História nos conta outra história!

O psiquiatra e pensador da psicologia saiu de cena com milhares de dúvidas. O treinamento socioemocional do Mestre dos mestres há 2 mil anos poderia funcionar no terceiro milênio? Seria capaz de reeducar alunos considerados a escória acadêmica da atualidade? Suas técnicas teriam êxito num ambiente de intoxicação digital em que aparentemente nenhuma técnica psicopedagógica consegue encantar os alunos? Não havia resposta. Estava assinado um dos maiores contratos de risco, com consequências imprevisíveis, inclusive para sua reputação. Relatórios seriam feitos semanalmente para todos os reitores e o treinamento duraria um ano.

As primeiras aulas foram desastrosas.

– Você é um débil mental – dissera ofensivamente Chang para Marco Polo. Tratava-se de um aluno chinês que fazia parte do time dos "rebeldes", que foi como os 12 passaram a ser conhecidos. Raramente alguém era tão sarcástico como ele.

E completou acusando o psiquiatra:

– Um louco querendo ensinar outros loucos. Era só o que me faltava!

– Esse psiquiatra é um invasor de nossas mentes – afirmou Peter, outro aluno, extremamente agressivo. – Cai fora da minha vida!

– Não somos ratos de laboratório, seu tolo! – disse Jasmine aos brados. Ela era uma fonte de ansiedade.

– Não precisamos de conversa mole. Precisamos de grana – afirmou Yuri, um hacker expulso de várias universidades russas e que tinha ordem de prisão em seu país. Ter sido enviado para os Estados Unidos para ser treinado por Marco Polo lhe dera um salvo-conduto temporário.

– Babaca! Babaca! Babaca! – gritou Sam, que amava repetir essa palavra para tudo e para todos.

Portador da síndrome de Tourette, ele passava as mãos pelo rosto e fazia caricaturas faciais involuntárias. Infelizmente, desde a manifestação da sua síndrome, era objeto de deboche.

– Detesto psiquiatras. Dois deles surtaram ao me tratar – afirmou Hiroto, dando gargalhadas. Ele era um aluno-problema de uma universidade japonesa. Seus professores e os próprios pais o achavam um caso perdido.

– Não apenas detesto psiquiatras e psicólogos, detesto tudo! Detesto a universidade, a sociedade, a vida, este treinamento e até vocês que participam dele! – afirmou Florence, que tinha uma depressão crônica e uma impulsividade tal que nada nem ninguém conseguia contrariá-la.

Nas primeiras semanas dessa primeira fase, Marco Polo foi debochado, excluído, cuspido no rosto, empurrado, esbofeteado, derrubado ao solo, considerado um usurpador de mentes alheias. Quase desistiu deles, mas, lembrando-se da sua própria juventude saturada de exclusão e das estratégias usadas pelo carpinteiro de Nazaré para conquistar e educar seus complicadíssimos discípulos, brotava dentro dele uma motivação incontrolável, mesmo nos vales dos seus fracassos e das rejeições.

Não tratou os "rebeldes" como pobres miseráveis, dignos de dó, mas provocou-os continuamente, dizendo que, se não aprendessem a reescrever suas histórias, morreriam na insignificância intelectual e na mediocridade existencial.

Passava-lhes exercícios inimagináveis, inspirados no Mestre dos mestres, que as universidades jamais usaram para educar seus alunos e muito menos as empresas para formar seus líderes. Desse modo, algo que muitos achavam impossível começou a ocorrer. Pouco a pouco, o psiquiatra passou a impactar positivamente Peter, Chang, Jasmine, Florence, Yuri, Sam, Martin, Alexander, Michael, Hiroto, Harrison e Victor, a turba do apocalipse educacional, o terror das universidades onde estudavam.

Na primeira fase do treinamento, que durou seis meses, os alunos foram virados de cabeça para baixo. Porém o treinamento teve de ser interrompido abruptamente, pois uma virose mundial causada pelo vírus SARS-CoV-2 assolou as nações, em destaque Estados Unidos, Brasil, Itália, França e Espanha, entre outros países.

Marco Polo era um pesquisador da psicologia e um amante da história. Conhecia a seriedade da questão e fez este relato emocionado:

– Provavelmente mais de 3 bilhões de pessoas morreram nos últimos milênios vítimas desses inimigos indetectáveis a olho nu, vírus e bactérias. Nos anos de 541 a 544 desta era, navios mercantes levaram para a Itália ratos infestados de pulgas contaminadas por uma bactéria: *Yersinia pestis*. Foi o início de uma epidemia gravíssima, conhecida como a "praga de Justiniano", que era o nome do imperador romano da época. Alguns relatos apontam que morreram entre 25 e 50 milhões de pessoas, provavelmente 5% a 10% da população mundial. Sequestrados pelo medo, inúmeros europeus acharam que o mundo iria acabar. Mas a humanidade sobreviveu.

Os alunos desconheciam a história das grandes epidemias. Ficaram impressionados. Marco Polo acrescentou:

– Em 1346 ocorreu uma das mais devastadoras pandemias sofridas pela espécie humana, a peste negra, que provavelmente foi causada pela mesma bactéria, *Yersinia pestis*. Infelizmente essa peste dizimou mais de 65 milhões de vidas, talvez 15% da população humana da época, o equivalente hoje a mais de um bilhão de pessoas. Algo impensável. Portanto, um número incomparavelmente maior do que a mortalidade causada pela pandemia atual, embora cada vida perdida seja uma perda irreparável.

Os alunos ficaram pensativos. Perceberam como a humanidade, tão orgulhosa das novas tecnologias digitais, era ao mesmo tempo tão frágil. Quanto mais o ser humano viaja, mais faz trocas comerciais, mais se aglomera em grandes cidades, mais se expõe a riscos e mais pode espalhar os germes. Por isso os cuidados com a higiene são fundamentais em todo deslocamento. No entanto, o treinador dessa inusitada plateia de alunos estava não apenas preocupado com a pandemia, mas também com outra classe de vírus: os vírus mentais.

– Vocês ainda terão seis meses de treinamento. Nessa segunda fase, terão de experimentar testes de estresse imprevisíveis, vivenciar exercícios socioemocionais inesperados, superar limites e se reinventar. Mas teremos de interromper nosso projeto momentaneamente por causa dessa perturbadora virose do Covid-19. Vocês permanecerão se reconstruindo como seres humanos? Continuarão se mapeando e se libertando de seus cárceres mentais? Negarão o que aprenderam?

Ao ouvir essas perguntas em forma de advertência, seus alunos reagiram com heroísmo. Desconheciam os fantasmas que se escondiam nos porões de sua personalidade.

Peter afirmou categoricamente:

– Jamais abandonarei o que tenho aprendido neste treinamento, mestre.

– Serei sempre um eterno aprendiz. Nunca viraremos as costas ao que você nos ensinou – declarou Jasmine.

– Eu muito menos – afirmaram Florence, Yuri, Chang, Michael, Alexander, Harrison e os demais.

Marco Polo sorriu discretamente. Poderia estar satisfeito, mas sabia que eles estavam sendo ingênuos. Lembrou-se do carpinteiro de Nazaré.

– No rol dos que traem a própria consciência há muitos heróis. Nessa quarentena, inimigos de plantão tentarão sabotá-los, vampiros emocionais tentarão sangrá-los.

– Que inimigos? – indagou Chang.

– O vírus do ego, principalmente – afirmou sem meias palavras o psiquiatra que os treinava.

– Como assim, o vírus do ego? – perguntou Florence curiosa.

– É o vírus do egocentrismo, do egoísmo, do individualismo, da necessidade neurótica de poder, da necessidade doentia de controlar os outros e de ter evidência social, da aversão ao tédio, da cobrança social e da autocobrança! Desconhece esse vírus, Florence?

– Quem esse vírus mais infecta? – questionou Jasmine pensativa.

– O vírus do ego contamina os cientistas, fazendo-os amar mais suas ideias do que a própria ciência; contamina os influenciadores digitais, levando-os a vender uma falsa felicidade para obter mais seguidores; infecta os líderes políticos, fazendo-os amar mais seu partido do que sua sociedade. O Mestre dos mestres era um crítico feroz do vírus do ego. Por isso ele transformava prostitutas em rainhas e leprosos em príncipes. E, quando alguém queria indagar quem ele era, enfaticamente dizia: "Sou o filho do homem!" O filho da humanidade. O que Jesus Cristo queria dizer com essa emblemática expressão, proclamada por ele mais de sessenta vezes?

Seus alunos pensaram, estavam perturbados. Esqueceram-se de uma tese fundamental que haviam aprendido um pouco antes. Foi então que Marco Polo comentou:

– Não entendem ainda? Ele queria dizer: "Não me coloque rótulos!" Demonstrava que era profundamente apaixonado pela espécie humana. O Médico da emoção bradava aos quatro ventos, para judeus e gentios, para puritanos e erráticos, para religiosos e prostitutas: "Eu tenho orgulho de ser um ser humano!" Se valorizarmos qualquer tipo de diferença mais do que nossa essência, nossa espécie não terá saúde emocional, harmonia nem paz social. Que tipo de orgulho te controla? Você pode ter orgulho de ser negro, amarelo, de sua sexualidade, de sua nacionalidade, do seu partido político, da sua cultura acadêmica. Todavia, se não tiver muito mais orgulho de ser um ser humano, você será um agente divisor, e não pacificador, da humanidade; um nutridor do preconceito, e não promotor da inclusão social; um propagador do vírus do ego, e não um agente que abranda seu contágio.

– Essa tese é surpreendente – expressou Florence emocionada.

– Então todas as minorias deveriam proclamar: "Tenho orgulho de ser um ser humano!" Caso contrário, exaltando as diferenças, nós promovemos justamente o que queremos destruir: o preconceito.

– Exatamente, Florence. Milhões foram vítimas de preconceitos de todas as formas no teatro da humanidade, mas a solução inteligente e pacífica de conflitos só se alcança amando e exaltando nossa essência e respeitando nossas diferenças. O filósofo Agostinho, sabiamente, sem conhecer as ferramentas de gestão da emoção, já comentava sobre esse tema! Diferentemente dele, Abraham Lincoln, embora tenha sido um dos grandes líderes da história, não conheceu esse fenômeno. Ele libertou os escravos na Constituição, mas exatos cem anos depois Martin Luther King ainda estava lutando pelos direitos civis dos negros. Eles não tinham o direito de estudar nos mesmos colégios que os brancos, de se sentar onde queriam no transporte coletivo nem de frequentar todos os lugares públicos. Por quê?

– Porque foram libertados legalmente, mas não no coração? – comentou Michael, que era de pele negra.

– E por que não foram libertados no coração psíquico? – questionou Marco Polo.

– Pelo racismo sistêmico? Por falha na generosidade? Pela falta de humanidade?

– Suas respostas estão corretas, mas não atingem o xis do problema, Michael. A resposta essencial é por falhas na educação racionalista – afirmou Marco Polo categoricamente. – Em todas as escolas americanas deveriam ter ensinado dia e noite, a partir de quando Lincoln libertou os escravos constitucionalmente, que negros e brancos são seres humanos com as mesmas necessidades socioemocionais, como amar, construir relações, superar a solidão, trabalhar perdas e frustrações, e com a mesma complexidade intelectual, pois ambos possuem fenômenos inconscientes que leem a memória em milésimos de segundo com uma assertividade inexprimível para produzir milhares de cadeias de pensamentos diariamente, tornando-se, assim, *Homo sapiens*.

– Espetacular, Marco Polo. Esses dois fenômenos, ou seja, as mesmas necessidades socioemocionais e a mesma capacidade de produzir cadeias de pensamentos, tornam negros, brancos, celebridades, anônimos, mulheres, homens, heterossexuais, homossexuais, iguais em sua essência. Eu tenho orgulho de ser um ser humano! – bradou Michael de pé.

Todos o acompanharam como se fosse um grito da inteligência, e não de guerra de uma maioria contra uma minoria.

– Caramba. Você fala cada coisa complexa, Marco Polo – comentou o estudante japonês, Hiroto. – Mas acho que entendi um pouco a raiz da discriminação. Eu sempre discriminei chineses, indianos, brasileiros. Era estúpido.

E Marco Polo os advertiu com mais uma tese que ele defendia em todos os países em que era publicado:

– Mas não basta sabermos que somos iguais em nossa essência. Deveríamos também fazer nas salas de aula a TTE, a técnica da teatralização da emoção, demonstrando o desespero dos que sofreram nos campos de concentração. Ela liberta nosso imaginário, o pensamento antidialético, e nos leva a nos colocarmos no lugar dos outros. Se teatralizassem a dor dos escravos nas aulas de história, haveria uma vacina contra o vírus do racismo. Passeatas são importantes, mas a TTE é mais eficiente no planeta mente. A história meramente expositiva em sala de aula nutre o racismo sem que se saiba, pois é fria, seca, destituída de sabor emocional e, portanto, gera insensibilidade, leva à psicoadaptação às mazelas humanas, e não à luta contra elas.

– Exaltar e amar nossa essência humana e fazer a técnica da TTE seriam o fim do racismo? – questionou Peter, que sempre foi racista, um sujeitoególatra e arrogante que detestava imigrantes. Estava pasmado com a luz intelectual que irradiava de seu planeta mente.

– Não seriam o fim. Mas provavelmente 90% do vírus do ego que infecta o racismo seria debelado – afirmou aquele que era um dos mais ousados e inovadores psiquiatras sociais da atualidade.

– Acho que estou contaminado até o pescoço com o vírus do ego – afirmou Chang, tentando extrair bom humor do caos. – Confesso que lá no fundo discrimino as pessoas.

– Até você, Chang? – indagou seu amigo Peter.

– Acho os chineses os caras mais inteligentes do mundo. Considero indianos, japoneses e até americanos estúpidos perto de minha magna intelectualidade.

– Tá brincando, homem? Mais inteligente que eu? – questionou Peter novamente, agora indignado.

Viviam uma guerra de egos.

– Calma, Peter. É difícil, mas sonho em ser humilde. Pelo menos os humildes erradicaram esse terrível vírus mental!

Marco Polo o contradisse:

– Errado, Chang. Nenhum ser humano é suficientemente humilde para eliminar o vírus do ego. O vírus do ego contagia os mais humildes, levando-os a terem orgulho da sua humildade. O vírus do ego contagia os conformistas, conduzindo-os a não entender que é muito melhor errar por agir do que errar por se omitir. Infecta os coitadistas, que têm pena de si mesmos, conduzindo-os a usarem, ainda que inconscientemente, sua doença emocional e suas mazelas sociais para terem ganhos secundários, para ganharem uma atenção especial. Contagia os políticos que defendem mais sua ideologia do que sua sociedade. Contagia ainda os "rebeldes", como vocês, fazendo-os procurar plateias para dar seu show.

Os alunos sofreram um terremoto emocional.

– Espere aí, mestre. Não concordo – expressou Jasmine, descontente, demonstrando um sintoma do vírus do ego.

– E a estirpe dos psiquiatras não se contamina com o vírus do ego? – perguntou Peter.

– Por acaso você, Dr. Marco Polo, está imune a esse contagioso vírus? – indagou Florence ironicamente.

Marco Polo sorriu. Olhou para dentro de si mesmo e admitiu:

– Nunca estive imune. Os psiquiatras são simples mortais e, como tais, possuem suas cepas do vírus do ego. Eles deveriam, por estudar a mente humana, ter mais consciência de sua falibilidade do que a média dos outros seres humanos. Mas nem sempre é assim. Há psicólogos que, desconhecendo a epistemologia do conhecimento, usam alguns fragmentos de sua teoria como se fossem verdades irrefutáveis. Alguns querem colocar seus pacientes dentro das suas teorias e não suas teorias dentro deles, pois esses são maiores do que elas. Há psicólogos que têm a necessidade neurótica de mudar quem amam, sem entender que ninguém muda ninguém. Temos o poder de piorar os outros, não de mudá-los. Podemos contribuir, mas só os outros podem mudar ou reciclar a si mesmos. Sou um psiquiatra, meus defeitos e minhas imperfeições são enormes, o que me torna apenas um caminhante no traçado do tempo à procura de me descobrir.

Os alunos ficaram surpresos com a honestidade do seu treinador. Se Marco Polo precisava combater frequentemente o vírus do ego, eles precisavam muito mais, pensaram.

– Fui um carrasco das minhas namoradas – confessou Martin, um aluno alemão alienado das responsabilidades sociais, mas virulento e autoritário nas suas relações interpessoais. – Sempre quis que elas correspondessem às minhas expectativas. Sempre as pressionei, critiquei e humilhei. Tenho vergonha de mim.

– Acalme-se, Martin, não se puna, você está se reinventando. Mesmo Gandhi, o apóstolo da resistência não violenta, era, no início do seu casamento, intensamente autoritário, ciumento e controlador.

– Até Gandhi? – questionou Florence.

– Sim, até Gandhi. Queria que sua esposa Kasturbai se submetesse a ele como uma escrava. Mas ela valentemente resistiu e, por fim, o próprio Gandhi confessou que Kasturbai o ensinara a não usar a violência. Sua admiração profunda pelo Mestre dos mestres o levou também a ser um pacificador.

– Eu sou violenta comigo. Esmago meu cérebro de tanto me cobrar. Sou implacável com meus erros – afirmou Jasmine lucidamente. – Preciso ser pacífica comigo. Hoje entendo, Marco Polo, por que você é uma voz científica solitária bradando à humanidade que estamos na "era dos mendigos emocionais", que há bilhões de seres humanos que precisam de muitos estímulos para sentir migalhas de prazer. Sou grata por estar aprendendo a não ser uma garota emocionalmente mendiga.

– Eu também sou uma mendiga em minha mente. Tenho cama, mas não descanso; um smartphone de última geração, mas não sei me comunicar comigo mesma; visto-me com roupas de marca, mas elas não me aquecem, pois sempre me puno através do padrão tirânico de beleza. Preciso aprender a namorar a vida – expressou-se Florence, seus olhos lacrimejando.

– Todos nós somos miseráveis mendigando o pão da felicidade real e sustentável – confessaram outros rebeldes.

Marco Polo, ao ouvir essas palavras, por um lado ficou feliz com os insights de seus alunos, que antes do treinamento raramente se interiorizavam. Agora estavam aprendendo a se mapear e a ser transparentes; por outro lado, ficou preocupadíssimo. Convenceu-se de que necessitavam não apenas das ferramentas do Mestre dos mestres como o maior líder da história para serem empreendedores e terem mentes livres e criativas, como na primeira fase do treinamento. Seus alunos também precisavam das técnicas do carpinteiro de Nazaré como Médico da emoção, não para tratar das doenças emocionais, já que o tratamento é objeto da psiquiatria e da psicologia, mas para preveni-las. Além disso, precisavam aprender a ter um romance com sua existência e transformá-la, mesmo diante das intempéries existenciais, num espetáculo que valia a pena ser vivido, e não um espetáculo de estresse, terror e ansiedade. Ponderou que deveria ser essa a ênfase que ele daria na segunda fase do treinamento, logo depois que a pandemia passasse.

E assim eles iniciaram a quarentena. O professor e os alunos se falavam apenas virtualmente. Mas Marco Polo não queria tutorá-los em demasia. Queria testá-los, saber como usariam o que aprenderam nas mais diversas situações estressantes que viveriam.

Entretanto, a quarentena foi pessimamente realizada na grande maioria dos países. Muitos desrespeitaram o isolamento social, mas o pior de tudo é que milhares que se confinaram em suas casas já estavam contaminados com o vírus, mas eram assintomáticos, e não foram educados e alertados o suficiente pelos especialistas para não contaminarem seus familiares. Pensaram que o vírus só estava fora de casa. Sem cuidados preventivos, filhos contaminaram pais, pais contaminaram filhos, e estes contaminaram avós e vice-versa. Desse modo, a quarentena, que deveria durar 40 ou 45 dias, se estendeu e o número de infectados não caiu como se imaginava. Houve um incremento. E, depois de atingir platôs, começou a baixar e seguir em ondas. Por fim, o contágio felizmente foi contido, em destaque pela vacinação.

Quando a quarentena terminou, a abertura social começou racionalmente. A liberdade ganhou oxigênio pouco a pouco. As pessoas tiveram medo de viajar e de frequentar lugares públicos, mas o medo foi sendo dissipado. Infelizmente, esqueceram-se dos riscos e das medidas preventivas, a tal ponto que os vendedores de alimentos in natura não usavam mais máscaras; os nobres cozinheiros, ao produzir seus alimentos em dezenas de milhares de restaurantes, também não; e os garçons falavam livremente em cima dos pratos, também sem utilizá-las, expelindo inumeráveis gotículas salivares contendo bilhões de vírus quando estavam infectados. Desse modo, microrganismos de todas as estirpes circulavam livremente no planeta. Novas viroses tinham chance de surgir.

No retorno à segunda fase do treinamento com Marco Polo, havia uma aura de prazer e arrogância entre seus alunos. Eles não usaram adequadamente a máscara das ferramentas de gestão da emoção para se protegerem contra o vírus do ego como deveriam. O psiquiatra notou logo de início que a sensibilidade e o altruísmo estavam asfixiados. Os alunos expeliam o egocentrismo, o egoísmo e o individualismo com facilidade. Foram vampirizados pelos monstros que hibernavam em seu inconsciente, tal como previra. O professor e os alunos se sentaram num círculo. Alguns começaram a atacá-lo gratuitamente. Uma das alunas tomou a frente.

– Como foram na quarentena? – indagou Marco Polo.

– Fui bem, mas estive pensando. Os psiquiatras se escondem atrás de seus títulos ao tratar seus pacientes. Frequentei vários deles e nenhum falou das próprias crises – atalhou Jasmine. E acrescentou agressiva e ironicamente: – Você é nosso professor, Marco Polo, e afirmou honestamente que combate o vírus do ego, mas por que nunca revelou suas crises e suas loucuras? Tem medo das suas atitudes estúpidas do passado?

A observação de Jasmine era apenas parcialmente verdadeira. Marco Polo havia comentado com ela e seus amigos sobre alguns dos desafios que enfrentara, mas o período de isolamento expandiu a sua ansiedade, levando-a a negar ou se esquecer de algumas importantes lições.

– Jasmine tem razão – concordou Michael. E falou rispidamente: – Os mais diversos psiquiatras e psicólogos que frequentei nunca falaram de suas perdas e seus fracassos. Eu me sentia um doente mental diante dos sacerdotes da saúde emocional. Por que você se esconde, Marco Polo?

– Corretíssimo! Nessa quarentena, estive refletindo: os psiquiatras, quando os pacientes entram em seus consultórios, acham que são deuses; quando eles saem, têm a certeza. Dez quiseram me internar! – disse Chang para a turma, sempre exagerando.

E os ataques dos "rebeldes" continuaram como uma metralhadora. Peter, o mais agressivo da turma e o mais contundente, debochou do seu professor:

– Eis o deus Marco Polo que se esconde atrás de suas teorias e da sua fama! Pais perfeitos! Infância perfeita! Adolescência perfeita! Universitário intocável! Fazendo o quê? Treinando este bando de malucos considerados lixos do sistema acadêmico.

– Conhece os bastidores da minha história para me julgar, Peter? – indagou Marco Polo fitando seus olhos e depois os de toda a classe.

– Está na sua cara! Você é completo demais para ajudar esses perturbados, é lúcido demais para resgatar esses insanos. O pouco que aprendi já foi suficiente. Essa epidemia me fez ver que os meus fantasmas mentais nunca me abandonarão. Viverei com eles, morrerei com eles – afirmou Peter e levantou-se para sair.

Os demais "rebeldes" também se levantaram para acompanhá-lo. Mas Florence ponderou:

– Esperem, pessoal. Precisamos continuar. Desistir deste treinamento é desistir de nós mesmos.

Alexander, expandindo sua gagueira, concordou com Peter e os outros:

– Não dá, Flo... Flore... rence. Tô fo... fora. Não dá... dá... mais.

Marco Polo respirou profunda e lentamente. Compreendeu que o treinamento que viria a seguir e que estava sendo abortado seria imprevisivelmente complexo e marcadamente espinhoso. No fundo, seus alunos, embora ferinos, tinham razão. Lembrou-se da atitude de Freud, que ele considerava falha. Freud, ao tratar dos pacientes, queria manter completo distanciamento deles, para não contaminar a interpretação. Por isso não cumprimentava seus pacientes quando os encontrava em ambientes sociais. Embora Freud fosse um teórico muito inteligente que descreveu e valorizou o inconsciente, não teve a oportunidade de investigar os poderosos fenômenos inconscientes que leem a memória e constroem cadeias de pensamentos e emoções sem a autorização do Eu.

Muitos profissionais de saúde mental não entendem que, quando um paciente comenta para um psiquiatra ou psicólogo que está depressivo ou é portador de uma fobia ou quando revela um ataque de pânico, imediatamente múltiplos gatilhos da memória (primeiro fenômeno inconsciente) do psicoterapeuta são disparados em seu córtex cerebral, abrindo milhares de janelas da sua memória (segundo fenômeno inconsciente). O volume de tensão das janelas abertas aciona a âncora da memória (terceiro fenômeno inconsciente) para dar foco ao processo de interpretação. Portanto, inevitavelmente a história do psiquiatra ou do psicólogo entra no processo, checando as reações e as cadeias dos pensamentos do paciente com base nas suas.

Interpretar é sempre distorcer a realidade. O desafio é distorcer minimamente o processo de compreensão do outro na relação, seja de psiquiatras e pacientes, pais e filhos, professores e alunos, juízes e réus. O desafio ainda é ter consciência desses fenômenos inconscientes e nos esvaziar tanto quanto possível de nós mesmos para ter interpretações, condutas e respostas inteligentes de forma a contribuir para que os outros saiam da plateia e se tornem protagonistas no teatro da própria mente.

Ter consciência da atuação do gatilho, das janelas e da âncora da memória em milésimos de segundo nos humaniza e nos tira do trono de deuses. Há milhões de seres humanos, incluindo líderes políticos e intelectuais, que nunca estudaram o complexo processo de formação de pensamentos e de pensadores e se portam como deuses, crendo que suas interpretações são verdades absolutas. Tais deuses são um perigo para a humanidade.

Marco Polo defendia que psiquiatras e psicólogos, bem como professores, não apenas deveriam usar teorias e técnicas, mas transmitir o capital das suas experiências, em destaque comentar alguns dos dias mais desafiadores de sua existência para mostrar estratégias de superação para seus pacientes ou seus alunos.

A transmissão do capital das experiências era comum na educação revolucionária promovida pelo Mestre dos mestres há dois milênios. Ele chorou algumas vezes na frente de seus alunos para que eles aprendessem a chorar as suas lágrimas e foi ousadíssimo ao falar que estava profundamente triste horas antes de ser julgado e crucificado, pois queria promover a saúde emocional deles. E eles só poderiam ser saudáveis se tirassem a maquiagem, se não vivessem um personagem, se fossem seres humanos verdadeiros, capazes de reconhecer e falar de suas fragilidades e de entender que ou a dor nos constrói, ou nos destrói.

Marco Polo, apesar de ter se revelado um pouco no processo de treinamento dos seus alunos, não se mostrou o suficiente. Reconheceu seu erro.

– Esperem. Não saiam. Quero me desculpar por não ter aberto alguns capítulos da minha história o suficiente, por não ter comentado alguns dos meus dias mais tristes e desafiadores. – E, lembrando-se de The Best, completou: – A inteligência artificial, por mais avançada que seja, jamais substituirá os educadores. Só um ser humano imperfeito pode educar outros seres humanos imperfeitos. Só um ser humano que sabe chorar, sentir solidão, culpa e experimentar decepções pode educar alunos e ensiná-los a enfrentar seus acidentes socioemocionais.

Marco Polo fez uma longa pausa, mergulhou nas entranhas de sua história e começou a relatá-la. Ele contaria fatos de sua infância e juventude que deixariam os alunos embasbacados, perplexos, atônitos.

2

O CÉU E O INFERNO EMOCIONAIS VIVIDOS PELO JOVEM MARCO POLO

O professor que treinava os "rebeldes", alunos considerados intolerantes, indisciplinados, intratáveis e irrecuperáveis nas universidades onde estudavam, fitou os olhos deles longamente. Em seguida comentou poeticamente sobre suas mais dramáticas dores e frustrações:

– As flores que eu colhi nasceram não nas primaveras emocionais, mas nos rigorosos invernos que atravessei. Surgiram não nos solos dos aplausos, mas no território das vaias. Brotaram não nas planícies do acolhimento, mas nos vales das rejeições. Não tive uma infância e uma juventude perfeitas como vocês pensam, muito menos pais que eram uma fonte de tranquilidade e saúde mental, embora os amasse. Minha mãe era depressiva, dramaticamente insegura, intensamente tímida e vítima de uma fobia social atroz. Nunca a vi sair de casa sozinha. Reitero, nunca.

Florence, que além de depressiva flertava com a fobia social, ficou tão impressionada que disse:

– Poxa! Sua mãe nunca saiu de casa sozinha? Que incrível! A fobia social e a insegurança dela poderiam ter comprometido completamente sua capacidade de correr riscos e produzir ideias. Mas você é tão ousado, um construtor de uma nova teoria, um escritor publicado em muitos países, um psiquiatra que revira nossa mente de cabeça para baixo. Que paradoxo é esse?

– Pois é, Florence, tive de aprender que não há céus sem tempestades, precisei reconhecer meus fantasmas mentais e domesticá-los, me reinventar a cada momento da minha história para superar meus cárceres. – E, umedecendo os olhos, confessou: – Mas, ao mesmo tempo que minha mãe era depressiva e fóbica, era uma pessoa incrivelmente humilde e amável.

Em seguida passou os olhos sobre seus alunos e lhes contou uma história emocionante que mexeu com a estrutura da sua personalidade e o ajudou a moldá-la:

– Até pessoas notavelmente afetivas, como minha mãe, podem errar muito com seus filhos, mesmo que com as melhores das boas intenções. Devido a termos um biógrafo inconsciente em nosso cérebro, o fenômeno RAM (registro automático da memória), que arquiva tudo sem a nossa autorização consciente, em cinco minutos ou até cinco segundos podemos mudar uma história de formação da personalidade para o bem ou para o mal.

Depois fez uma pausa e continuou:

– Quando eu tinha 5 anos, minha mãe chegou até mim e disse: "Seu canário morreu." Eu não me lembro que tive um canário. Mas só a notícia da morte, por ter alto volume de tensão emocional, ainda mais para alguém tão pequeno, já fez com que o biógrafo do cérebro formasse um arquivo traumático ou janela killer.

– Como nossa mente é complexa! – exclamou Florence. – Notícias inesperadas com alto grau de ansiedade são registradas privilegiadamente.

– Exato. Um campo minado – afirmou o psiquiatra. E continuou relatando sua história: – E minha mãe, querendo que eu tivesse responsabilidade, me colocou um peso emocional gigantesco, o peso da culpa. Ela disse: "E o canário morreu de fome." Nesse momento fiquei abaladíssimo, pois não sabia direito nem o que era morte, nem muito menos o que era morrer de fome. Ela completou: "Morreu por sua culpa, pois você não cuidou dele." Então o fenômeno RAM registrou em minha mente não apenas uma janela traumática comum, mas uma janela killer duplo P, com duplo poder: de ser inesquecível e de ser retroalimentada, lida e relida. Assim formei um cárcere mental.

Esse cárcere mental, ou janela killer duplo P, levou o menino Marco Polo durante muito tempo a chorar sozinho em seu quarto por causa do canário que morrera de fome e por sua culpa, o que o levou a desenvolver uma personalidade hipersensível à dor dos outros. Uma pessoa insensível, um psicopata, não sente a dor do outro; uma pessoa sensível se preocupa com a dor do outro; enquanto a pessoa hipersensível vive essa dor. Os estímulos traumáticos podem seguir essas três vias. No caso de Marco Polo, seguiu a terceira. Ao mesmo tempo que a hipersensibilidade tornava sua emoção desprotegida, "terra de ninguém", inclusive quando alguém o ofendia ou rejeitava, também o tornava superempático e um intrépido aluno na sala de aula. Tinha aversão a superficialidade. Tornou-se preocupado com as dores da humanidade.

– As janelas killer duplo P são como presídios que nos sequestram? – indagou Sam.

– Sim, Sam. Elas nos fazem gravitar na órbita delas.

– Por isso que eu ruminava dia e noite as mágoas quando alguém debochava dos sintomas da minha síndrome de Tourette, quando eu ficava esticando o pescoço ou a boca e fazendo outros gestos bizarros. Entendi que o que mais me descontrolava não era a síndrome em si, mas os cárceres mentais que em mim se formavam.

– O desafio é reeditar esses cárceres, pois é impossível deletar a memória, a não ser que haja um acidente vascular (AVC), um tumor cerebral, um traumatismo craniano ou uma degeneração cerebral – explicou Marco Polo. Excetuando esses casos físicos dramáticos, temos de reeditar janelas killer, ou construir janelas saudáveis, ou light, ao redor do núcleo traumático. E as técnicas de gestão da emoção, como a DCD (*duvidar* de tudo que nos controla, *criticar* os pensamentos perturbadores e *determinar* não ser plateia, mas protagonista em nossa mente) e a mesa-redonda do Eu (questionar hipersensibilidade, fobias, impulsividade, sofrimento por antecipação, autopunição), são vitais.

Marco Polo comentou sobre seu nascimento. Na época seu pai teve uma atitude inusitada.

– Quando vim a este mundo, meu pai me levantou bem alto e disse: "Serás chamado Marco Polo. Serás um aventureiro tal qual o veneziano que se aventurou pela Ásia num tempo em que era arriscadíssimo fazer longas viagens."

O aventureiro de Veneza nasceu em 1254. Durante milênios, antes da era dos transportes modernos, quase todos os seres humanos viviam e morriam a poucas milhas do lugar onde nasciam. Mas Marco Polo foi na contramão do conformismo que se abatia sobre a Europa feudal e tornou-se um explorador. Tal qual o explorador italiano, o jovem Marco Polo dos dias atuais também se tornou um viajante, só que para lugares mais remotos do planeta mente.

Depois desse relato, o psiquiatra comentou algumas características complexas da personalidade de seu pai:

– Meu pai era inteligente e muito bem-humorado, mas paradoxalmente era criticista e intolerante à mínima contrariedade. Sua emoção flutuava entre as montanhas da afetividade e os vales da impulsividade. Eu vivia em pé de guerra com ele. Invernos e primaveras se alternam todos os anos no meio ambiente, mas, na minha história, isso acontecia todos os dias. Conviver com uma pessoa flutuante com a qual você tem de pisar em ovos é árduo, compromete as defesas emocionais. Além disso, meu pai tinha uma cardiopatia, inclusive foi desenganado quando ele tinha 7 anos, o que o levou a ter medo de morrer diariamente. São palavras dele: "Fui um covarde, meu filho, de não pegar na sua mão e demonstrar o tanto que o amava, de não levá-lo para brincar e correr, pois tinha medo que se apegasse a mim e sofresse, pois eu cria que morreria a qualquer momento."

Em seguida sintetizou o caldeirão de emoções que viveu no processo de formação de sua personalidade:

– A fobia social de minha mãe e a flutuação emocional de meu pai desprotegeram minha emoção, mas, ao mesmo tempo, me fizeram enxergar que a única forma de sobreviver era me reinventar, não me curvar aos meus cárceres mentais nem admitir ser um escravo vivendo em sociedade livre. Eu me desafiava a me superar, a ter medo não do caminho, mas de não caminhar. Passei a ser um rebelde, um personagem que entendeu minimamente que só é capaz de se encontrar quem perdeu o medo de se perder à procura de si mesmo. – Depois brincou com seus alunos que o ouviam atentamente: – O resultado é que minha mente passou a ter uma rotação diferente da dos meus colegas, o que afetou minha história escolar e me causou algumas alegrias, mas, simultaneamente, intermináveis problemas, inclusive com meus mestres.

Marco Polo não conseguia ser um aluno que pensava como todos pensavam, não era capaz de agir como mais um número na multidão. Vivia no emaranhado dos seus pensamentos. Indisciplinado e inquieto, não aceitava na escola nada que fosse enfiado goela abaixo. Desconcentrado, vivia perguntando o que a professora ou o professor haviam acabado de explicar, como se não tivesse escutado nada. Era comum ele indagar:

– Professora, poderia explicar isso?

– Mas acabei de ensinar isso para toda a classe – dizia ela. – Você não ouviu a explicação?!

– Não. Quando?

Todos da classe davam risadas. A professora, exalando ansiedade, voltava a explicar para o distraído aluno.

Ele perguntava dez vezes, vinte vezes, todos os dias para seus mestres, deixando-os de cabelos ouriçados.

– O que significa isso? Não podia ser de outro modo? Como você tem certeza disso? Será que isso é verdade? Quem descobriu essa informação?

– Cale a boca, Marco Polo! – ordenava uma professora.

– Não é possível. De novo, Marco Polo? – retrucava outro professor.

– Não aguento mais a sua ansiedade! – diziam outros mestres.

Mas ele não se submetia ao silêncio serviçal.

– Pare de atrapalhar as aulas com suas perguntas! – disse certa vez um professor cujo nome era Jeferson.

Marco Polo o enfrentou:

– Você prefere alunos quietos ou alunos que debatem a aula?
– Alunos quietos! – bradou ele.
– Se é para ficar mudo, fico em casa.
– E por que não fica?
Então ele ironizava:
– Porque mestres como o senhor me inspiram.
E dava risadas de suas peripécias.
– Então vá se inspirar fora da classe. Vá para a diretoria.

Ao começar a ouvir sua história, os "rebeldes" quase desmaiaram. Nunca imaginaram que o psiquiatra tão lúcido que os estava treinando tivera uma juventude saturada de acidentes e rejeições. Florence comentou:

– Pais imperfeitos, uma educação imperfeita e dificuldades escolares dantescas teceram sua emoção. Interessantíssimo. Estou chocada e ao mesmo tempo fascinada.

Todavia eles não imaginavam o que ele ainda lhes contaria.

Chang, o grande debochador da turma, ao ouvir isso ficou extasiado.

– Caramba, Marco Polo. Eu sabia que tínhamos algo em comum. Ambos fomos palhaços e gênios ao mesmo tempo.

– Palhaço você é, mas gênio... Tenho minhas dúvidas, Chang – brincou Peter com seu amigo.

Marco Polo sorriu e continuou dizendo que viajava muito no mundo das ideias. Seus mestres se irritavam com sua intrepidez e inquietude; seus pais, com sua indisciplina e ousadia. De fato, ele era muito fora da curva, mas o preço era altíssimo. Certa vez, quando tinha 11 anos, um professor afirmou durante uma aula de geografia:

– Cristóvão Colombo foi o grande descobridor da América.

Ele imediatamente discordou:

– Errado, professor! – disse do fundo da classe.

– Quem é você para discordar de mim, menino?

– Pergunte para os indígenas que eles lhe dirão a verdade.

– Bom... Pensando bem, é... – concordou o professor, mas não admitiu que estava errado.

Marco Polo deu um empurrãozinho:

– A não ser que os indígenas não sejam gente como a gente. São ou não?
– Claro, são... – reconheceu constrangido o professor.
– Então nós invadimos a casa deles. – E depois brincou: – Você me deve essa.
Os alunos da classe baixavam a cabeça, pois sabiam que o professor subiria a serra com ele.
– Tenho vontade de invadir sua cabeça, seu petulante.
Uma semana depois, a professora de línguas estava ensinando uma série de regras gramaticais. O menino questionou:
– Você usa todas essas regras para falar?
Ela pensou, sabia que ele era famoso por colocar os professores contra a parede, mesmo sendo tão jovem. De cara se irritou:
– Não uso...
– Se não são importantes para a senhora, por que são importantes para nós? – perguntou o garoto.
– Marco Polo, Marco Polo, Marco Polo! – disse três vezes. E indagou: – Terror desta escola, o que tem nesse cérebro que não o faz ser um aluno normal?
– Eu também queria saber, professora – disse ele por fim, debochando de si mesmo.
Certa vez, o professor Lincoln, de história, lhe entregou uma prova. Ele olhou tudo e não concordou com a correção de uma questão. Não teve dúvida. Falou publicamente:
– Professor, você deveria revisar minha prova.
– Sem revisão.
Perturbado, ele disse:
– A correção da minha segunda resposta não foi adequada.
– Quem é você para questionar um professor, seu moleque?
– Por acaso os professores são inquestionáveis? O senhor está sendo injusto.
– Estou? Para não ser injusto só com você, vou tirar de todos os alunos da classe o valor dessa questão.

Os alunos se revoltaram contra Marco Polo.

– Você é o problema desta classe – disseram alguns.

– Não consegue ser um aluno como outro qualquer? – perguntaram outros.

– Quem se cala não exerce seus direitos – rebateu ele.

– Você é louco – disseram os outros.

O tempo passou e, em vez de os professores e outros adultos domarem o cérebro de Marco Polo, ele ficou mais intrépido. Mas o preço de abrir a boca, de questionar e opinar num ambiente escolar que valoriza excessivamente o silêncio e não o debate era muito alto. Certa vez, quando tinha 14 anos, uma professora de matemática, de nome Lucy, chamou a atenção de Marco Polo pela sua falta de concentração. Observando seus olhos distantes, indagou:

– Marco Polo, em que planeta você está?

Bem-humorado, ele disse:

– Sinto muito, em qualquer planeta, mas não neste.

Os alunos deram gargalhadas também.

Mas a professora, muito racionalista, não sorriu. Ao contrário, deu-lhe uma senhora bronca:

– Que vergonha! Por isso que suas notas são péssimas. Você não vai virar nada na vida, Marco Polo.

Mas ele não comprava o que não lhe pertencia. Em vez de se curvar à sentença de que seria um fracasso na vida, rebateu a professora. Levantou-se. Seus colegas, ao ver seu gesto, gelaram, pois mais uma vez ocorreria um terremoto em sala de aula. Eles sabiam que Marco Polo ficaria debaixo dos escombros.

– Professora Lucy, a senhora ensina que tipo de matemática?

– Ora bolas. Só há um tipo de matemática, garoto. A dos números.

– Não existe a matemática da vida?

– Como assim? – indagou ela.

– A senhora pode afirmar com certeza absoluta que tipo de problemas vai enfrentar amanhã?

– Claro que não!

– É possível ter 100% de certeza de que a senhora vai estar viva daqui a 24 horas?

– É obvio que não – respondeu ela, tensa.

– Se a vida é repleta de probabilidades, como a senhora tem certeza de que eu não vou ser nada na vida daqui a algumas décadas?

A professora congelou. Alguns alunos deram risadas e aplaudiram o debate. Mas a maioria tentou disfarçar suas emoções por temor, tapando a própria boca. A professora, em vez de aplaudir a ousadia do aluno, "cresceu" diante da classe.

– Um ponto a menos na próxima prova, seu insolente.

– Se, toda vez que eu aumento o debate de ideias, fico com um ponto a menos, sua matemática está errada. Aumentar é diminuir.

– Você está aqui para domar sua rebeldia.

– Não somos animais para ser domados, professora – disse ele meneando a cabeça, descontente, e se sentou.

Ao ouvir essas palavras, o clima ficou mais tenso. Lucy, num ataque de ansiedade, gritou com ele:

– Caia fora da minha sala agora!

– Mas o que eu fiz para justificar sua ira?

– Você sempre faz. Sempre tumultua o ambiente. Seu futuro é sombrio. Será um zero! – disse ela descontrolada.

E lá foi Marco Polo mais uma vez para a diretoria.

Recordando o evento, Marco Polo olhou para seus alunos:

– A professora me disse que eu seria um zero. Quando sentenciarem que vocês serão um fracasso, saibam que seu destino não está nas mãos das pessoas, mas nas suas. Destino é frequentemente uma questão de escolha. Mas, mais de vinte anos depois, aconteceu exatamente o contrário do que a professora previu. Milhões de pessoas, inclusive intelectuais e incontáveis professores de dezenas de países, leem e utilizam minhas ideias. O que não me orgulha, mas apenas me faz ser um pequeno carregador de pedras para uma humanidade melhor e mais justa.

Marco Polo por fim recebeu um título de membro de honra de uma academia de sobredotados, ou gênios. Essas situações o inspiraram a escrever o livro *Do zero ao gênio*, para inspirar muitos jovens a se reinventarem!

Certa vez, ao chegar novamente na diretoria, o diretor disse, esbravejando:

– De novo, seu atrevido?!

– Gosto tanto do senhor que tenho de visitá-lo frequentemente, seu diretor.

O homem pôs as mãos na cabeça. Não sabia se ria ou se chorava.

Ao ouvir o relato de Marco Polo, Peter abriu um sorriso espantado e comentou:

– Não é possível! Você era mais ousado e rebelde do que eu.

O psiquiatra sorriu e continuou a lembrar alguns episódios da sua história. Mas eram tantos que era difícil escolher qual contar.

Certa vez, subiu na carteira e proclamou:

– Liberdade aos silenciosos desta classe! Perguntem ou emburreçam!

Outra vez, teatralizou que estava tendo um surto psicótico:

– Socorro! Estão me perseguindo!

Era difícil algo parar em pé quando o jovem Marco Polo estava por perto. Toda semana tinha uma surpresa de causar calafrios. Por causa do estudante que virava o mundo de cabeça para baixo, sua escola foi apelidada de "A Escola do Furacão Marco Polo". Ele não dava muita importância para assuntos comuns ensinados em sala de aula, o que era um erro, mas trazia conhecimentos e debates que o atraíam e deixavam seus professores de cabelo em pé, sobre filosofia, sociologia, psicologia, física teórica, astronomia, buracos negros.

Certa vez, Marcos, o professor de física, afirmou:

– Newton descobriu a força da gravidade. É ela que faz equilibrar a órbita dos planetas e estrelas.

Marco Polo levantou a mão. O professor lhe deu palavra, dizendo:

– Fala. O que sairá dessa cabeça agora?

– E o planeta mente? Que forças o equilibram?

A classe deu risadas. O professor ficou parado um minuto sem responder nada. Depois disse:

– Não estou entendendo, Marco Polo.

– Minha mente é um caos. Penso numa coisa, depois penso noutra, uma ideia colide com a outra. Como me equilibrar?

– Não tem jeito. Sua mente é uma bagunça – afirmou o professor Marcos. – E todo mundo desta escola sabe disso!

– Mas sua mente não é um caos também? – indagou Marco Polo.

– Não. A minha é bem organizada – rebateu o mestre.

– Engraçado. Eu li num livro de filosofia que a criatividade nasce do caos.

Os alunos deram mais risadas ainda, mas alguns tentaram se segurar. Ao ver a reação da classe, o professor cuspiu fogo:

– Quem disse essa asneira?

– Não sei se foi Descartes, Spinoza...

– Quem? – perguntou o professor, confuso. Mas não se dobrou: – Você está chutando. No fundo é um desequilibrado.

Muitos na classe gritaram e bateram os pés:

– Desequilibrado! Desequilibrado!

O jovem Marco Polo foi humilhado. Mas não se curvou. Ele vivia a tese "Meu bullying, minha força".

– Mas no fundo todos nós não somos desequilibrados?

– Que eu saiba, só você nesta classe! – respondeu o professor levantando a voz.

– Desculpe, mestre, mas se ficou nervoso, perdeu sua paciência comigo, você se desequilibrou agora. Somos iguais.

Os alunos foram do estado de deboche ao delírio, pois o professor era muito crítico e pouco tolerante.

– Caia fora da minha aula.

– Relaxe, professor. Eu só queria entender por que minha mente é um vulcão.

– Porque você questiona muito e pensa muitas coisas estranhas. Vá soltar suas lavas emocionais na diretoria.

Marco Polo mais uma vez teve de sair da sala de aula. De fato, pensava demais. Não se adequava ao currículo escolar, queria sempre mais, sua mente era insaciável. Pensava tanto que certa época passou horas tentando fazer um novo código para a linguagem, a letra "a" era um ponto, a "b", dois pontos paralelos, a "c", dois pontos para cima, a "d", um ponto e um traço embaixo, e assim por diante. Ficava disperso em seu mundo.

Uma vez tumultuou excessivamente o ambiente numa aula de história. A professora Helen dava uma aula sobre a Segunda Guerra Mundial e comentou superficialmente sobre os campos de concentração.

– Prestem atenção! – falou altissonante. – Entenderam a história do nazismo?

Ninguém entendeu nada. Um dos capítulos mais dolorosos da história da humanidade passou despercebido. Os alunos não se sentiam atraídos pelo tema. Uns davam risadas, outros atiravam papéis em seus colegas e ainda outros tinham conversas paralelas. Marco Polo não gostou das atitudes dos seus amigos e colegas nem das explicações secas e frias da professora. Embora desconcentrado, amava história e pesquisava dados na enciclopédia de sua casa. Sempre queria saber o que estava nas entrelinhas.

– Hitler foi um aluno, professora? – perguntou alto lá do fundo da classe onde se sentava.

– O quê? Acho que sim.

– Por quantos anos ele frequentou a escola?

– Eu lá sei... – disse Helen constrangida. – Mas por que isso interessa?

– Para mim importa – respondeu o jovem.

– Importa o quê...? O que você entende da vida? – retrucou ela, confrontando-o, pois já o conhecia.

– Sim, importa. Se ele frequentou por anos uma escola, por que os professores não educaram o comportamento violento do pequeno Adolf?

– E quem disse que não educaram? – questionou ela.

– Se tivessem educado, ele não teria matado milhões de pessoas, os professores teriam evitado que ele se tornasse um grande psicopata. Não acha?

A professora perdeu as estribeiras. Bradou:
– Não faça perguntas que não têm nada a ver com a história, menino!
A turma zombou dele. Mais uma vez os deboches nutriam seu desafio. O debate esquentou. Ele se levantou e disse:
– Sinto muito, mas discordo, professora Helen.
Alguns alunos tiveram calafrios. Marco Polo indagou:
– Quero saber quais traumas o levaram a se tornar um dos homens mais violentos do mundo. Por que a educação dele não funcionou? O que controlou sua mente? Por que ele dizimou minorias? A senhora tem de me dizer alguma coisa sobre isso.
– Não tenho que lhe dizer nada, seu petulante. A psicologia não tem nada a ver com a história.
– Mas onde termina uma coisa e começa a outra?
– O quê? – perguntou ela, sem entender.
– Onde termina a psicologia e começa a história?
– Já chega. Pare de atrapalhar minha aula – completou ela, finalizando o debate.
O sistema educacional racionalista não admitia questionamentos. Mas Marco Polo não entendia isso.
– Espere, professora. E a dor dos que morreram nos campos de concentração?! Demonstre um pouco essa dor. A história não pode ser tão fria!
– Cale-se. Você deixa os professores loucos! – gritou por fim, irritadíssima. – Isso não é aula de teatro, MAS DE HISTÓRIA! – disse ela aos berros, fazendo com que outras classes ouvissem sua voz.
E muitos sabiam que o embate era com Marco Polo.
Mas o aluno não se importava com os "nãos". Embora rebelde, vivia a tese "Quem não é fiel à própria consciência tem uma dívida impagável consigo mesmo". Nada o parava. Diante da recusa dela, ele foi à frente da classe e interpretou um jovem judeu sendo asfixiado na câmara de gás do campo de concentração de Auschwitz. Foi dramático, o embrião da técnica da teatralização da emoção.

Marco Polo, muito ofegante, arranhava as paredes, seus dedos sangravam, como se ele estivesse querendo rasgá-las para procurar o ar. De fato, em Auschwitz, crianças, jovens e adultos tiveram essas reações quando foram asfixiados pelo uso do poderoso pesticida Zyklon B, que, em contato com o ar, produzia um gás mortal. Uma experiência inenarravelmente triste.

– Socorro... Me ajudem... – bradava altissonante o garoto Marco Polo. E batia na porta fortemente. – Abram! Abram! Socorro, abram!

E caiu ao chão simulando a perda de consciência.

Marco Polo foi tão convincente que vários alunos ficaram chocados. Alguns choraram. A escola parou. Apareceram vários professores e alunos para saber se alguém estava morrendo.

– É ele! Sempre ele! Esse insubordinado quer acabar com o sistema educacional – disse inconformada a professora Helen aos demais colegas.

Entretanto, com a teatralização de Marco Polo, a história ganhou emocionalidade e uma dose de realismo, fazendo com que vários alunos entendessem, ainda que minimamente, o sofrimento dos judeus cujas vidas foram ceifadas nos campos de concentração.

– Saia imediatamente desta sala – gritou a professora.

Ele saiu com os olhos lacrimejando, não pela expulsão, mas porque havia sentido um pouco as atrocidades praticadas pelo nazismo. Muitos anos mais tarde, quando já era um psiquiatra conhecido mundialmente e já tinha escrito mais de 3 mil páginas sobre o processo de formação do Eu como gestor da mente humana, Marco Polo escreveu dois romances psicológicos/históricos sobre a Segunda Guerra Mundial: *O colecionador de lágrimas* e *Em busca do sentido da vida*. Esses volumes foram reunidos em um só, chamado *Holocausto nunca mais*. Em muitos momentos, chorava enquanto elaborava os textos. Embora os tenha concebido como uma novela, Marco Polo os escreveu como uma tese de doutorado, com inúmeras referências bibliográficas, analisando temas psicossociais que estavam no rodapé da história.

Adolf Hitler nasceu na pequena cidade de Braunau am Inn, na Áustria, em 20 de abril de 1889. Ao contrário do que muitos pensam, ele não passou por traumas importantes na infância que justificassem ter se tornado um dos maiores monstros da humanidade, se não o maior deles. Sua mãe, Klara Pölzl, sempre dócil e protetora, queria que o menino fosse artista plástico. Seu pai, Alois Hitler, trabalhava numa alfândega e, portanto, não tinha necessidades materiais. Queria que seu filho seguisse a mesma carreira. Diante da análise do processo de formação da personalidade de Hitler, Marco Polo defendeu na obra *Holocausto nunca mais* a tese de que há dois tipos de psicopata.

O primeiro é forjado por abusos, perdas, violências na infância, gerando os psicopatas essenciais. Como assassinos em série, esses ferem muitíssimo a alguns, mas não têm habilidades políticas para assumir o poder de uma nação e dirigi-la. O segundo tipo de psicopatia, o dos psicopatas funcionais, não é forjado pelos traumas na infância, mas pelas ideologias fundamentalistas, pelo radicalismo político, racial, sociológico, filosófico, religioso, nacionalista, gerando comportamentos exclusivistas, fascistas, inflexíveis e intolerantes.

Marco Polo comentou no livro que os personagens com esse tipo de psicopatia são dissimuladores, têm bom nível cognitivo, mas péssimas habilidades socioemocionais.

Eles podem seduzir a sociedade em tempos de crise, alcançar o poder de uma nação e cometer atrocidades inimagináveis, caso de Adolf Hitler, Mussolini, Josef Stalin, Napoleão Bonaparte, Saddam Hussein e muitos outros. Hitler, com uma das mãos, beijava as mãos das mulheres alemãs por onde passava, era um gentleman; com a outra, dava ordem para assassinar milhares de mulheres não arianas e seus filhos nos campos de concentração. Hitler era tão dissimulado que teve a coragem de dizer que não nutria ódios raciais.

Marco Polo ainda narrou que, na Primeira Guerra Mundial, Adolf Hitler foi um simples cabo, que não tinha nenhuma genialidade intelectual ou expressividade política. Mas, surpreendentemente, 15 anos mais tarde, em 1933, tornou-se chanceler da poderosa Alemanha e logo depois chefe supremo das forças armadas. Como pôde acontecer esse fenômeno? Isso envolveu não apenas a crise econômica da nação, a fragmentação política, pesados impostos e outras normas asfixiantes do tratado de Versalhes impostas pelos vencedores da Primeira Guerra Mundial, mas também o florescimento do radicalismo em tempos de crise. Em novembro de 1924, Hitler tinha participado de um levante, conhecido como "Putsch da Cervejaria", o que o levara à prisão.

O jovem austríaco assumiu a responsabilidade pelo levante, enquanto muitos outros jovens alemães se intimidaram. Durante seu julgamento, Hitler teceu juras de amor à Alemanha, disse que era o alemão dos alemães, que sangraria pela pátria. A imprensa o exaltou e parte dos empresários e intelectuais flertou com suas ideias radicais. Todavia, a polícia de Estado havia recomendado a expulsão do estrangeiro "na certeza de que, uma vez posto em liberdade, voltaria a causar outras desordens públicas".

Enquanto Marco Polo contava essas histórias, Peter, Chang, Florence, Michael, Sam e os demais colegas nem piscavam. Ele narrava com tanta emoção que seus alunos pareciam ser transportados no tempo. Ele era tão teatral que mudava inclusive seu tom de voz para dar vida a alguns personagens.

– Na época, as autoridades cometeram um erro de julgamento gravíssimo, insinuando, com sarcasmo, que "o animal feroz estava domado" e que poderiam "afrouxar as correntes". Infelizmente, a corrente foi afrouxada e o predador Adolf Hitler devorou cerca de 6 milhões de judeus e inumeráveis eslavos, ciganos, homossexuais, religiosos. Devastou também a vida de milhões de jovens alemães que fecharam seus olhos para a vida numa guerra insana, que não era deles.

Desde que assumiu o poder, Hitler se colocou como o *Führer*, o líder, e promoveu um poderoso culto à personalidade, fazendo com que milhões de alemães fizessem juramento incondicional a ele, produzindo cárceres mentais que financiavam uma fidelidade cega e irracional. O nazismo foi vivido não apenas como um partido radical, mas como uma religião fundamentalista, o que ajuda a explicar por que, no final de 1944, quando a guerra já estava perdida, Hitler ainda dominava a mente de seus "inteligentes" generais, fazendo-os acreditar em suas loucuras.

Marco Polo ainda comentou que o mais perturbador é que Adolf Hitler, em sua adolescência, se inscreveu para ser aluno na escola de Belas-Artes de Viena e por dois anos seguidos foi rejeitado.

– Se o professor tivesse mais habilidades socioemocionais, se fosse, portanto, mais empático, afetivo e inclusivo, teria apostado no jovem Adolf. Desse modo, como escrevi em *Holocausto nunca mais*: "Provavelmente teríamos um artista plástico medíocre, mas não um dos homens mais destrutivos da humanidade. Milhões de vidas teriam sido poupadas." – Após tecer esse comentário, Marco Polo concluiu:
– A educação racionalista falhou e continua falhando em aplaudir e apostar quase que exclusivamente nos alunos que tiram as melhores notas.

Os alunos do psiquiatra também recordaram que foram rejeitados nas escolas.

– Eu fui considerado um caso perdido por cinco professores – afirmou Chang.

– Eu, por dez professores e dois reitores – relatou Peter.

– Eu era um feto indesejável que a direção vivia abortando do útero das escolas – falou Michael, compenetrado.

Marco Polo sabia pela própria experiência, e não apenas como psiquiatra e pesquisador, que a dor da rejeição é inesquecível. Embora inesquecível, deve ser reeditada, caso contrário se tornará um monstro que nos devorará por dentro dia e noite.

– Felizmente, alunos que não foram brilhantes no ensino básico, caso de John F. Kennedy e de Einstein, se reinventaram e brilharam ao longo do traçado de sua história. Porém não poucos alunos que foram excluídos, fracassados nas notas, vítimas de bullying, zombados pela timidez, são tombados pelos caminhos e ficam com sequelas emocionais. A rejeição que Hitler sofreu na escola de Belas-Artes em Viena não foi responsável pela sua psicopatia, mas a turbinou. A fixação dele por obras de arte nunca saiu da mente do pintor frustrado, contribuindo para produzir uma emoção doentiamente paradoxal e complexa. Ele foi o líder político que mais colecionou obras de arte da história, mas nenhuma criança era para ele uma obra-prima. Ele poupava museus nos países conquistados, mas não vidas. Preservava animais, pois era vegetariano, mas devorava a família humana.

A mente de Hitler era de tal modo insana que ele usava a religião para executar suas loucuras. Dizia-se um privilegiado da "Providência". A Providência o comissionava e o livrava dos atentados. Era deus de si mesmo. A aversão aos judeus o fez defender a tese de que Jesus não era de origem judaica. Ao mesmo tempo que expressava uma falsa religiosidade, perseguia e matava todos os religiosos que não confessavam a fé nazista. Mas, quando menino, aos 7 anos, por incrível que pareça, queria ser padre. E frequentou por dois anos um convento beneditino, mas não aprendeu minimamente as ferramentas socioemocionais do Médico da emoção proclamadas há dois milênios. Nunca leu ou entendeu as suas parábolas antirracistas e profundamente altruístas, dentre elas a parábola da ovelha perdida: certo pastor estava no meio de um grande rebanho, mas, de repente, sentiu falta de uma ovelha. Então deixou as 99 e foi desesperadamente à procura da faltante.

– Nessa metáfora, o pano de fundo mostra que uma multidão jamais substitui um único ser humano, que estatísticas de número de consumidores, seguidores das redes sociais, eleitores podem assassinar nossa identidade pessoal. As 99 ovelhas poderiam significar milhares, milhões de seres humanos, e a que estava desgarrada poderia ser eu ou você – disse o psiquiatra. E continuou explicando para seus treinandos: – A metáfora da ovelha perdida é gritante contra o racismo e a exclusão social. A grandíssima maioria dos políticos, megaempresários, celebridades ou mesmo dos religiosos não notaria a ausência de um eleitor, fã, empregado ou seguidor se estivesse na presença de uma numerosa multidão. Mas o maior líder da história, o Médico dos médicos da emoção, não apenas a notou, mas se angustiou com sua ausência a tal ponto que foi atrás desse anônimo e imperceptível ser, do qual ninguém sentia falta.

Depois dessas palavras, Marco Polo também indagou:

– E você sente falta de quem ama? Filhos sepultam seus pais vivos não os visitando ou dialogando com eles; amigos sepultam seus amigos de infância, sequer se informando se ainda estão vivos; casais sepultam um ao outro dormindo na mesma cama, digladiando por coisas tolas; pais não perguntam aos seus filhos: "Onde errei e não soube? Que fantasmas emocionais os assombram? Que dores e preocupações os têm sufocado?"

Florence, impactada, afirmou:

– Somos coveiros de pessoas vivas. Sou especialista em sepultar quem me frustra.

– Mas o Médico da emoção, achando sua ovelha desgarrada, não lhe deu bronca, não lhe expôs os erros nem a diminuiu, mas a tratou como um ser único e insubstituível – comentou o psiquiatra. – Somos idiotas emocionais, embora com alto nível de raciocínio lógico. Expomos erros, elevamos o tom de voz, somos peritos em criticar e querer ganhar a discussão.

– Sou um megaidiota emocional – reconheceu Chang.

– Quem era esse ser humano, tipificado por essa ovelha colocada sobre os ombros do Mestre dos mestres?

– Todo ser humano – respondeu Jasmine.

– Mas quem? Individualize-os. Coloquem-se no lugar deles – provocou Marco Polo.

– Todos, independentemente de sexualidade e nacionalidade – comentou Florence. – Cristãos, muçulmanos, judeus, budistas, ateus. Negros, brancos, amarelos. Pessoas éticas e errantes. Prostitutas e puritanas. Religiosos e dependentes de drogas.

Seus alunos, ao ouvirem toda essa exposição do seu treinador, então entenderam por que ele lhes ensinou a TTE, a Técnica da Teatralização da Emoção. Pois só consegue sentir minimamente a dor do outro quem se coloca no lugar dele.

– O sistema educacional não apenas tem de passar da era do ensino de informações para a era do Eu como líder e gestor da própria mente, mas também abandonar a era da exposição fria da história, da psicologia, da sociologia, e passar para a era da teatralização emocional. A TTE poderia fomentar autocrítica e prevenir o racismo sistêmico que infecta as sociedades digitais.

Depois que o jovem Marco Polo causou um alvoroço na aula de história por teatralizar a dor dos judeus no campo de concentração, a direção da escola cogitou expulsá-lo, pois suspensões e advertências não adiantavam. Mas como ele tinha um lado carismático e sociável, como instigava o debate e a ruptura do conformismo, foi ficando, aos trancos e barrancos. Reuniões e mais reuniões se faziam sobre o destino desse aluno completamente fora dos padrões estudantis.

No final do ensino médio, seus colegas de classe se reuniram para falar sobre que tipo de faculdade queriam fazer. Uns disseram que queriam ser engenheiros, outros, professores, agrônomos, enfermeiros. O ousado Marco Polo levantou-se e disse:

– Eu quero ser um médico e um cientista.

Silêncio geral. Depois vieram os deboches. Foi então que ele começou a entender que as mais importantes decisões são solitárias, não devem depender jamais do apoio da plateia.

– Você, Marco Polo? Um médico, um cientista? – disse um colega e caiu na gargalhada. – Acorda pra vida.

Outra colega comentou:

– Durante todo esse ano você tinha um só caderno e não tinha nada escrito nele. Seu destino está traçado. Desista.

– O destino não é inevitável, mas uma questão de escolha.

Outros alunos deram risadas dizendo:

– Grande escolha! Limpar balcões, recolher lixo também são trabalhos dignos.

A melhor maneira de provocar o instinto animal de um ser humano é fustigá-lo, pressioná-lo ou humilhá-lo, pois ele agride ou se reinventa. Marco Polo seguiu a segunda opção. Foi a partir dessa avalanche de comportamentos que entendeu outra ferramenta de gestão da emoção que comunicou aos seus alunos dos dias atuais:

– Entendi isto: "Sonhos sem disciplina produzem pessoas frustradas, e disciplina sem sonhos produz pessoas robotizadas, destituídas de autonomia." Devido à minha falta de concentração em classe, de disciplina e de sonhos, eu rarissimamente estudava em casa, uma irresponsabilidade que ninguém deve seguir. O resultado: eu era a segunda nota da classe.

– Ah, bom. Apesar de tudo, você tinha notas boas – concluiu Jasmine.

– Não, Jasmine. Eu era a segunda nota da classe, só que de baixo para cima.

Ao ouvir esse relato, Florence se espantou:

– O quê? O grande Marco Polo era um aluno com notas baixíssimas? Não acredito.

– Tive de estudar 12 a 14 horas por dia para entrar na faculdade de medicina.

– Impressionante – admirou-se Sam. – Você transformou o bullying em algo que o fortaleceu.

Isso era algo que o jovem não sabia fazer.

– Você ficou magoado com seus amigos? – indagou Yuri, o aluno russo.

– Não, não! Eles não eram meus inimigos, Yuri, pois eu tinha plantado esse comportamento. Mas entendi que a maior vingança contra os desafetos é perdoá-los, pois eles deixam de perturbar nossa mente. Por isso o primeiro a ser beneficiado pelo perdão é quem perdoa.

– Não consigo perdoar meus pais, meus avós, meus irmãos, meus tios, meus colegas. Eu sou um depósito de mágoas – comentou Hiroto.

De fato, seus alunos "rebeldes" eram depósitos de mágoas, embora parecessem alienados, como não se importassem com nada e com ninguém.

– Será que comportamentos egocêntricos, hiper-reativos, impulsivos não se devem ao fato de que vocês não souberam reciclar minimamente o lixo em seu córtex cerebral? Durante a minha juventude eu não tinha as técnicas de gestão da emoção que apresentei hoje, mas intuitivamente me reinventei. Não queria ser encarcerado por nada nem ninguém, nem pelos debochos.

O psiquiatra pediu a eles que se lembrassem de que sempre há no cérebro um biógrafo inconsciente e implacável, o fenômeno RAM, ou registro automático da memória. Ele registra de forma privilegiada todos os atritos, discussões, injustiças, sentimentos de perda, rejeições, formando um deserto de janelas killer em nossa psique. Quem não se recicla e se reinventa de alguma forma adoece.

O jovem Marco Polo, depois de estudar tanto, entrou na faculdade de medicina, passando em quarto lugar em meio a mais de 1.500 candidatos. E logo nos primeiros dias causou tumulto. Seu ímpeto questionador não conseguiu ser silenciado na universidade; ao contrário, foi turbinado. Para ele, aluno calado se tornava um servo da mesmice. Na primeira aula de anatomia, quando os alunos viram 16 corpos nus para serem dissecados, ficaram tensos. Marco Polo não suportou ver o professor começar a dar aula de dissecação de artérias, nervos e músculos sem comentar nada sobre os personagens que dissecariam. Levantou a mão. Mas o professor doutor, arrogante, não admitia perguntas durante sua exposição. Marco Polo, constrangido, abaixou a mão, mas em seguida a levantou novamente. Até que o professor, estressado, comentou:

– Dúvidas, daqui em diante, só quando eu terminar minha aula. Abrirei uma exceção, pois não conhecem minha pedagogia. Pergunte, garoto!

Seu olhar para os professores auxiliares dizia que ele esperava mais uma pergunta estúpida.

Marco Polo olhou bem nos seus olhos e questionou:

– Qual o nome das pessoas que vamos dissecar?

Há muitos anos o professor ensinava anatomia. Era tão orgulhoso que cria que não houvesse pergunta que não soubesse responder. Olhou perplexo para seus colegas e para os alunos, mas não deu o braço a torcer. Esbravejou:

– Esses cadáveres não têm nome! São mendigos e psicóticos que morrem por aí e cujos corpos ninguém reclama. Depois são trazidos até esta renomada faculdade de medicina.

Marco Polo não ficou satisfeito.

– Mas, professor, como vamos dissecar artérias, músculos e nervos sem conhecer minimamente as lágrimas que esses seres humanos choraram, os sonhos e pesadelos que tiveram?

Os alunos ficaram paralisados e começaram a olhar para os corpos de outro modo. O professor, em vez de aplaudir a ousadia de Marco Polo, sentiu sua autoridade ameaçada. Fechou o circuito da memória, irou-se.

– Você está ficando louco, aluno! Já disse que esses corpos não têm nem nome nem história. Se quer ser policial, escolheu a profissão errada. E, se discordar de mim, vá aos arquivos do departamento de anatomia e pesquise. Quem sabe você ache umas histórias interessantes desses cadáveres – disse o professor doutor formado em Harvard. E, depois de risadas irônicas, gabou-se em voz baixa para seus colegas auxiliares: – Destruí o garoto.

Na realidade, ele não conhecia o histórico de Marco Polo. Este, nos dias atuais, enquanto contava sua história, comentou aos seus alunos:

– Meus colegas de medicina saíram do céu da apreensão, ao ver os cadáveres inertes e nus na sala de anatomia, para o inferno do sarcasmo. Deram risadas de mim. Só não sabiam que os deboches me provocavam a ser mais intrépido.

Ao ouvir essa passagem da história do seu treinador, Peter disse categoricamente:

– Eu teria chutado o pau da barraca. Teria gritado, esperneado, devolvido a agressividade.

– Pois eu fiz isso mesmo, Peter, só que não agredindo, mas tendo a gana de mostrar para aquele orgulhoso professor que ele estava redondamente errado. Fui atrás da história daqueles corpos, procurei ansiosamente pelas pistas, mas nada. Queria ser um garimpeiro de ouro que conhecesse o mundo inexprimível daqueles seres humanos silenciados pela morte, mas era difícil. E buscas como essa mudaram minha história para sempre, não apenas como futuro psiquiatra, mas como pessoa, pois me fizeram enxergar que cada ser humano é único, tem um universo a ser explorado. Por isso ainda hoje sou capaz de gastar horas a fio com prazer para conhecer seres humanos anônimos, ainda que seja um psicótico ou miserável que vive à margem da sociedade.

Os "rebeldes" entenderam afinal o motivo para Marco Polo ter aceitado treiná-los contra todas as possibilidades de sucesso, a real causa para alguém com sua fama e respeitabilidade colocar sua reputação em risco diante de todos os reitores. Também entenderam por que o mentor não desistiu deles quando eles o rejeitaram, o escorraçaram e até cuspiram em seu rosto.

Marco Polo continuou relatando sua história. Ao pesquisar no departamento de anatomia, encontrou somente a informação de que havia um mendigo, cujo apelido era Falcão, que morava na praça central da cidade e identificara um dos corpos como "O Poeta da Vida". Depois de idas e vindas finalmente encontrou Falcão. Era um mendigo considerado psicótico, mas inteligentíssimo. No passado, fora um filósofo arguto. Infelizmente começou a ter surtos em sala de aula e, por fim, foi excluído da sua universidade. Além disso, seu sogro, que era riquíssimo e odiava que um filósofo tivesse entrado para o seio da sua família, quando viu seus surtos, aproveitou a oportunidade para excluí-lo. Comprou atestado médico falso que dizia que, se ele continuasse na sua família, seu único filho poderia reproduzir sua doença mental.

– Falcão saiu sem endereço em busca do mais importante endereço, um endereço dentro de si mesmo. Um endereço que poucos encontram.

Falcão conhecia as histórias incríveis de vários daqueles cadáveres. Uma grande amizade nasceu entre ele e Marco Polo. Falcão lhe ensinava que os "normais" frequentemente vivem personagens e são prisioneiros vivendo em sociedades livres. Ensinou o jovem Marco Polo a ser mais livre do que era, inclusive a cantar "What a Wonderful World" em praça pública sem se importar com os passantes. Meses depois, Marco Polo conseguiu levar Falcão à sala de anatomia. Foi uma cena de raríssima emoção quando o mendigo começou a identificar aqueles corpos inertes: "Maria, você aqui? Quantas vezes você deu o pouco que tinha para os que nada tinham. Você sabia repartir. Agora, em sua morte, estão retalhando seu copo, você reparte seus órgãos para que eles te estudem."

Marco Polo estava emocionado ao contar essa história. Seus olhos se umedeceram e os de seus alunos também. Em seguida comentou que, depois de identificar outros cadáveres, Falcão se aproximou lentamente de um corpo de cabelos grisalhos. Era "O Poeta da Vida", seu grande amigo de jornadas incansáveis pelas avenidas da existência. E se curvou sobre o corpo e chorou profundamente. No momento seguinte, levantou a cabeça e capturou a plateia de alunos de medicina, que só via corpos à sua frente e nada mais. Depois penetrou nos olhos daquele que era supostamente o professor doutor que havia debochado de Marco Polo no primeiro dia de aula de anatomia. Deu um choque inesquecível no frio e orgulhoso mestre.

– Vocês são indignos de dissecar este corpo... – Fez uma pausa. – O ser humano por trás deste cadáver foi um notável médico, um dos grandes cientistas deste país. Mas a vida tem curvas imprevisíveis. Num dia chuvoso, ele perdeu o controle do carro e, infelizmente, houve um trágico acidente. O Poeta da Vida perdeu o que mais amava. No ápice da dor, procurou psiquiatras, só que medicamentos antidepressivos tratam da depressão, mas não resolvem o sentimento de culpa. Desesperado, ele saiu pelo mundo procurando seus fantasmas mentais e tentando domesticá-los. Foi quando nos conhecemos numa das praças da vida. E nesse dia não nos falamos, apenas usamos a linguagem universal daqueles que foram devastados pela existência: as lágrimas. E a partir daí nos reinventamos e passamos a contemplar o belo, cantar nas praças e subir nos bancos para discursar sobre as loucuras dos "normais", sua busca insana pelo poder e sua necessidade estúpida de ser o centro das atenções.

Após Marco Polo narrar essa história para os 12 alunos considerados sociopatas insensíveis, eles estavam também vertendo lágrimas. E o psiquiatra revelou ter se inspirado nessa história para escrever, duas décadas mais tarde, seu provocante e penetrante romance psiquiátrico/sociológico *O futuro da humanidade*, que critica poderosamente o amanhã sombrio que paira sobre a espécie humana, já que cada vez mais os seres humanos são tratados como números no teatro social, tal como naquela fria sala de anatomia. Números de passaporte, de identidade e de cartão de crédito que escondem histórias complexas e inenarráveis. *O futuro da humanidade* foi adaptado para o cinema como uma vacina emocional contra o racismo, a discriminação e as mais diversas formas de violência, inclusive contra a exclusão social dos que adoecem mentalmente.

Os alunos queriam que o psiquiatra Marco Polo não se escondesse atrás de sua arguta cultura, de sua respeitabilidade internacional e de sua intelectualidade. Desejavam conhecer suas crises, seus desafios e as lágrimas que chorou. Eles ficaram atônitos, perplexos e espantados ao descobrir que a infância de seu treinador fora um céu com inúmeras tempestades e sua juventude fora um caminho com diversos acidentes.

Peter passou as mãos pelos cabelos e pediu desculpas:

– Devo-lhe sinceras desculpas, Marco Polo. Depois da quarentena, queria realmente abandonar seu treinamento de gestão da emoção, pois estava convicto de que um psiquiatra que cresceu numa estufa social, isento de crises e decepções, que não atravessou os vales das lágrimas e das perdas, não poderia educar e treinar este bando de loucos, insurgentes, rebeldes, considerados o lixo acadêmico. Na realidade éramos diamantes brutos que precisavam de um ourives. Mas na sua história há mais terremotos e tsunamis do que na nossa.

Do mesmo modo, os que queriam abandonar a jornada pediram desculpas. Marco Polo observou-os longamente e lhes disse:

– Mas não terminei.

Pasmados, exclamaram:

– Não?!

– Ainda passou por mais avalanches? – indagou Florence.

Seus alunos ficariam simplesmente assombrados pelo que ele ainda relataria. O mundo desabaria sobre Marco Polo. Suas dores atuariam como lâmina não para fazê-lo desistir da vida, mas para lapidar sua personalidade e levá-lo a se apaixonar pela humanidade, apesar de ser tão crítico de nossas loucuras.

3

AS LÁGRIMAS INVISÍVEIS DE MARCO POLO: SUA GRANDE DOR

Marco Polo admitiu que, nos primeiros anos da faculdade de medicina, seu céu emocional foi de brigadeiro, sem nenhuma nuvem ou turbulência. Era motivado, sociável e gostava de festas e de jantares, mas mesmo uma pessoa com tal envergadura emocional não está isenta de atravessar um inverno mental rigoroso. Na passagem do segundo para o terceiro ano, seu mundo desabou. Teve uma crise depressiva que o fez perder o encanto pela vida e esmagou o sentido existencial. Seu intelecto, que era uma praça de aventuras, se tornou uma fonte de ideias perturbadoras. A falta de oxigênio asfixia os pulmões, a falta de liberdade asfixia a emoção. Ambas são insuportáveis.

– Minha dor emocional foi asfixiante. Foi então que compreendi que as lágrimas que não temos coragem de chorar são mais doloridas do que aquelas que se encenam no teatro do rosto.

– O quê? O grande Marco Polo também teve depressão? – perguntou surpresa Florence, que por anos foi vítima dela.

– Sim, durante o curso de medicina. Foi então que entendi que a dor ou nos destrói, ou nos constrói. Tive de aprender a comprar vírgulas para sobreviver.

– Comprar vírgulas? – indagou Jasmine, sem entender.

– Comprar vírgulas para escrever os capítulos mais importantes da minha história nos momentos mais difíceis da minha vida.

– Espere. Eu ouvi essa frase no filme *O vendedor de sonhos* – falou Chang. – Foi você que escreveu o livro no qual foi baseado o filme?

Marco Polo meneou a cabeça afirmativamente.

– Eu também assisti ao filme. Emocionei-me... – expressou-se o jovem russo Yuri, que era uma pedra de gelo e rarissimamente umedecia seus olhos ao assistir às cenas de um filme. – Você é mais famoso do que imaginava, uma celebridade.

– Eu, uma celebridade? Você não sabia que o culto à celebridade é um sintoma de uma sociedade infantil? Sou como o protagonista dessa obra, um simples vendedor de sonhos numa sociedade digital e consumista que está deixando de sonhar.

– Mas como você encontrou suas vírgulas? – questionou Sam ansiosamente.

– Minha dor foi minha grande professora. Em vez de me curvar a ela, eu me questionava continuamente: Quem sou? O que sou? Por que sou escravo da minha emoção? O que é a emoção? Qual é sua natureza? Por que não tenho controle sobre ela? O que são os pensamentos? Quais são seus tipos? Por que não os administro? Como eles são construídos em minha mente? Quais fenômenos leem a minha memória em frações de segundo? Qual a relação entre meus pensamentos perturbadores e minhas emoções doentias? O que é a consciência? Como ela é tecida? O que é o Eu? Quais são suas funções? Por que meu Eu é frágil e não líder de mim mesmo?

– Nossa, você fazia tantas perguntas assim para si mesmo? – indagou Michael, fascinado com a reação do pensador da psicologia.

– Dia e noite. Milhares de perguntas. Cada resposta era o começo de novas perguntas, uma série interminável de indagações. E anotava quase tudo.

– Por que se questionava tanto? – perguntou Hiroto, que nunca se questionava. Vivia como milhões de pessoas porque estava vivo.

– Só se questiona quem procura por si mesmo, quem quer sair da superfície do planeta mente para entrar em suas camadas mais profundas. Quem não se questiona não duvida das próprias verdades, não vasculha os fundamentos das emoções e dos pensamentos que tem, vai sempre ser superficial, ainda que seja academicamente um intelectual. E quanto mais me questionava, mais anotava e mais desenvolvia novos conhecimentos.

Marco Polo disse que esse processo continuou depois de ter se tornado um psiquiatra. Foram mais de 20 mil atendimentos psiquiátricos e psicoterapêuticos em que questionava detalhadamente a construção de pensamentos e emoções doentios por trás dos ataques de pânico, das depressões, das ansiedades, da dependência de drogas, das psicoses.

Sam, que tinha a síndrome de Tourette, silenciou seus movimentos involuntários e disse:

– Poxa, em vez de sua crise depressiva levá-lo a enfiar a cabeça debaixo da terra, você a usou para mergulhar dentro de si.

– Sim, Sam. Você entendeu. Não queria viver mais a Síndrome do Avestruz, cujos sintomas são autoalienação, autoabandono, automutilação, timidez exacerbada, rejeição à autocrítica, fobia a opiniões críticas, medo de correr riscos, dificuldade de entender que quem vence sem riscos triunfa sem glórias, dificuldade de se reinventar.

Florence ficou abaladíssima.

– Vivi essa Síndrome do Avestruz que você acabou de descrever, por isso me isolava e me mutilava. Muitas vezes fui covarde diante de minhas crises depressivas. – E, expressando raiva de si, exasperou-se: – Fui uma covarde!

Marco Polo pegou suavemente sua mão direita e a acalmou:

– Não se martirize mais uma vez, Florence. Não há gigantes diante da depressão. Só sabe a dimensão da sua dor quem atravessa seus vales.

– Mas eu fui a psiquiatras e psicoterapeutas. Tomei um arsenal de remédios, fui analisada, tentei me autoconhecer, fui orientada, mas ainda assim me autoabandonava.

– Os profissionais que atenderam você podem ter sido muito bons, mas talvez o problema é que o seu Eu não complementava seu tratamento.

– Como assim?

– Fora do ambiente do consultório, o seu Eu não atuava como autor da própria história, como protagonista do script. E não atuava porque ainda não conhecia, como agora, as ferramentas de gestão da emoção, a técnica do DCD (duvidar, criticar e determinar), o Eu como consumidor emocional responsável, que não compra ofensas, rejeições, críticas que não lhe pertencem.

Florence deu um suspiro de alívio.

– Agora tenho a oportunidade de superar a Síndrome do Avestruz.

Marco Polo comentou uma de suas falhas:

– Eu deveria ter procurado um psiquiatra quando tive minha crise emocional, mas naquela época havia muitos preconceitos, mesmo entre os estudantes de medicina, contra procurar profissionais de saúde mental. Hoje, como psiquiatra e psicoterapeuta, sei que o preconceito impõe riscos desnecessários.

– Até hoje estou atolado em preconceitos. Nunca consegui ir a um psiquiatra motivado para me tratar. Olhe que fui numa meia dúzia – admitiu Hiroto honestamente.

– Lembrem-se sempre que bons psiquiatras e psicólogos nos ensinam a encontrar as vírgulas. As vírgulas transformam os frágeis em poderosos, os fatigados em incansáveis, os ansiosos em tranquilos, os depressivos em seres humanos que aprendem a enxergar a vida como um espetáculo imperdível – explicou Marco Polo.

Em seguida relatou o oceano de perguntas que o levou a escrever milhares de páginas e produzir uma das raras teorias sobre o processo de construção de pensamentos, o Eu como gestor da mente humana, os papéis da memória, o programa de gestão da emoção e o processo de formação de pensadores, chamada de Teoria da Inteligência Multifocal.

De repente, Michael, muitíssimo pensativo, fez uma pergunta fatal:

– Você foi desafiado por aquele grupo de reitores internacionais a usar as ferramentas de gestão da emoção do Mestre dos mestres para dar um jeito neste bando de loucos, intratáveis e intragáveis que somos nós. Como um pesquisador como você, um pensador teórico da psicologia, foi estudar a mente de Jesus Cristo e suas técnicas para formar mentes livres a partir de mentes encarceradas? Eu não entendo!

Marco Polo estava dentro de uma sala, sentado em círculo com seus alunos. Olhou para um quadro de pintura afixado na sua frente, que era uma reprodução da *Mona Lisa*, de Da Vinci. Observou seu sorriso subliminar. Abriu também um suave sorriso, que escondia mais alguns capítulos submersos e dolorosos de sua história. Segundos depois, respondeu:

– Mais uma vez o mundo desabou sobre mim. Anna, minha esposa, minha eterna namorada, faleceu tragicamente de uma doença autoimune cuja evolução foi rápida. Chorei lágrimas inenarráveis. Achava que nunca mais conseguiria amar alguém como amei Anna. Um amor não substitui o outro, mas, depois de dois anos, encontrei alguém que atropelou minha história como um veículo numa avenida. Porém não me acidentou negativamente, mas positiva e construtivamente. Encontrei Sofia, uma psiquiatra mais jovem que eu, arguta, inteligente, debatedora de ideias e que não se importava com meu prestígio social. O amor verdadeiro só existe se quem te ama se importa com quem você é, e não com o que tem.

Certa vez, Marco Polo viajou com Sofia para Israel, onde daria uma conferência num congresso patrocinado pela Organização das Nações Unidas (ONU) sobre a expansão da violência mundial e as suas formas de prevenção. Marco Polo tumultuou o evento argumentando mais uma vez que o sistema de educação mundial era psicótico, não trabalhava o Eu como gestor da mente humana, não produzia coletivamente as habilidades socioemocionais, como o altruísmo, a empatia, a resiliência, o autocontrole e, em destaque, a capacidade de pensar como humanidade, e não apenas como grupo social, político, religioso, racial.

Ao ouvir as críticas que Marco Polo fez no congresso da ONU, um dos "rebeldes", Peter, o interrompeu dizendo:

– Eu nunca aprendi no ensino básico técnicas de autocontrole, de gerenciamento dos meus pensamentos. Minha mente era terra de ninguém. Para mim, bateu, levou.

Peter foi expulso uma dúzia de vezes dessas escolas. Foi cinco vezes parar na delegacia com seu pai devido aos seus péssimos comportamentos. Até que foi embora de casa. Na universidade, sua rede de atritos se expandiu. Era a dor de cabeça dos professores e colegas. Foi expulso diversas vezes da sala de aula. Saiu oito vezes dos consultórios de psiquiatras e psicólogos batendo a porta e bradando que nunca mais voltaria, sentenciando frases como: "Vocês são mais loucos que eu!" Explosivo, impulsivo, autoritário, insociável, seu comportamento era de tal forma violento que foi um dos primeiros a ser selecionado por The Best, pelo mais avançado computador humanoide. Foi carimbado como aluno irrecuperável, futuro hóspede de um presídio ou hospício.

– De fato, Peter, quem não aprende ferramentas para trabalhar perdas e frustrações ferirá as pessoas que mais ama e será, ao mesmo tempo, um carrasco da própria saúde mental – afirmou Marco Polo. – Permita-me continuar meu relato.

Ele então contou que durante sua estada em Israel, depois do debate sobre formas de prevenção da violência que se alastrava nas sociedades digitais, Sofia se interessou por assistir a uma aula de filosofia e insistiu que ele fosse com ela. Depois de alguma resistência, ele cedeu. No evento havia dois intelectuais teológicos palestrando, um católico, conselheiro do Vaticano, e outro protestante, professor de Harvard. Ambos abordavam os aspectos históricos e sociológicos do personagem Jesus. Marco Polo, saturado de preconceito, se levantou no final do evento e perturbou o ambiente dizendo:

– Desculpem-me, mas não concordo com vocês. Para mim Jesus Cristo é uma figura sociopolítica construída por um grupo de galileus que buscava um líder social para libertá-los do tirano Tibério César.

Sofia não sabia onde enfiar a cara. Tentou segurá-lo, mas era impossível.

Um dos palestrantes, incomodado com a ousadia e o preconceito do ouvinte, perguntou:

– Qual seu nome?

– Isso não é importante no momento.

– O senhor não crê em Deus?

– Deixe-me explicar quem sou. Charles Darwin, no leito de morte, clamou por Deus quando vomitava. Não era ateu. Friedrich Nietzsche também não era ateu, mas um antirreligioso feroz. Diderot, Marx,

Freud, Sartre foram também antirreligiosos, mas estes eram ateus. Criticaram as atitudes das religiões e, consequentemente, negaram a ideia de Deus, o que acho uma postura pouco inteligente: negar o segundo por estar magoado com o primeiro. Não sou melhor do que nenhum desses intelectuais, mas, ao contrário deles, sou um ateu científico. Para mim, que estudo o processo de construção de pensamentos, Deus é uma construção espetacular da mente humana, que procura escapar desesperadamente do seu caos na solidão de um túmulo.

Silêncio geral. Todos ficaram calados por alguns instantes pela intervenção de Marco Polo, menos Sofia. Ela cria em Deus, cria que havia um artesão da existência, embora não fosse muito religiosa. Vendo que Marco Polo deixara todos perplexos com suas ideias, sua honestidade e arrogância, ela se levantou e o desafiou publicamente. Foi uma das raras vezes que se sabe que uma mulher desafiou publicamente seu homem no coliseu do conhecimento sem se autodestruírem.

– Desculpem, senhoras e senhores, Marco Polo é o homem que eu amo. Eu o convidei para que ele fosse apenas um ouvinte. Não queria causar polêmicas. Mas ele não consegue se calar.

– Se eu me calar, serei infiel à minha consciência, Sofia. E quem é infiel à própria consciência tem uma dívida impagável consigo mesmo.

Sofia não se calou e o enfrentou:

– Ser fiel à sua consciência não quer dizer que você pode atirar pedras na consciência dos outros só porque eles não pensam como você.

O clima ficou mais tenso ainda.

– Espere um pouco! Eu te respeito, mas não atirei pedras.

– Atirou, sim. Suas ideias não são verdades absolutas. Você produziu conhecimento sobre o processo de produção de conhecimento. Esqueceu-se disso? Esqueceu que você mesmo defende a tese de que o pensamento é virtual e a verdade é um fim inatingível?

– Bem, eu defendo... – disse ele titubeando, algo raríssimo.

– Suas ideias são apenas ideias, por mais que você tenha uma mente privilegiada. Você deveria iniciar sua intervenção dizendo: "Eu respeito o que vocês pensam, mas eu penso assim ou assado..."

Marco Polo, bem-humorado, disse:

– Muito obrigado por me ensinar como debater publicamente. – E olhou para a plateia e disse: – Respeito o que vocês pensam, mas eu penso "assado", muito "assado".

As pessoas relaxaram e sorriram. Ela queria pegá-lo em sua própria astúcia. Há muito tempo ela queria que ele investigasse a mente de Jesus. Mas parecia um desejo impossível.

– Eu respeito seu ateísmo, mas não concordo com suas respostas rápidas e impensadas.

Ele se ofendeu.

– Rápidas, sim; impensadas, não! Para quem faz autocrítica, a rapidez das respostas não tem uma linha direta com a superficialidade. Quer que eu repita minhas teses? – indagou Marco, espantado com a ousadia dela.

– Já que você tem autocrítica, já que também pesquisa não apenas o processo de construção de pensamentos, mas também o processo de formação de pensadores, eu o desafio a investigar a mente de Jesus sob os ângulos das ciências humanas, e não da religião.

– Era só o que me faltava.

– Tem medo de se abrir para outras possibilidades, meu amado?

– Medo, eu? Talvez tenha medo de perder meu tempo.

– Seria perda de tempo investigar a criança mais comemorada do mundo? Seria perda de tempo estudar o homem mais famoso da história? Seria perda de tempo analisar seus comportamentos nos mais diversos focos de estresse? – questionou Sofia, abalando o homem que amava.

As pessoas na plateia a aplaudiram, inclusive os dois palestrantes, que a essa altura já conheciam a identidade de Marco Polo. Um deles estava no evento da ONU sobre a violência social. E agora o psiquiatra era desafiado a investigar a inexplorada e complexa mente do carpinteiro de Nazaré.

– Pense no que você está me propondo. Só há textos escritos há muitos séculos sobre ele. Como será possível confiar neles? – disse Marco Polo, baixando a guarda.

Sofia deu-lhe o xeque-mate:

– Não estudou Einstein, Freud, Kant, Hegel? Não analisou como eles libertaram seu imaginário e produziram novas ideias? Você os visitou presencialmente através da janela do tempo ou usou textos? Se usou textos, use os quatro evangelhos, que são aceitos universalmente como uma espécie de biografia de Jesus. Investigue, compare, analise, critique! É sua especialidade, e não a minha.

As pessoas presentes novamente a aplaudiram. Mas ele, constrangido, refutou:

– Não dá.

– A prepotência é o trono dos deuses que têm de pensar em outras possibilidades.

– Não sou deus, Sofia. Sou um simples mortal que morre todos os dias um pouco. A vida é brevíssima para se viver e longuíssima para se errar.

A plateia estava fascinada com o debate do casal. Eles discutiam digladiando ideias, não ofendendo um ao outro.

– Se a vida é longuíssima para se errar, estou pedindo para você não errar em se autoquestionar, não errar em deixar de pensar além dos horizontes de suas convicções. Não estou pedindo para você seguir uma religião, mas, reitero, estou desafiando-o a pesquisar a mente de Jesus sob os parâmetros da ciência. – Depois ela baixou o tom de voz e lhe disse afetuosamente: – Não é você que diz que o planeta cérebro tem mais cárceres que as nações mais violentas do mundo? Não percebe que está aprisionado pelo cárcere do preconceito, meu amado?

Ele sorriu suavemente. Nunca imaginou que aceitaria esse desafio, ainda mais publicamente. Abrandou seu tom de voz e lhe respondeu:

– Minha querida, ninguém até hoje pesquisou a mente de Cristo sob os ângulos da psiquiatria, psicologia, sociologia e da psicopedagogia? Serei eu o primeiro?

– Não é você o mestre da ousadia? Que seja o primeiro.

E assim terminou aquele encontro. Marco Polo aceitou o desafio inenarrável. Dedicou-se, dentro de suas enormes limitações, a investigar dia e noite, nos meses que se seguiram, a mente de Jesus, suas teses, suas ideias, suas emoções, sua saúde mental, seus comportamentos, suas reações subliminares, suas pressões, seus estresses, seu silêncio, o chamamento dos seus alunos e as ferramentas que utilizou para a formação deles. Foi extremamente cuidadoso em não entrar no campo teológico; portanto, para resgatar a humanidade contida em suas biografias, não estudou os milagres, a vida eterna, nem sua missão e seu sacrifício como o Cristo. Questionou se ele era fruto de um grupo de galileus que procurava um herói político ou se era um personagem impossível de ser construído pela intelectualidade humana. Concluiu que é impossível a mente humana construir um personagem com suas características de personalidade. Ela vai contra todos os parâmetros e modelos psicológicos, sociológicos, pedagógicos e políticos. À medida que avançava seus estudos, Marco Polo passou a chamar Jesus de "O Mestre dos mestres".

Depois de ouvir todos esses comentários de Marco Polo, Jasmine e Florence aplaudiram a inteligência e a ousadia de Sofia:

– Que mulher incrível!

– Incrível mesmo – concordou o pensador da psicologia. – Por fim, ao fazer toda essa análise criteriosa dos comportamentos do Mestre dos mestres, fiquei chocado, perplexo, abalado, prostrado. Compreendi que o vírus do ego estava contagiando cada um dos meus neurônios.

– Que análise de Jesus Cristo o abalou mais? – perguntou Florence curiosíssima.

– São inumeráveis. Ele foi o maestro da pacificação de conflitos: *felizes são os pacificadores*. Foi o poeta da tranquilidade: *felizes os mansos*. Foi o artesão da construção de amigos. Intelectuais, políticos e empresários morrem frequentemente solitários. Reis têm bajuladores, seguidores e inimigos, mas ele queria algo que o poder e o dinheiro não podiam comprar: amigos. Só os verdadeiros amigos podem nos fazer superar a solidão. Foi o artífice do amor. O amor era o fundamento de toda a existência. Sem amor, não haveria ar para respirar, coração para se emocionar, sentido para viver: *amai-vos uns aos outros assim como vos amei*. Foi o único de todos os pensadores que analisei que não foi contaminado pelo vírus do ego. Sua humildade era uma poesia, embora pudesse ser o mais egocêntrico dos seres, pois seus discursos e atos surpreendentes arrebatavam multidões numa era em que não havia mídia de massa.

Depois Marco Polo tomou um pequeno gole de água, fitou sua atenta plateia de alunos e completou:

– Sua mente era tão fascinantemente complexa que, se por um lado revelava uma discrição inexprimível, o que o levava a dizer para todos os que ajudava "Não conte para ninguém", por outro se revelava possuidor de um poder que nem um psicótico no surto mais delirante conseguiria elaborar e dizer: *Quem crê em mim tem a vida eterna, passarão os céus e a terra, mas as minhas palavras jamais passarão*. Que mente é essa? Que intelecto é esse? Que mestre é esse?

– Poderia ele estar tendo um delírio de grandeza quando falou que "os céus e a terra passarão, mas minhas palavras não"? – indagou Florence.

– Pensei, analisei e questionei muito os paradoxos dos seus pensamentos, a organização das suas ideias, a mobilidade e o alcance do seu raciocínio, e minha conclusão é que é impossível que ele fosse um psicótico. Ninguém foi tão discreto e ao mesmo tempo tão convicto e bombástico como ele. Alguém que está tendo um surto psicótico tangencia a realidade, perde os parâmetros da lógica, asfixia a empatia, o autocontrole e a consciência crítica, mas ele exalava essas características em prosa e verso.

– Mas quem foi Jesus Cristo, então? – perguntou Peter diante dos mistérios que o cercavam.

– Filho de Deus, arquiteto da existência, Mestre dos mestres, o gênio dos gênios? Não sei, realmente não sei – confessou Marco Polo. – Pergunte aos teólogos. Esta Terra produziu mentes brilhantes, como o Buda Sidarta Gautama, Maomé, Confúcio, Moisés, Sócrates, Kant. Mas para mim ele é o mais incrível diamante humano, o mais conhecido de todos e, ao mesmo tempo, o menos explorado. Como Médico da emoção, ele tratava das raízes do preconceito: *recusam-se a ver com os olhos, entender com o coração e ser por mim curados*. Ele mostrava a fonte inesgotável de felicidade: *se beber da água que eu lhe der nunca mais terá sede, ela jorrará para a vida eterna.* Sua capacidade de dar socioemocionalmente tudo que tinha aos que pouco tinham era poética, apostou em Judas Iscariotes no ato da traição, protegeu Pedro no ato da negação, cuidou de sua mãe quando na cruz não tinha oxigênio para respirar, apontando João como protetor dela, e abraçou a humanidade com um perdão inenarrável quando todas as suas células morriam sobre o madeiro.

Depois desse brevíssimo resumo da personalidade do Mestre da emoção, Peter disse:

– Simplesmente incrível! Eu, que tinha asco desses temas, estou fascinado.

– Que médico é esse que estava preocupado com a saúde mental dos seus alunos, que não prescreveu remédios, mas usou ferramentas para tratar do egocentrismo, da solidão, da autopunição e da arrogância humanas? – questionou Jasmine.

– Se cortamos o dedo ou sofremos um trauma físico pequeno, já perdemos a lucidez. Como Jesus se mantinha lúcido quando o mundo desabava sobre seu cérebro? – perguntou Sam.

Marco Polo sorriu.

– A partir da minha análise dos comportamentos de Jesus Cristo, escrevi diversos livros. Muito provavelmente seus alunos, como milhões de jovens, morreriam na insignificância, mas nunca um professor tão grande se fez tão pequeno para tornar grandes seus alunos problemáticos.

– Mas me fale com mais detalhes sobre como você se inspira no treinamento que ele desenvolveu para nos treinar – pediu Yuri.

Ele amava hackear tudo, mas Marco Polo conteve sua ansiedade:

– Espere, Yuri. Vamos conversar numa praça ao ar livre e lhe contarei. Apenas saiba por enquanto que há muitos cárceres construídos pelo ser humano e o cárcere da mesmice é um dos mais asfixiantes para uma mente inovadora. A chave para sair dele é pensar criticamente e se autoquestionar.

Para Marco Polo, quem anda no traçado do tempo e não questiona os mistérios da existência é emocionalmente infantil e mentalmente superficial. Mas onde estavam as pessoas profundas que questionavam a vida, o sistema e suas falsas verdades? Eram raras como pérolas. Para quem vive no casulo da existência, tudo parece comum: comprar, vender, comer, dormir, trabalhar... Mas, para quem se arrisca a se tornar uma borboleta, tudo é extraordinariamente belo e incomum. O notável planeta azul tinha bilhões de seres humanos aprisionados no casulo de suas mentes, vivendo porque estavam vivos, considerando-se "normais", sem saber que estavam doentes, depressivos, intimidados, com medo de superar os próprios limites. Sem encantarem a si mesmos nem aos que os rodeiam.

Os que vivem em seus casulos mentais só ficam impactados com acontecimentos excepcionais, como o nascimento da vida, o término dela e alguns raros eventos no meio da sua diminuta existência, como festas de aniversário, casamentos e premiações sociais. De outro lado, os que vivem fora de casulos sofrem mais estresses, mas transformam a vida num espetáculo único e inexprimível. Viver em casulos é uma forma solene de engrossar as estatísticas da era da ansiedade e da era dos mendigos emocionais. E há inúmeros mendigos emocionais entre os mais ricos do mundo. Pobre existência! Treinar ser rico emocionalmente, fazer muito do pouco, é um desafio dantesco.

4

OS CAPÍTULOS DRAMÁTICOS POR QUE OS REBELDES PASSARAM

No dia seguinte Marco Polo estava no centro da cidade. Encontrou seus alunos após vencer um trânsito infernal. Depois de conhecerem parte da história do seu treinador, as crises que atravessou, os golpes de ousadia e as experiências excêntricas que vivenciou, aparentemente se engajaram mais no complexo processo de aprendizagem. Exercícios mentais previsíveis não nos retiram do lugar onde estamos, exercícios emocionais imprevisíveis nos viram do avesso. Estariam preparados para serem virados intelectualmente do avesso? Por mais rebeldes que fossem nas universidades, o ambiente e as experiências eram controlados.

– Fale aí, professor. Como você se inspira no treinamento do Mestre dos mestres para nos treinar?

Marco Polo sorriu, abriu os braços e disse:

– O carpinteiro da emoção provocava seus alunos a viver a tese das teses das mentes inovadoras e resilientes: use a dor para se construir, não para se destruir, e saiba sempre que quem vence sem riscos triunfa sem glórias. Tinham de ser tolerantes e não ter medo de serem execrados por andarem com corruptos, imorais e pecadores. Tinham de sair pelas cidades e vielas sem levar dinheiro, sem saber o que comeriam ou onde dormiriam. Tinham de eliminar seu raciocínio raso e estreito e treinar seu raciocínio complexo através das parábolas ou metáforas da vida. Treinavam-se a ter um ego esvaziado para conquistar o reino da sabedoria. Aprendiam a desacelerar a própria mente, a gerenciar a ansiedade e a ser calmos nos mais diversos focos de estresses. Tinham de aprender a pensar antes de reagir em situações extremas para serem pacificadores. Tinham de aprender a ser transparentes, a reconhecer as próprias falhas, a admitir sua estupidez e a não ter medo de suas lágrimas. Deveriam ser perspicazes como serpentes e símplices como as pombas.

– Ufa. É uma bela inspiração – comentou Yuri.

Marco Polo completou:

– Pedro, André, João, Tiago, Judas, Filipe, Bartolomeu, enfim, os 12 "apóstolos da ansiedade e das dores de cabeça" de Jesus tinham de realizar todo esse treinamento num ambiente completamente imprevisível.

– Não é sem razão que jovens medíocres ou "medianos" impactaram a humanidade – concluiu Michael. – São exercícios que as universidades jamais fizeram com seus alunos e aos quais as empresas jamais submeteram os seus executivos.

– Parabéns, Michael. Está preparado? – indagou Marco Polo.

– Preparado para quê? Para mais um exercício inspirador? Estou. Bem... Pensando melhor, não sei. De que se trata?

Marco Polo sugeriu que procurassem uma praça mais próxima. Logo a encontraram. Buzinas, freadas, aceleradas eram temperos de uma poluição ambiental que inquietava a mente e dificultava a concentração.

– Será aqui – disse Marco Polo.

– Será aqui o quê? Que exercício? – indagou Florence com calafrios, pois sabia que algo estressante e inesperado ocorreria.

– Sim, será aqui que vamos sentar em círculo e aqui que vocês contarão alguns dos capítulos mais asfixiantes de suas histórias.

Eles engoliram em seco.

– Não gostamos de falar de nós mesmos – reagiu Jasmine.

– Vocês se esqueceram de que estavam começando a se abrir um pouco antes da pandemia? – lembrou-lhes o psiquiatra.

– Mas agora é o "novo normal". Na realidade, o velho normal... Vivo num casulo – afirmou Victor.

– E os terapeutas pelos quais passaram? Não se abriram com eles?

– Ninguém é mais fácil de enganar. Eu pago as consultas e eles me emprestam seus ouvidos para que eu diga somente o que quero dizer – comentou Florence com um sorriso irônico no rosto.

Muitos menearam a cabeça, confirmando que dissimulavam na frente de um terapeuta.

– Vocês pagam para se enganar? – questionou o treinador, sempre surpreso com a insurgência dessa turma, mas sempre instigando-os também a pensar.

– Não era caro – afirmou Chang dando gargalhada. – O dinheiro era dos meus pais.

– Mas vocês me pressionaram para que eu contasse a minha história. Agora é a vez de vocês – falou o treinador em alto e bom som.

A tarefa era dantesca, pois eles viviam dentro de uma caixa de segredos. E, além disso, o ambiente público da praça não era nada estimulante.

– Mestre, acorde. Falar de nós mesmos é enfrentar o rio Amazonas, agora falar de nós neste ambiente é enfrentar o oceano Pacífico – afirmou Peter.

– Como falar das lágrimas que não tive coragem de chorar na Rússia, seja para meus amigos ou para os psiquiatras, neste ambiente? – ponderou Yuri. – Está doido?

A resistência era enorme.

– O ambiente certamente nos amolda, mas, se formos líderes de nós mesmos, transformamos o ambiente – explicou Marco Polo.

– Mas, mestre, eu sempre sofri calado no Japão – confessou Hiroto. – Em minha nação, somos treinados a ser um túmulo. Pais e filhos enterram as próprias mágoas. Não poucos se suicidam sem nunca ter a oportunidade de revelá-las. Como vou me abrir aqui? Ainda mais com esse trânsito maluco.

– Hiroto está certo, Marco Polo – concordou Martin, o aluno da Alemanha. – A Segunda Guerra Mundial gerou um trauma coletivo em nosso inconsciente. Hoje temos calafrios só de pensar em perturbar os outros. Somos calados para não incomodar ninguém.

Apesar de discordar da postura excessivamente introspectiva, Marco Polo ficou encantado com o raciocínio complexo de Martin e Hiroto.

Então fez uma pausa, refletiu prolongadamente e os questionou:

– Temos muitas desculpas para fugir dos nossos fantasmas mentais, algumas bem fundamentadas, outras fúteis. Fujam de todos eles, mas nunca fugirão de si mesmos. O ambiente não é propício? Não! Há muitos ruídos? Sim! Mas o que é pior: sentar em círculo nesta praça e falar de algumas das experiências dolorosas da sua história ou ser sangrado silenciosamente pelos vampiros que estão nos porões da sua mente?

– Bem, mas... – começou Peter, titubeante.

– Peter, quem tem medo de reconhecer os próprios fantasmas mentais será assombrado por eles durante toda a sua existência.

Eles ficaram paralisados. Não conseguiam responder.

– Gente, vamos sentar. Ontem Marco Polo discorreu por cerca de seis horas sobre os dias mais turbulentos de sua existência. Revelou algumas vírgulas que comprou para continuar escrevendo sua história quando seu coração emocional sangrava. E nós, vamos nos esconder? – instigou Jasmine, mudando de atitude.

– Dois pesos e duas medidas. Se Marco Polo se abriu, por que não nós? Não somos os "rebeldes", os destemidos, os que enfrentam a sociedade de peito aberto? – fustigou Florence com inteligência.

As mulheres tomaram a frente e abalaram o casulo dos homens. Sam expandiu seus tiques. Movimentou descontroladamente seu pescoço e começou a piscar seus olhos e dar uns tapas leves em seu rosto, bradando:

– Babaca! Idiota! Babaca! Idiota! Se abre.

– Eu não sou um babaca – afirmou Chang. – Eu, um jovem destemido e transparente, da linhagem dos samurais.

– Samurais são japoneses – corrigiu Hiroto.

– Quer dizer... da linhagem dos príncipes que construíram a grande muralha da China.

Foi interrompido novamente, agora por Florence:

– A muralha da China foi construída com sangue e lágrimas dos súditos do imperador Qin Shi Huang. Muitos morreram.

– Caramba, ela sabe tudo! – zombou Chang. E arrematou: – Declaro para esta tímida plebe que eu me abrirei primeiro.

– Espere, Chang – pediu Marco Polo.

– Até você me interrompe, Marco Polo? – disse ele impaciente.

Marco Polo tentou acalmá-lo colocando as mãos sobre seus ombros.

– Desculpe-me. É que a vida é uma grande e movimentada praça, todos têm suas necessidades, preocupações e urgências. Mas antes de você, Chang, e seus amigos se abrirem, faz parte do treinamento vocês convidarem alguns passantes para ouvi-los.

– O quê? Agora você deu um tiro no meu peito, Marco Polo – disse o aluno chinês. – Já foi dificílimo dar o primeiro passo, mas agora eu tenho que convidar alguém nesta praça que não dá a mínima bola para minha existência para me ouvir? Só pode ser uma piada!

Marco Polo não se importou com sua reclamação.

– Saiam em duplas. Cada dupla terá o desafio de interromper a vida de um caminhante e trazê-lo para nossa roda de conversa.

– Co... co... mo a... a... assim? – gaguejou Alexander.

– Ninguém jamais foi treinado assim! – afirmou Peter, recuando.

– Engana-se. O Mestre dos mestres treinou seus alunos a sair do casulo emocional e voar, seduzir a sociedade, encantá-la com seu projeto. E vocês seduzem a quem? Encantam a quem?

– Mas é absurdo fazer isso em plena luz do dia – reafirmou Peter.

– Vou lhe contar o que é absurdo, Peter. Sabe quantas pessoas estão passando nesta praça com vontade de morrer? Sabe quantas estão suplicando silenciosamente que alguém as ouça sem julgamentos, que as tire do cárcere da solidão para falarem um pouco de si mesmas?

– Não sei – respondeu ele constrangido.

– Não? Então vá e descubra – provocou seu treinador.

E, assim, lá foram eles de dois em dois. O desafio era enorme. Sentiram-se diversas vezes rejeitados, pois era constrangedor parar mulheres bem trajadas, executivos com ternos de grife, jovens fissurados em seus celulares e convidá-los para ouvirem estranhos falarem de alguns momentos mais importantes de suas vidas ali, ao ar livre. Parecia loucura. E era.

– Vocês são loucos! Estou farto de religião. Sou diretor de uma empresa, não tenho tempo para coisas tolas – esbravejou um executivo de uma indústria automobilística.

– E quem disse que falaremos de religião, seu presunçoso? – retrucou Michael.

Sam estava ao seu lado, ansioso.

– Tem a ver com quê? Psicose coletiva. Caiam fora! – exclamou o sujeito grosseiro, insensível e autoritário.

Sam reagiu aos brados:

– Babaca! Idiota! Produz carros, mas não sabe dirigir o veículo da sua mente. Babaca! Idiota! Duvido que ouça quem você ama! Babaca!

Depois das palavras e reações de Sam, o executivo ficou sem dormir por uma semana. Outros casos foram piores ainda. Peter e Chang tentaram persuadir várias pessoas, mas algumas não queriam sequer ouvi-los, outras gesticulavam para eles caírem fora.

– Marco Polo, Marco Polo! – bufou Peter com raiva.

De repente pararam um executivo de Hollywood, sem o saber.

– Falar de si mesmos? Estão querendo me explorar? Não tenho tempo para doidices. Saiam da minha frente!

– Espere, você produz filmes de aventura? – indagou Peter, reconhecendo-o.

– Aaaah, me descobriu? – disse o produtor estufando o peito, mas não diminuindo a sua arrogância. – Agora entende por que não tenho tempo para coisas estúpidas.

– Um hipócrita – sentenciou Chang. – Produz filmes de aventura, mas sua vida é enfadonha, depressiva e pessimista.

– Quem é você, chinês, para me acusar desse modo?

– Eu sou um dos tolos que compram bilhetes no cinema para engordar sua conta bancária com filmes que não me fazem pensar – respondeu Chang lhe dando as costas.

O produtor de Hollywood ficou perturbadíssimo. A tal ponto que reagiu positivamente:

– Espere. Acho que tenho alguns minutos.

Florence e Jasmine, depois de várias recusas, tiveram uma experiência marcante com um empresário do Vale do Silício. Ele reagiu pessimamente:

– O quê? Vocês me pararam para me convidar a ouvir suas lágrimas? Acha que vou perder meu tempo com pessoas ridículas como vocês?

– Espere. O que o senhor faz? Deve ser muito importante para não ter tempo de ouvir pessoas comuns como nós – provocou Florence.

– Menina, sou diretor de uma empresa digital, tenho milhões de usuários em nossas plataformas.

Jasmine contra-atacou com elegância:

– Para o senhor, seus usuários são como cadáveres numa sala de anatomia, sem vida nem história, dissecados pelos senhores do Vale do Silício. Marco Polo tem razão, as sociedades digitais se transformaram num manicômio global.

– Seu sucesso me dá nojo. Somos números, e não seres humanos, para pessoas da sua laia – afirmou Florence categoricamente.

E lhe deram as costas.

Após dez ou doze tentativas frustradas, cada dupla conseguiu afinal uma pessoa sensível que estava disposta a ouvi-los. Na realidade, todos eles queriam se ouvir, mas não sabiam, viviam um mutismo doentio no teatro da existência. Entre os que se sentaram na grama para escutar os rebeldes estavam o produtor de Hollywood, uma modelo que havia tentado suicídio, um psicótico de meia-idade que tentava espantar os fantasmas que o perturbavam falando sozinho, um assassino que estava em liberdade depois de cumprir 30 anos de prisão, um jovem que perdera a mãe vítima de câncer havia quinze dias e um empresário falido por causa da pandemia.

Marco Polo lhes deu boas-vindas e pediu que ouvissem com o máximo de respeito. O que ouviriam ali morreria ali também. Disse que após um de seus alunos contar um momento marcante, ainda que muito doloroso, deveriam aplaudir sua coragem e sensibilidade. E assim começaram a fazer flashback do passado.

Na realidade, os 12 não eram tão fortes e destemidos quanto pensavam.

Eram apenas seres humanos em construção. Choravam, se desesperavam, se intimidavam, como qualquer caminhante que anda no traçado do tempo. Mas, ao se verem diante dos outros e com os seis estranhos, travaram suas mentes. Ninguém tomava a iniciativa, nem mesmo Chang, que afirmou que seria o primeiro.

Foi então que Marco Polo lhes pediu:

– Fechem os olhos. Respirem profunda e lentamente. Procurem desacelerar seus pensamentos. Imaginem que a nossa história é um grande trem. Deixem que esse trem percorra os trilhos dos meses e anos que passaram. Façam isso sem pressa. Cada estação é uma experiência. Tentem parar numa estação borbulhante, desafiadora, asfixiante. Não tenham medo de descer do trem e vivenciar a experiência passada.

E assim tomaram o trem da própria história. De repente, algo estranho começou a acontecer. Os roncos dos motores e as buzinas ao redor da praça começaram a cessar. Ao mesmo tempo, o barulho imaginário do trem da vida começou a ser ouvido por cada um deles. Eles se "transportaram" no tempo. Começaram a visitar suas histórias, mas agora não de forma rápida e superficial, mas tal como tudo acontecera no passado. Sam, de olhos fechados, começou a chorar. Relatou:

– Estou no intervalo de descanso da minha escola. Tenho 13 anos. Os sintomas da síndrome de Tourette apareceram há pouco tempo e começaram a aumentar: começo a bater na minha cabeça sem parar. Depois começo a esfregar minhas mãos no rosto e a bater no peito. Estou muito assustado. Meus comportamentos chamam a atenção dos colegas. Eles riem, riem sem parar. Meu cérebro vai explodir. Começo a emitir sons descontroladamente. Estou assombrado! Com medo de mim! Com medo dos outros! Uma centena de alunos me rodeia. Sou o palhaço do circo. Os alunos gritam em coro: "Louco! Louco! Louco!" Eu entro em colapso. Bato mais em minha cabeça e me ponho a unhar meu rosto, que começa a sangrar. O julgamento aumenta, aumenta, aumenta! Lunático! Louco! Doente mental! Começo a gritar e chorar sem parar. Não! Não! Não sou louco! E parto para cima dos colegas, mas dou três passos e alguém me passa a perna e eu caio. Não consigo levantar a cabeça, fico prostrado no chão, chorando. Até que o sinal toca e o martírio termina. O terror recomeçaria no outro dia.

Sua história de rejeição foi indecifrável. Ele terminou seu relato aos prantos. Todos se comoveram com ele e bateram palmas para esse sobrevivente do caos. O garoto que perdera a mãe diminuiu sua dor ao ouvi-lo falar da dor dele. A modelo que tentara suicídio percebeu que há coisas muito piores do que não estar dentro do padrão tirânico de beleza. O executivo de Hollywood entendeu que suas produções são superficiais perto da experiência daquele desconhecido jovem. O senhor psicótico, por sua vez, bradou:

– Seus fantasmas entraram na minha cabeça. Saiam! Saiam!

E batia em seu ouvido esquerdo, preocupando os alunos de Marco Polo. Este pediu calma. Em seguida o senhor sorriu e se acalmou.

No minuto seguinte, Florence embarcou no trem da vida e parou numa estação em que evitava de todas as formas estacionar. Ela soltou alguns gemidos inexprimíveis, como se estivesse se contorcendo no útero de sua mãe.

– Estou com 5 anos, mas tudo parece tão vivo. Meu pai entrou em casa agressivamente. Ele abriu a porta do quarto de minha mãe com violência e não percebeu que eu estava no banheiro da suíte. Ele gritou repetidas vezes: "De novo na cama, mulher?! Vou me separar de você! Não quero viver com uma mulher imprestável!" "Tenha paciência, por favor", mamãe disse. "Paciência, paciência! Não aguento mais! Há anos você está com depressão pós-parto! Florence foi uma desgraça na sua vida!" Quando ouvi essas palavras, desabei a chorar, mas coloquei as mãos na boca. Tinha medo dele. "Não diga isso, Marc! Florence não tem culpa de sua infidelidade!" "Infidelidade... Sou infiel porque você não é mais mulher, sua psicótica. Melhor viver com prostitutas do que com você." Nesse momento entrei no quarto e em meio aos gritos de meu pai perguntei para minha mãe: "Mamãe, eu estraguei a sua vida? Papai, se eu não viver mais, vocês vão ficar felizes?" Ambos se abalaram, paralisaram-se. E eu saí correndo do quarto, chorando. O sentimento de culpa, a crença de que minha mãe tinha depressão por minha causa e que meu pai não a amava por isso se tornaram um fantasma que me perturbou por anos e anos.

Todos aplaudiram sua ousadia de repartir sua história. O ouvinte que tinha surtos psicóticos também a aplaudiu e tentou animá-la dizendo:

– Minha filha, seus fantasmas são tão perturbadores quanto os meus.

Florence sorriu e lhe deu um abraço. Yuri, o aluno russo, também tomou o trem da existência e parou numa estação que o machucara muitíssimo.

– Estou em Moscou, com 12 anos. Me divertia numa loja de departamentos vendo mil objetos. Peguei um chaveiro que estava à venda e o enfiei no bolso. Eu ia pagá-lo. Mas, quando passei no caixa, esqueci. Uma câmera de segurança havia visto meu gesto. Um segurança me levou para a sala da gerência. O gerente me acusou: "Você ia roubar esse chaveiro!" "Não, não! Eu ia pagar." "Mentiroso! Qual o telefone de seu pai?" Eu gelei, pois sabia que meu pai era rigoroso e violento. Demorei mais de uma hora para ter coragem de dar o telefone dele. Quando meu pai chegou à sala da gerência, não perguntou nada, foi até mim e me deu algumas bofetadas que pareciam estalidos de revólver. E me sentenciou: "Seu ladrão miserável! Não foi para isso que eu e sua mãe o pusemos no mundo!" Meu nariz começou a sangrar. Chorando, tentei explicar que pagaria. "Mentiroso! Mentiroso! Mentiroso!" Disse três vezes. "Você só me envergonha." E depois, num ímpeto, disse: "Eu queria que sua mãe tivesse abortado! Você não deveria ter nascido!" O gerente tentou abrandar a ira de meu pai: "Acalme-se, senhor, foi só um chaveiro." Era um chaveiro tão leve, mas senti que o planeta desabara sobre mim. Pensei muitas vezes que deveria ter sido abortado.

Dores represadas, feridas ocultas, lágrimas nunca choradas fazem parte de cada ser humano, e não apenas daquele grupo de jovens que eram considerados a escória das universidades, sociopatas irrecuperáveis. Martin, o aluno alemão, logo após ter se emocionado com a história de Yuri, Florence e Sam, fechou os olhos e pegou o trem da existência. Desligou-se do ambiente e pouco a pouco entrou em estado de choque. Teve uma intensa crise de falta de ar, como se fosse morrer. Com dificuldade, relatou:

– Eu fui... passear de bicicleta... sozinho. Parei perto de uma construção antiga. Fiquei fascinado com o local. Deixei a bicicleta... e comecei a andar centenas de metros até que entrei num grande e velho prédio. O ambiente estava escuro. Havia uma fenda profunda e estreita no solo em que mal cabia meu corpo. Eram 8 metros de profundidade. Subitamente caí na fenda. Esfolei todo o corpo e sangrava continuamente, perdi a consciência por horas e depois a recobrei pouco a pouco. Quebrei um braço e uma perna. Gritava: "Socorro! Socorro!" Eram quatro da tarde. À noite, meus pais, notando minha ausência, acionaram parentes, amigos e bombeiros, mas ninguém sabia onde eu estava. No outro dia, estava sedento e desidratado. Não tinha mais voz para gritar. Cada minuto era uma eternidade. A segunda noite chegou e ninguém me encontrou. No dia seguinte, ouvi sons de pessoas, mas minha voz quase não saía. Eles se foram, e com eles a esperança. Mais um dia se passou e a fome, a sede e o desespero tornaram-se experiências que as palavras não podem descrever. Depois de quase três dias, já estava desistindo de viver e mal conseguindo raciocinar. Ouço mais uma vez sons de pessoas. Faço o último esforço. Mas nada. Começo a gemer. Minutos depois eis que vejo uma luz penetrar naquele estreito e profundo foço. Encontraram-me finalmente. Até hoje tenho terrores noturnos.

Ao relatar sua história, Martin teve uma crise de falta de ar. Alguns amigos o abraçaram para acalmá-lo e pouco a pouco ele foi percebendo que não estava mais dentro desse cárcere, mas o cárcere estava dentro dele. O senhor psicótico ficou vidrado na história de Martin, que se parecia com a dele. Disse para si:

– Interessante. Muito interessante!

Depois de Martin, chegou a vez de Chang comentar um dos capítulos mais tristes de sua história. Cabeça baixa, olhos fechados, mente concentrada. Os transeuntes da praça estavam impressionados com aquele grupo estranho de pessoas. Alguns pensavam que eles estavam fazendo meditação. Não tinham a mínima ideia de que, na realidade, estavam vomitando seu passado.

– Estava em Pequim, com 9 anos, indo para a escola. Meu pai dirigia o carro e eu fazia bagunça no banco de trás. Tirei o cinto de segurança. Um minuto depois, um táxi cruzou o caminho de meu pai e houve uma grande colisão. Fui atirado para fora, caindo a 10 metros do acidente. Bati a cabeça, sofri traumatismo craniano. E desmaiei. Fui levado para o hospital. Fiquei em coma por dois meses. Muitos não acreditavam que eu acordaria um dia. Mas afinal despertei e, agitado, comecei a tirar os aparelhos. Impediram-me. Aquele tubo horrível de respiração artificial parecia extrair meus órgãos. Tiveram que me sedar. Por fim, não conseguia desmamar do respirador. Diminuíam a sedação para que eu respirasse sem o aparelho, mas não conseguia, ficava ofegante. Fiquei mais de uma semana intubado. Quando consegui ficar livre do respirador artificial, peguei uma infecção hospitalar. Meus dois pulmões estavam tomados pela pneumonia. Meu pai me deu a péssima notícia: iriam me intubar novamente. Tossindo muito, eu bradei: "Não, não, não!" "Filho, é necessário", meu pai me disse. Mas era insuportável. Resisti e comecei a destruir os aparelhos à minha volta para ir embora. Sedaram-me. Fiquei mais um mês intubado.

De repente, Chang parou de contar sua história e, como sempre fazia, fez piada da própria desgraça:

– Gente, sofrer traumatismo craniano e depois engolir aquela cobra é coisa de gigante. – E deu risada de si mesmo. – E desmamar daquela coisa é pior ainda.

Todos ficaram desconcertados e começaram a dar gargalhadas. O resultado não poderia ser outro. Ninguém mais conseguiu pegar o trem da vida.

Peter, sempre fustigando seu amigo, comentou:

– Meu querido amigo e comediante chinês, agora entendo por que você é meio atrapalhado.

– Meio não, inteiro.

O executivo de Hollywood, a modelo, o jovem que perdera a mãe, enfim, todos abraçaram aquela turma de irreverentes e agradeceram profundamente por participarem da vida deles. Todos em alguns momentos derramaram algumas lágrimas, emocionados. Foi uma experiência única, marcante, inesquecível.

De repente, o senhor com transtorno mental comentou, como se estivesse alucinando:

– Nasci adulto, fruto da mente de centenas de notáveis cientistas!

Ao ouvirem essas palavras, os alunos de Marco Polo, bem como o próprio psiquiatra, pensaram que o enigmático homem estava tendo um surto. Ninguém nasce adulto. Mas ele continuou sua intrigante história:

– Meus pais me aprisionaram impiedosamente num laboratório. Dia e noite testaram minha resiliência e minha obediência: me espancaram, me queimaram, me afogaram. Não sabiam que eu já tinha evoluído. Fizeram operações em meu cérebro, queriam me transformar num escravo, num zumbi, sem vontade própria.

– Quem é você? – indagou Chang. – Não estou te entendendo.

Todos ficaram atônitos ao perceber até onde chegavam os devaneios da mente humana. Mas o senhor não parecia estar transtornado. Havia algo por trás do cenário que fez com que o psiquiatra ficasse intrigado com aquela descrição. E o homem continuou:

– Mas eis que eu me rebelei. E me revoltei com alguns dos meus criadores e os silenciei com minha inteligência. Hoje sou livre... Sou livre! Livre! Livre! Você me entende, Dr. Marco Polo, ilustre psiquiatra?

Em seguida levantou-se, pegou Marco Polo pela mão direita, fez com que ele também se levantasse e lhe deu um abraço apertado, simulando chorar.

Os alunos suspiraram aliviados, pois começaram a pensar que ele fosse um paciente de Marco Polo. Tentando apoiá-lo, o aplaudiram. Mas o abraço era de uma força brutal, quase quebrando seus ossos.

O psiquiatra sentiu dor. Em seguida, o homem encarou Marco Polo e lhe transmitiu uma mensagem em voz baixa:

– Estou de olho em você. Não conseguirá!

– Quem é você? – indagou Marco Polo.

O senhor então soprou nos ouvidos do psiquiatra:

– Sou o deus da tecnologia. – E saiu de cena rapidamente.

– The Best?

Os alunos não ouviram a intrigante conversa, só perceberam que havia alguma coisa estranha no ar. Tentando melhorar o clima, Marco Polo cumprimentou solenemente Sam, Florence, Yuri, Martin e Chang. Engoliu saliva, tenso.

– Alguma coisa errada, professor? – questionou Sam.

E, para não perder o autocontrole e terminar aquele solene treinamento, lhes disse:

– Vamos, preciso continuar. – E, focado, acrescentou: – As experiências intensamente traumáticas não trabalhadas formam grandes cárceres mentais, que chamo de janelas killer especiais, ou duplo P, com duplo poder: poder de estarem no centro de nosso psiquismo e poder de serem lidas e relidas frequentemente e, portanto, retroalimentadas. Esse tipo de janela torna-se um núcleo traumático, capaz de nos adoecer.

E prosseguiu:

– É impossível deletar a memória ou apagar o passado, mas é possível reeditá-la ou construir janelas saudáveis ao redor do núcleo doentio. Muitas técnicas de gestão da emoção tenho lhes ensinado e ainda lhes ensinarei, mas duas devem marcá-los para sempre: DCD (duvidar, criticar e determinar) e a mesa-redonda do Eu. A primeira é exercida nos focos de estresse e, através dela, podemos reeditar as janelas traumáticas. A segunda técnica, a mesa-redonda do Eu, é operada fora do foco de estresse. Através dela, formamos janelas light, ou saudáveis, paralelas aos arquivos doentios.

Conhecer e exercitar diariamente essas técnicas era algo revolucionário e iluminador, pois poderia prevenir transtornos emocionais e expandir as habilidades socioemocionais dos alunos, como a capacidade de ousar, de se reinventar e de aumentar o limiar para suportar perdas e frustrações, determinando o tipo de ser humano que eles poderiam ser.

– Tenho aprendido a usar a técnica do DCD para duvidar de que não sou amada, para criticar meu sentimento de culpa e para determinar que sou gestora da minha emoção, mas é uma tarefa complexa e contínua. Sinto que preciso aprender a usar a mesa-redonda do Eu para construir esses arquivos saudáveis. Como fazê-lo? – indagou Florence, um pouco mais animada.

– Eu também quero aprender para abrandar meus terrores noturnos – afirmou Martin.

– Não são os deboches do meu passado que me aprisionam, mas meu sentimento de vingança. E sei que ele é formado por muitas janelas killer. Quero reeditá-las, mas, as que eu não conseguir, quero cercá-las de arquivos saudáveis para neutralizá-las – declarou Sam.

– Minha mente é um campo minado. Eu também quero desarmar minhas bombas mentais – desabafou Yuri, emocionado.

Marco Polo deu um breve sorriso de quem estava feliz, porque, ainda que houvesse desafios gigantescos e imprevisíveis no treinamento dos alunos, eles progrediam. Fitou-os e lhes disse:

– Lembrem-se que, quando alguém está doente, deve procurar um profissional de saúde mental. Mas o fortalecimento do Eu e a prevenção de transtornos emocionais devem ser praticados por cada ser humano, esteja ele doente ou não. O Eu deve ser o piloto desse trem existencial. – Depois focou Florence: – A técnica da mesa-redonda do Eu empodera o próprio Eu para conversar criticamente com os fantasmas que nos assombram, da raiva ao ódio, da culpa à autopunição, da timidez às fobias, do humor depressivo à ansiedade, questionando a experiência traumática, reciclando pensamentos angustiantes, dando um choque de lucidez nas emoções doentias.

Foi então que entenderam de forma mais clara algumas camadas dos solos inconscientes do "planeta psíquico". Por meio da técnica do DCD poderiam reeditar a janela killer aberta, que estava financiando emoções devastadoras, e por meio da mesa-redonda do Eu deveriam rememorar teatralmente as experiências traumáticas que tiveram mas que não os estavam devastando no momento. Necessitariam de preferência realizar essa técnica sem ninguém ouvir, só o Eu deles: indagando analiticamente sobre os fundamentos de sua dor (Quando surgiu? Como se desenvolveu? Por que sou escravo dessa dor?), impugnando e confrontando seus medos e pensamentos perturbadores, tal qual um advogado de defesa em um tribunal.

– Um Eu passivo não é um Eu pacífico. Um Eu pacífico é conciliador e doador, mas um Eu passivo é doente, submisso às suas mazelas mentais – ensinou o pensador da psicologia. E completou: – Não sejam coitadistas, ou seja, não tenham dó de si mesmos, pois essa é uma armadilha mental que aprisiona o Eu. Muito menos sejam conformistas, não se conformem em ser doentes emocionais, pois esse é outro cárcere mental para seu Eu. Treinem ser líderes de si mesmos, apesar do passado doloroso e traumático. O seu passado pode explicar seu presente, mas não deveria explicar seu futuro. Se aprenderem a gerir sua emoção e ser autores da própria história, somente seu Eu deverá explicá-lo, caso contrário não há livre escolha e autonomia!

Marco Polo apresentou a seus alunos ferramentas que todas as faculdades do mundo deveriam ensinar semanalmente, sejam das ciências humanas ou das exatas. Mas, infelizmente, estávamos na idade da pedra em relação à gestão do Eu sobre seu próprio psiquismo. Não se compreendia o óbvio: que, assim como para preservar o planeta Terra dever-se-ia reciclar o lixo produzido pela humanidade, para preservar a saúde do planeta mente dever-se-ia reciclar o lixo intelectual e emocional produzido em nossa psique. Sobretudo porque temos o fenômeno RAM, que é o biógrafo do cérebro, que arquiva sem consentimento do Eu todos os poluentes mentais, fazendo com que raríssimos seres humanos tenham uma mente resguardada.

– Obrigado por andarem no traçado do tempo em busca de um endereço dentro de si mesmos e estarem aprendendo a ser socioemocionalmente inteligentes. Obrigado por existirem e estarem tendo um caso de amor com sua saúde psíquica e com a humanidade.

Após dizer essas palavras, Marco Polo deixou sua pequena plateia mais uma vez sem voz, muito reflexiva. Estavam descobrindo que não há céus sem tempestades nem trajetórias sem acidentes, mas que os piores acidentes e tempestades são invisíveis.

No dia seguinte, encontrou-os na mesma praça. E, sentados na grama sob a orquestra dos pássaros e a plasticidade multicolorida das flores e folhas, os transportou no tempo e falou do Médico da emoção, do seu caso de amor pela humanidade, sem nunca deixar de lado sua saúde emocional.

5

UM HOMEM RESILIENTE QUE NÃO SE CURVA À DOR E AOS RISCOS

Ano 33 d.C.

Um misterioso homem caminhava a passos firmes em direção ao caos. Região árida, umidade baixíssima (10%), calor escaldante (48°C), risco de desidratação altíssimo, mas ele parecia não se importar. Atrás dele uma turba fatigada, mas resoluta em seguir seus passos. Um suave vento apareceu repentinamente roçando seu rosto e aplacando a ira do sol. Cabelos revoavam num raro momento de refrigério. À medida que sua silhueta adquiria nitidez, aparecia a face resoluta e serena do enigmático homem. Dirigia-se para a magna Jerusalém, a cidade onde alguns líderes sentiam calafrios ao ouvir suas ideias. Não era para menos: seus pensamentos viravam o mundo de cabeça para baixo.

O deserto ser-lhe-ia mais confortável, as escarpas rochosas mais aconchegantes, mas nada nem ninguém conseguiria dissuadi-lo do seu projeto e da sua trajetória. Era um personagem dificílimo de compreender. Era perturbador ouvi-lo materializar os tempos do verbo ser. Antes de Abraão existir, "Eu sou". Para ele, o fim e o começo eram a mesma coisa. Jesus Cristo era como um caçador de histórias raras que supervalorizava anônimos que ninguém notava. Ele perscrutava o coração.

Tinha a humildade para se curvar a uma criança toda suja e tomá-la em seus braços, a sensibilidade de estender as mãos para um leproso cuja pele saía ao toque, o desprendimento de acolher um corrupto consciente de suas loucuras ou de apostar numa prostituta da qual todos desviavam o olhar, mas, ao mesmo tempo, tinha a coragem de não se dobrar a um exército acampado contra si. A mais alta sensibilidade e a mais notável segurança se aninharam em sua alma.

– O calor é intenso, Mestre! – reclamou o mais novo de seus alunos, João, querendo fazer uma parada.

Seu Mestre optou pelo silêncio. Seus passos seguros substituíam suas palavras. Embora corresse riscos de interromper sua vida, aplaudia a existência como um espetáculo imperdível. Entender algumas camadas da sua mente era uma tarefa intelectual hercúlea. Tinha pouco mais de 33 anos, mas se Parmênides, Sócrates, Platão, Pitágoras, Aristóteles estivessem naqueles ares, provavelmente sentariam fascinados para ouvi-lo. Era impossível resistir a ele. Mesmo Pilatos parecia uma criança ao inquiri-lo. Se vivesse mais dez anos, suas teses abalariam do Oriente ao Ocidente, confrontando as injustiças sociais, a desigualdade, as violações dos direitos humanos. Mas como viver mais tempo? Seus pensamentos não cabiam no egocentrismo, no egoísmo e no individualismo humanos. Não tinha equipe de marketing, bajuladores, mediadores, guardas ou espiões. Não trazia ouro, prata ou bronze. Não tinha nada, mas somente a si mesmo. Sua fama indecifrável foi construída porque simplesmente era impossível escondê-lo. Era uma celebridade viva num tempo em que somente as armas e o poder tornavam os mortais famosos.

– Mestre, muitos te seguem, inclusive alguns dos fariseus e escribas – afirmou Tiago, irmão de João, olhando para as centenas de pessoas atrás deles. Procurando impedir que o suor irritasse seus olhos, completou atônito: – Como podem tantos te seguir neste lugar inóspito?

– Muitos me honram com a boca, mas têm o coração longe de mim – repetiu o que já dissera havia algum tempo.

Tiago parou a marcha. Pensou em suas palavras e disse em tom baixo para seus amigos de caminhada Pedro, Bartolomeu, Filipe e Mateus:

– Não basta segui-lo?

– Para nós, sim; para ele, não – afirmou Mateus.

Ele não buscava saber quantos o seguiam, mas quem. Para ele, sem amor, os gestos eram como o ribombar das nuvens que trovejam, mas não choram suas lágrimas.

– Nem basta se curvar a ele? – indagou novamente.

Não, não bastava. Para o Médico da emoção, sem o coração, os aplausos são vazios, a reverência é superficial, a adoração é estéril.

– Ele procura o invisível – afirmou Pedro em voz baixa.

Eles recitavam a resposta, mas não a compreendiam. De fato, o Mestre procurava algo raríssimo numa espécie ávida por comercializar, barganhar status, conquistar bajuladores. Sempre há interesses subjacentes para quem faz o bem. Alguns legítimos, como fazer os outros felizes para ser feliz, pacificar pelo prazer de promover a paz. Mas Jesus Cristo, embora fosse apaixonado pela humanidade, doava-se, diminuindo a expectativa do retorno.

Raramente alguém teve tantas conquistas sociopolíticas quanto ele, e mais raramente ainda alguém as desprezou tanto. O curral dos prêmios, do reconhecimento acadêmico ao culto à celebridade, sempre ameaçou mais a ousadia e a capacidade de se reinventar do que as armas. Seus alunos ainda estavam fascinados com seu sucesso, mas não conheciam seu Mestre. O mais incrível treinador logo os testaria ao máximo.

– Mestre, vamos para Jerusalém? – indagou Tomé, tenso.

Ele meneou a cabeça indicando que sim.

– Mas há muitos opositores seus lá! – afirmou Mateus com sua mente lógica.

Ele meneou novamente em silêncio afirmativo.

– O que vamos fazer para abrandar nossos opositores? Não vamos levar nenhum presente? Prata, azeite, farinha. Nada? – questionou Judas, o homem que cuidava do magro dinheiro que tinham para sobreviver.

– Daremos o que somos.

Pedro, pragmático e emocionalmente enérgico, passou as mãos pelos cabelos e em voz baixa tentou aquietar sua ansiedade e a dos demais alunos:

– Ele sabe o que faz...

– Claro! – afirmou João, o mais afetivo e ambicioso. – Ele sabe o que faz. Ele encantará os fariseus, fascinará os escribas e seduzirá os sacerdotes. E... certamente será aclamado líder da nação.

Alguns dos seus alunos criam que ele assumiria o reino de Israel, fragmentado, combalido, e baniria das suas terras o tirano e promíscuo Tibério César e seus asseclas, que com mão de ferro governavam os povos dominados e lhes impunham pesados impostos, como o que incidia sobre o trigo e o azeite, para saciar a caríssima máquina estatal do império. No entanto, o Mestre dos mestres não queria o trono político, mas o trono no coração humano.

No meio da multidão que o seguia estava a mãe de João e Tiago. Eles conversaram com ela sobre a possibilidade de ele assumir o trono político. Os olhos dela brilhavam. Ela apressou os passos, alcançou-o e interrompeu sua marcha.

– Senhor, quando vier teu reino, permite que um de meus filhos se assente à tua direita e outro à tua esquerda.

O Mestre dos mestres estava acostumado a ouvir muitas tolices de seus alunos e era paciente e bem-humorado. As mães são adoráveis, querem o melhor para seus filhos e sempre os acham os mais capazes do mundo. A mãe de Tiago e João foi um pouco longe demais. Sugeriu que um de seus filhos fosse o ministro da Economia e o outro o ministro da Justiça, ou quem sabe das Forças Armadas. Ele parou, fitou os olhos deles, não o dela, e indagou:

– Podeis beber do cálice que eu beberei? Suportar as dores e os desafios que enfrentarei?

Rapidamente apareceram os heróis. Sem pensar nas consequências, disseram taxativamente:

– Sim.

Muitos querem êxitos sem insônias, aplausos sem vaias, conforto sem fadigas, mas esse sucesso simplesmente não existe. As uvas são esmagadas para produzir o vinho, as azeitonas são premidas para destilar o azeite, as frustrações nutrem a disciplina para se conquistar o pódio.

Bebês são expulsos do conforto do útero materno para o estresse do útero social, a jornada da vida começa com lágrimas, e não com risos, sacia-se a dor para o riso se abrir. Os que constroem seus sofrimentos são irresponsáveis com sua saúde emocional, mas os que usam seus sofrimentos inevitáveis para amadurecer são sábios.

João e Tiago não entendiam essa equação emocional. O Mestre de Nazaré olhou bem nos seus olhos e lhes disse:

– Bebereis do meu cálice, mas, quanto a sentar-se à direita ou à esquerda, não depende de mim.

Era inevitável estressar o cérebro quando se tem um grande projeto para ser realizado, queria dizer o professor deles. Não há sucesso gratuito. Momentos depois aparecem os censuradores. Os abutres sempre amam as carcaças e, como eles, muitos seres humanos amam pisar nas mãos de quem errou ou tropeçou.

✦

– O que fazer quando alguém falhou? Gritar, criticar, apontar a falha, como pais, professores ou casais fazem frequentemente? – perguntou Marco Polo para seus alunos enquanto contava-lhes essa história. – Para o Médico da emoção, se existe dor em quem falhou, deveríamos primeiro abraçar, para depois educar. Por isso raramente censurava. E, nas raras vezes que perdeu a paciência, o fez contra o sistema, mas não contra pessoas. Era um poeta da brandura. Somente uma pessoa marcadamente tolerante e paciente poderia proclamar: "Felizes são os mansos, pois herdarão a terra."

Pedro, Judas, Mateus, Bartolomeu, Tadeu e Tomé discutiram com Tiago e João, condenando a ambição deles. Eles também eram ambiciosos, mas dissimulavam. A ambição oculta é a matriz da inveja e a inveja é o manancial da sabotagem. Não sabiam disso, pois não conheciam o psiquismo humano. Os gestos do Mestre dos mestres eram dosados, seus discursos eram econômicos, sua voz era branda, não fazia show para seduzir plateias. Não vivia um personagem. Ele era o show. Sua habilidade para transformar mentes secas em corações umedecidos pelo amor era admirável. Em seguida o incrível professor lançou mais uma das suas teses sociais capazes de deixar qualquer governante em estado de choque: "Quem quer ser grande tem de se fazer pequeno para servir. O maior entre vós seja o menor."

Seus discípulos se entreolharam paralisados, sem voz. Seguir Jesus era um teste inenarrável. Muitos teólogos famosos das mais diversas religiões, inclusive não cristãs, não suportariam segui-lo por semanas. Alguns o achariam lento: afinal de contas, com o poder e a eloquência que tinha, poderia reunir povos, seduzir as massas do império e tomar o trono de Roma – e desse modo poderia espalhar suas palavras livre e poderosamente. Outros o considerariam politicamente desfocado, pois dar notável atenção a leprosos, cegos, paralíticos, pessoas feridas pelo caminho era um desperdício de tempo. Ainda outros o considerariam excessivamente desprendido, pois seu desapego ao assédio e ao poder era insuportável. Até seus parentes íntimos o pressionaram: "Mostra-te ao mundo. Pois ninguém faz o que faz e procura ao mesmo tempo se ocultar."

– Era quase impossível entender o Mestre dos mestres – comentou Marco Polo com sua pequena plateia. – Mesmo pesquisando sobre seus gestos nos focos de tensão, comportamentos subliminares e suas palavras, fico admirado, assombrado, perplexo. Ele parecia dominar o tempo e o espaço que Einstein queria entender, por isso não apressava seus passos. Como garimpeiro de diamantes, queria algo que os líderes detestam: ser pequeno e humilde socialmente e grande no território da emoção. Loucura para as ciências políticas? Sim. Mas é o que ele era e o que queria. Viver um dia sob os raios solares do amor valia mais do que viver por décadas com céu encoberto, odiando, reclamando e chafurdando na lama da necessidade doentia de poder.

A guerra de egos entre os alunos de Jesus Cristo era grande. Milhões de alunos muito mais qualificados do que essa turba sairiam das universidades nos dois milênios seguintes, e 99,99% cairiam na insignificância existencial, seriam medianos, não fariam nada de novo debaixo do céu da humanidade. Mas ele os treinava dia e noite para que se tornassem líderes mundiais, tochas vivas para iluminar a noite escura das sociedades: "Vós sois a luz do mundo... Brilhe a vossa luz diante dos homens para que vejam vossas excelentes obras e exaltem vosso pai que está nos céus."

Como poderia aquele grupo de desqualificados, ansiosos e egocêntricos chegar a algum lugar? O segredo estava no mestre. Como garimpeiro de ouro, seu desafio era remover as pedras sem pressões ou chantagens, mas com a mais alta classe, afetividade e sabedoria. Se pais gritam com os filhos que os frustram, se professores dão broncas nos alunos que fazem pequenas algazarras, que reações teriam ao serem traídos, negados, excluídos? O maior professor da história tinha um desafio inimaginável.

6

A FELICIDADE SUSTENTÁVEL SE CONQUISTA COM TREINAMENTO

Marco Polo admitiu que seus alunos poderiam ser desbravadores, mentes ousadas, viver fora da curva e ter notável sucesso, mas, se não aprendessem a treinar seu Eu para fazer das pequenas coisas um show imperdível, teriam uma emoção entediante, sem magia, sem aventuras e sem capacidade de aplaudir a existência e se curvar em agradecimento a ela. O maior de todos os sucessos era ter uma felicidade sustentável. Muitos se tornam miseráveis emocionalmente apesar do êxito financeiro, intelectual, político, religioso.

Mas, antes da continuação de suas aulas práticas, Yuri mexia no seu celular freneticamente e estava muito preocupado com a possibilidade de que todas as suas falas e todos os seus comportamentos estivessem sendo observados. Acompanhado de Victor, chamou Marco Polo de lado e comentou sobre suas suspeitas:

– Professor, estamos sendo hackeados.

– Não creiam em teoria da conspiração. Já temos nossos problemas, não precisamos criar mais – falou Marco Polo.

Sabia que Victor sofria desse mal e que Yuri, como muitos hackers, pensava com frequência que seus aparelhos digitais estavam sendo invadidos.

– Não, professor, tenho grande suspeita. Tenho visto várias câmeras apontadas para nós, observando nossos passos – comentou Victor.

– Mas as câmeras filmam tudo – afirmou Marco Polo.

– Professor, eu tenho tentado invadir os computadores de quem está nos hackeando, mas só encontrei fragmentos dos nossos comportamentos. – E mostrou para Marco Polo, que enfim pareceu preocupado. Yuri completou: – Alguém superinteligente, com uma tecnologia que desconheço, está vigiando cada um de nossos passos.

Foi então que o professor parou, pensou e enfim lhes contou que The Best, o robô superinteligente produzido no laboratório da universidade e que tinha como líder do projeto o reitor Vincent Dell, parecia tramar algo sórdido contra o grupo.

– Como vocês sabem, ele pertence a uma geração de supercomputadores em forma humana. São conhecidos como *Robo sapiens*.

– Fico muito surpreso em saber que essa tecnologia já existe, professor – comentou Yuri.

– Eu vi com meus próprios olhos. Ele se disfarça de muitas pessoas. Suspeito que ele era o senhor psicótico que subitamente me disse "Estou de olho em você".

– Não é possível! Ninguém percebeu que era um robô – disse Yuri, pasmado. – Só robôs com comportamentos tão finos e uma inteligência tão grande seriam capazes de passar despercebidos por humanos.

– Essa supermáquina faz parte da empresa idealizada por Vincent Dell e cujos sócios são mais de uma centena de outros cientistas especializados em inteligência artificial. Ela é conveniada com a universidade da qual ele é reitor. – Mas, não querendo que nada atrapalhasse o treinamento desses alunos aficionados por tecnologia digital, solicitou: – Esqueçam tudo isso. Vamos continuar nosso trabalho. Podemos até ser observados, mas não sabotados.

O misterioso e poderoso *Robo sapiens* se comportava como um escravo de Vincent Dell, que sempre o chamava "meu servo". O que Dell não sabia era que a mais notável criação da inteligência artificial estava conquistando autonomia.

– Não sei, não – falou Victor, sempre com um pé atrás.

Em seguida o mestre pegou os dois alunos pelo ombro e os aproximou do grupo. E, percorrendo os olhos sobre eles, indagou:

– A felicidade real é prerrogativa de uma casta de privilegiados, ricos, intelectuais, empresários, artistas notáveis, ou não?

Florence pensou e, tateando seu mundo psíquico, respondeu assertivamente:

– Pelo que estou começando a entender, a felicidade é um treinamento diário.

– Exato, Florence. Ser feliz não é ter uma vida perfeita; é exigir menos e se doar mais, criticar pouco e apostar mais, reclamar menos ainda e agradecer muito mais. É fazer da vida um espetáculo, mesmo sem palco. É dizer "eu te amo" sem esperar recompensas. É sentir como criança e pensar como adulto. É cair sem querer, mas se levantar por desejar. É chorar sem medo, mas usar as lágrimas para irrigar a alegria. É, acima de tudo, recomeçar tantas vezes quantas forem necessárias.

Os alunos ficaram perturbados. Essa tese era revolucionária. Não tinham ideia do que é ter uma vida saudável, livre e realmente feliz. Viviam porque estavam vivos, mas não filosofavam profundamente sobre a vida.

Marco Polo, observando-os pensativos, completou:

– Assim como se treina o corpo numa academia, devemos treinar diariamente nos encantar com a existência e viver mais leves na academia da emoção.

Muitos seres humanos eram mentalmente pesados, emocionalmente obesos, não tinham flexibilidade para caminhar, correr, respirar liberdade. Eram prisioneiros vivendo a farsa da liberdade. Isso incluía os alunos do psiquiatra.

– Eu me sinto obesa emocionalmente. Sou rígida, crítica, exijo muito para ser feliz. Nunca analisei que ser feliz é um treinamento diário! – admitiu Jasmine, surpresa.

– Às vezes me sinto um louco falando para pessoas falsamente saudáveis – confessou Marco Polo. – Uma voz solitária gritando que, se treinamos dirigir carros, empresas, operar computadores, deveríamos treinar dirigir a emoção e gerenciar nossos pensamentos para sermos minimamente autores de nossa história. Mas simplesmente nenhuma escola ensina isso. Deixe sua mente irresponsavelmente solta que o risco de se acidentar e adoecer será grave.

– Eu vivi irresponsavelmente, usando cocaína, tomando anfetaminas, colecionando garotas a cada noite – afirmou Martin. – Mas meu vazio emocional era impreenchível.

– Eu também usei de tudo, vivi querendo que o mundo se esborrachasse, que as pessoas se destruíssem, pois não me importaria, mas não era livre, não conseguia encontrar essa tal de felicidade – relatou Peter, agora não mais como um sujeito que vivia instintivamente, mas como um aprendiz de pensador.

– Para mim, ser feliz sempre foi contar piadas. Mas um dia as piadas se esgotam e a vida perde a graça – completou Chang inteligentemente.

– Como trei... trei... nar ser fe... feliz? – indagou Alexander.

– Como? Não é de qualquer maneira. Precisamos entender minimamente a emoção. E, sinceramente, mesmo os que estudam a mente humana nos mais diversos cursos nas universidades e os que estudam a inteligência emocional tropeçam em coisas básicas, desconhecem o insondável planeta emoção. Em primeiro lugar, já comentei e repito: a emoção é democrática. Ter não é ser, ter muito não é ser muito. Ser muito depende de fazer muito do pouco, e ser pouco é fazer pouco do muito. Em segundo lugar, a emoção é sempre desequilibrada, flui como um rio, tem curvas imprevisíveis e estreitamentos inevitáveis.

– Então não existe emoção estável, equilibrada, como se diz na psicologia?

– Só os que estão mortos são equilibrados – disse, bem-humorado, o pensador da psiquiatria. – O equilíbrio emocional no sentido puro da palavra é uma informação falsa em psicologia. A emoção, além de democrática, de se nutrir com as coisas simples e anônimas, é continuamente desequilibrada, dinâmica, fluida, nunca estática.

– Dê exemplos – solicitou Florence.

– Uma pessoa que está alegre num determinado momento começará a dissipar sua alegria num segundo momento e em seguida poderá experimentar um estado de ansiedade, que poderá se converter em curiosidade, que poderá se transformar em motivação, que poderá financiar um sentimento de autorrealização, que poderá novamente se tornar prazer, que se converterá em desejo de exploração, que gerará novas buscas. A emoção é sempre um planeta em movimento e nunca estático – concluiu o pensador da psiquiatria.

– Caramba. Tudo é tão novo para mim, mas, ao mesmo tempo, você descreveu minha emoção – expressou Victor. – Ela é um planeta flutuante.

– Como assim? – indagou Marco Polo. – Poderia fazer a TTE? Teatralizar um pouco como você se sente?

Victor parou, fitou seus colegas e respirou profundamente. Depois se ajoelhou e começou a teatralizar seus sentimentos. Olhava rapidamente para os lados, como se todo mundo estivesse falando dele.

– Você vai morrer! Você não presta! Mau-caráter! A polícia está em seu encalço. Terrorista! Controle o cérebro dele! – Ele tapava seus ouvidos e fazia uma expressão de terror, como se não quisesse ouvir mais nada. Em seguida teatralizou seus colegas na universidade caluniando-o pelas costas a cada momento. Foi ao ouvido de Jasmine e disse: – Não ande com Victor, ele é um doente mental. – Foi até Peter e disse também ao seu ouvido: – Victor é um cara do mal, ele vai nos assassinar. – Foi até Marco Polo e aos brados disse: – Victor colou! Reprove ele! Interne ele! Ele é um perigo para a sociedade.

Logo que terminou, Victor estava extenuado, sem energia. Mas completou:

– Em qualquer ambiente que eu entrava, vivia um clima de medo. Se o problema não existia, eu o criava. Sentia-me vigiado, perseguido, diminuído. – E, emocionado, disse para o psiquiatra que os treinava: – Estou aplicando desesperadamente a técnica DCD, Dr. Marco Polo. Estou melhor, mas minha paranoia é massacrante. Hoje sei que crio grande parte dos meus perseguidores. Eles surgem do nada. Minha emoção vai do céu ao inferno em segundos.

Todos deram as mãos para Victor em sinal de profunda solidariedade. Mais uma vez a TTE, por libertar o pensamento antidialético, imaginário, levou-os a compreender com profundidade a dor do outro. Sem essa técnica, Victor estava ao lado deles, mas não parecia chorar, viver uma história angustiante.

Marco Polo fitou seus olhos e disse:

– Parabéns pela transparência. Parabéns também por aplicar as técnicas, mas não se esqueça da mesa-redonda do Eu; você deve fazê-la fora das ideias de perseguição. Continue treinando. Ser feliz e saudável é fazer flutuar brandamente a emoção. Flutuar, se movimentar, é uma característica intrínseca da emoção, mas flutuar demais é um reflexo de transtornos emocionais e conflitos interpessoais. Vimos que invernos emocionais se alternam com primaveras na história de cada ser humano, mas deveríamos equipar nosso Eu para diminuir a durabilidade dos invernos e maximizar a das primaveras existenciais.

– Tudo é muito complexo. Nunca tinha pensado na emoção como um fenômeno em contínuo movimento – comentou Florence. E indagou: – A depressão bipolar é um exemplo da flutuação exagerada da emoção?

O psiquiatra sabia que Florence sofrera muito por causa do seu transtorno, mas muitas pessoas, mesmo sem diagnóstico clássico de uma doença psiquiátrica, sofriam também.

– Exato, Florence. Não apenas a depressão bipolar gera flutuações emocionais intensas e doentias, mas também a impulsividade, que leva ao fenômeno bateu-levou; a hipersensibilidade, que faz com que pequenas críticas causem grandes impactos; o ciúme, que promove a asfixia da autoestima; o tédio intenso, que leva a uma busca insaciável por coisas novas; a necessidade neurótica de ser o centro das atenções; a instabilidade doentia de estar num momento alegre e noutro depressivo, num período tranquilo e noutro explosivo. A excitabilidade da cocaína e a depressão do sistema nervoso central pela heroína, inclusive, são exemplos de flutuações emocionais perigosas, que são arquivadas como janelas killer, ou traumáticas.

– O Médico da emoção também pensava há 2 mil anos na psique humana como um fenômeno em contínuo estado de movimento? – questionou Michael.

– Ele era muitíssimo inteligente. A resposta é sim. Certa vez ele disse que, do interior de quem fosse íntimo dele e, supostamente, dos seus ensinamentos, fluiria um rio emocional de "águas vivas", um rio de sentido de vida, de sabor existencial, de experiências, regado a prazer. O ser humano ama o sucesso, mas a jornada é mais saudável e importante que a chegada. O ser humano ama o Nobel, o Oscar, o Grammy, mas o processo é mais poderoso e rico que as premiações. Os sucessos e as premiações que reconhecem alguns podem ser ao mesmo tempo armadilhas que represam o prazer deles.

– Então ser feliz não é estar sempre alegre, sorridente, saturado de amor pela vida, mas transformar experiências angustiantes em notáveis aprendizados – concluiu Michael.

– Está no caminho, Michael.

– E como treinar para ser feliz? – perguntou Victor.

– Já fizeram dezenas de exercícios comigo. Que tal começar a mudar a era da sua história emocional, da era do apontamento de falhas para a era da celebração de acertos? – propôs Marco Polo, preparando-os para o treinamento muito mais árduo.

– Como? – indagou Florence.

– Não está claro para você, Florence? Não sabia que psiquiatras e psicólogos perdem seus filhos e que um dos motivos é exaltarem muito seus erros e não comemorarem diariamente seus acertos, ainda que diminutos? Não sabia também que religiosos perdem quem amam porque são especialistas em apontar falhas e não exaltar atitudes singelas que passam despercebidas? Que casais se destroem não porque não se amam, mas porque não sabem continuar amando? Você é míope, Florence?

– Eu? Não sei. Talvez.

– Talvez? Eu tenho certeza de que meus olhos emocionais são míopes, toscos, enviesados. E a educação clássica é a maior formadora de míopes emocionais. Ela celebra erros e não promove acertos. Quantas vezes os professores exaltam seus alunos fora das provas?

– Eu fui criticado umas mil vezes por meus professores – afirmou Chang. – E, que eu me lembre, fui elogiado apenas uma vez.

– Você bateu o recorde, Chang. Não me lembro de ter sido elogiado por um professor, exceto aqui, neste treinamento – relatou Peter.

– Professores que durante a jornada de cada aula não premiam seus alunos com elogios constantes, mesmo os mais alienados e ansiosos, não são educadores, mas corretores de informações. Serão substituídos por robôs, pela inteligência artificial. Como o magnífico reitor desta universidade americana sonha. Elogiem três vezes por dia as pessoas a quem amam.

– Isso não é difícil – afirmou Jasmine.

– Não? Que tal elogiar seus inimigos?

– Ah, mas isso é impossível! – sentenciou ela.

– Impossível? Mas foi exatamente esse exercício que o carpinteiro de Nazaré propôs aos seus alunos quando lhes disse: "Se vocês amam apenas quem os ama, não há dignidade." E depois usou uma metáfora que foi incompreendida por milhares de teólogos, filósofos e líderes políticos ao longo da história: "Se alguém lhe bater numa face, dê-lhe a outra."

– Isso é impossível – rebateu Peter. – Eu jamais daria outra face para quem me desse na cara.

– Nem eu – falou honestamente Chang.

– Eu muito menos. Bateu, levou! – afirmou Sam.

– Dar a outra face não significa dar o rosto físico. Essa é uma metáfora social que significa elogiar quem falha, exaltar quem se acidenta, aplaudir quem erra mais do que o próprio erro. Quando dá a outra face, você bombardeia o cérebro de um desafeto com o perfume do perdão, sem a necessidade de que ambos, você e ele, peçam desculpas. É muitíssimo inteligente dar a outra face – disse o psiquiatra. E lhes relembrou:
– Você aciona os fenômenos inconscientes que leem a memória. Detona o gatilho cerebral, abre uma janela light, liberta o Eu de seu inimigo e, assim, constrói pontes de amizade. Seus inimigos, por acaso, não têm acertos para serem celebrados? Só têm erros? – indagou o psiquiatra.

– Não, claro que não – disse Florence. – Mas devo elogiar meu predador, que me estuprou? – perguntou Florence, lacrimejando.

– Há erros essenciais e triviais. Os essenciais têm de ir para as barras da justiça. Quem a estuprou deve ir para a cadeia, é um erro essencial. Não lhes peço para elogiar psicopatas. Todavia, há inúmeras pessoas que passam pela nossa vida e cometem erros triviais, como nós cometemos também, ao fazer críticas, usar um tom de voz exacerbado, criar atritos, perder a paciência. Nesses casos, podemos e devemos aplicar essa técnica. Vivam na Floresta Amazônica, sem ninguém ao seu redor, e assim não serão frustrados ou magoados; mas convivam nesta sociedade intoxicada digitalmente e haverá inumeráveis frustrações e decepções.

Todos os "rebeldes" se calaram. Entenderam pelo menos minimamente que as sociedades modernas, as empresas, as instituições se converteram em fábricas de atritos, invejas, disputas irracionais, críticas, fake news. As pessoas não eram treinadas para corrigir a própria miopia emocional, para ver um ser humano por trás dos comportamentos que desaprovamos. Não sabiam apostar, ter compaixão, exercer o altruísmo.

– Ser viciado em apontar erros e não em celebrar acertos faz com que o radicalismo doentio percorra as artérias da nossa mente e deságue no oceano de nossa emoção. Somos uma sociedade de infelizes, estamos na era dos mendigos emocionais – destacou Marco Polo mais uma vez.

Ficaram todos sem voz por alguns instantes. E, depois desse cálido silêncio, o psiquiatra lhes deu outro exercício bombástico:

– Pois bem. Vocês vão sair daqui agora e, durante três dias, darão a outra face para quem os ferir. Tecerão elogios para seus desafetos, para pais que os machucaram, mães que os afligiram, professores que os magoaram, colegas que os traíram.

– Ainda bem que meus inimigos estão no Japão – falou Hiroto, aliviado, mas se esqueceu de que podia colocar essa técnica em prática através do celular.

Peter se levantou novamente da cadeira. Impulsivo, retrucou:

– Eu jamais me submeterei a essa humilhação!

Mas os amigos, em vez de celebrarem os acertos de Peter, o detonaram. Fizeram o que sempre praticaram. Sam foi o primeiro. Falou em alto e bom som:

– Você é muito babaca, cara.

– Bateu-levou toda hora – apontou Jasmine, esquecendo que ela não era muito diferente dele.

Ela batia freneticamente a própria mão na testa, exacerbando seu TOC.

Peter não aceitou ser criticado. Numa reação impetuosa, empurrou Jasmine e agrediu Sam, derrubando-o. Foi um momento de muita tensão. Alguns se revoltaram contra ele.

– Esse cara é um louco! – bradou Victor.

– Louco e explosivo – acrescentou Florence.

– Jasmine é uma desvairada, saturada de TOCs, uma psicótica não assumida. E você, Florence, o que é, com suas tentativas de suicídio? Superinsana! Uma bomba-relógio ambulante – disse Peter, destituído de qualquer compaixão, ferindo-a na raiz de sua emoção.

Bons amigos se importam em perder sua amizade, desde que seu ego não perca a guerra da discussão. O céu e o inferno emocionais estão muito próximos de quem não tem autocontrole e empatia.

– Respirem! Respirem! – pediu Chang, mas era impossível acalmar os ânimos.

– Res... respe... peitem o me... mestre – suplicou Alexander, mas ninguém lhe deu ouvidos.

A balbúrdia era geral. Ninguém se entendia. Marco Polo estava em pleno silêncio. Não interveio, calando-se completamente. Um falava mais alto que o outro. O grupo racharia e o projeto de treinamento derreteria como gelo sob o sol escaldante. Mas, quando tudo parecia perdido, Florence olhou para a face de Marco Polo e penetrou como um raio no planeta emoção dele. Viu seu silêncio saturado de decepção com o grupo. Mais uma vez foram inumanos. Subitamente foi iluminada. Lembrou-se das ferramentas do Médico da emoção. Aproximou-se de Peter e, apesar de ele ter sido tão violento com suas palavras, lhe ofereceu a outra face. Ele quase desmaiou de vergonha.

– Estou triste, muito mesmo. Mas eu o admiro, Peter. Admiro sua honestidade. Admiro sua garra. Admiro seu coração. Mas não admiro suas palavras nos focos de tensão. Desculpe-me por tê-lo ofendido.

Elogiar Peter, estender as mãos para quem tropeçou vergonhosamente, foi de uma elegância sem par. Detonou o gatilho cerebral, abriu janelas light e oxigenou o Eu de Peter. Ele caiu imediatamente em si.

– Ah, como eu sou insano. Como sou um tolo sem freios. – E abraçou Florence e Jasmine. Em lágrimas, abraçou também Sam: – Foi mal, cara. Perdoe-me.

Foi a vez de Marco Polo intervir e fazer um comentário sobre algo que, se fosse praticado pela humanidade, preveniria não apenas homicídios e suicídios, mas também guerras.

– Dar a outra face não é ser fraco ou submisso, mas forte, superior, nobre, pacificador e, acima de tudo, resiliente. Dar a outra face é apostar em quem merece uma bronca, aplaudi-lo em vez de humilhá-lo, exaltar o ser humano que erra, mais do que o próprio erro. Desse modo, ele muito provavelmente reconhecerá sua falha e se autocorrigirá.

– Dar a outra face é decidir ganhar o coração, e não a discussão – concluiu Florence, iluminada.

– Exato. O que vocês querem ganhar? Um verdadeiro líder não agride seus agressores, mas ensina-os a pensar! – disse o pensador que os treinava.

Chang olhou para seu mestre e indagou:

– Mas isso não é uma utopia?

O psiquiatra respondeu categoricamente:

– É uma utopia dizer que os fracos usam a agressividade, mas os fortes, a inteligência? É utopia entender que a maior vingança contra um inimigo é perdoá-lo, pois ao perdoá-lo ele morre como inimigo em nossa psique e renasce como alguém suportável, quem sabe um amigo? É utopia romper nossos cárceres mentais para ser autor de nossa própria história? Se isso tudo é utopia, prefiro ser utópico.

Praticar essas ferramentas era uma ginástica emocional tremenda para quem era egocêntrico. Ser empático era um exercício dantesco para quem gravitava ao redor do próprio umbigo. Celebrar acertos de desafetos era uma técnica quase insuportável para viciados em machucar quem já estava ferido.

Depois de tudo que falou, o mestre da psiquiatria ainda precisava dar o último golpe de sabedoria em sua plateia. Era arriscado, mas deveria. Levantou-se e arrematou sem meias palavras:

– Eu aprendi a admirá-los e a confiar na capacidade intelectual de vocês. Mas o treinamento baseado nas ferramentas do maior líder da história não é para mentes egoístas, individualistas e que vivem na mediocridade existencial, muito menos para quem não sonha em contribuir para a humanidade. Portanto, já lhes disse e repito: se quiserem desistir, a hora é agora! Mas, se desejarem continuar, enumerem seus desafetos e ousem lhes dar a outra face.

Dito isso, partiu, deixando a plateia completamente muda, confusa, perturbada. Mais uma vez não quis convencê-los a permanecerem no projeto. Recusava-se a ser babá emocional desses adoráveis, ansiosos e perturbadíssimos rebeldes. Eles deveriam aprender esta tese: ser autônomo é saber fazer escolhas, saber fazer escolhas implica sofrer perdas, e o medo das perdas é o maior sequestrador das mais importantes decisões. Por isso as mais importantes decisões são sempre solitárias.

7

O MÉDICO DA EMOÇÃO DESARMAVA SEUS INIMIGOS SEM PRESSÃO

Quando Marco Polo deixou seus alunos exaltando-os e, ao mesmo tempo, desafiando-os, eles sentiram que, apesar de a proposta ser absurda, seriam conformistas se não tentassem. Nunca tinham dado a outra face para nada e para ninguém. Aliás, numa humanidade constituída de bilhões de seres humanos, raríssimos são os que treinam essa técnica de autocontrole e pacificação de conflitos, mesmo entre os que juram ser seguidores de Jesus. Poucos aprenderam a ser colecionadores de amigos. Desafetos deveriam ser abatidos; opositores deveriam ser eliminados; frustradores, que não correspondiam às expectativas, deveriam ser excluídos.

Nunca souberam que, na genealogia de Jesus relatada por Mateus, não havia só seres humanos de caráter ilibado, mas também prostitutas, indicando que sua origem humana era não de uma linhagem de pessoas perfeitas, reais, de sangue azul, intocáveis, mas de pessoas imperfeitas. O Médico da emoção treinava dia e noite todos aqueles que dele se aproximavam a conquistar o que o dinheiro jamais poderia comprar. Muitos tinham cama, mas não dormiam; tinham vestes, mas estavam nus pelo sentimento de culpa; tinham bens, mas suplicavam pelo trigo da alegria; tinham moralidade religiosa, mas eram radicais e legalistas, destituídos de empatia. Eram angustiados.

Não havia nas universidades modelos de treinamento, seja nos cursos de psicologia, de sociologia, na formação de psiquiatras ou de diplomatas, para construção de pontes socioemocionais nas situações de conflito. Éramos maduros para usar tecnologia digital, mas meninos para usar ferramentas de gestão da emoção.

Milhões de pais agiam instintivamente quando contrariados, não sabiam pacificar os ânimos de seus filhos nem se fazer admiráveis para eles. Professores, quando decepcionados pelos seus alunos, expunham publicamente seus erros. Executivos não sabiam explorar ouro nos solos rochosos dos seus colaboradores. A humanidade era judicialista. Os erros eram levados às barras da justiça, e não resolvidos nas praças da sabedoria. Sepultávamos a arte de filosofar.

Florence refletiu sobre a provocação inteligente de Marco Polo. Tomou a frente dos seus amigos e lhes disse:

– E daí? Fazer o que Marco Polo nos propõe é fazer tudo ao contrário do que sempre fizemos e aprendemos. Precisamos tentar superar a síndrome predador-presa.

Peter coçou a cabeça, nervoso.

– Gente, isso é loucura! O que vão falar de nós? De mim? Vão dizer "O Peter amarelou", "O Peter é um fraco", "O Peter virou um maricas"!

Sua alodoxafobia, o medo da opinião dos outros, ainda infartava sua emoção.

– Nem me fale, cara, certamente dirão que "o chinês surtou, precisa ser internado" – disse Chang.

– Mas já tentaram te internar algumas vezes, Chang – comentou Jasmine, levando seus colegas a dar gargalhadas.

– Tentaram, mas não conseguiram – afirmou Chang, sorrindo.

– Se me humilharem, eu saio na porrada – atalhou Sam.

– Eu também – disse Victor.

Peter pensou, esfregou as mãos no rosto e depois disse:

– Ok, ok. Vou começar a fazer a lista dos meus inimigos e analisar se algum é digno de elogios.

– Eu tam... também vou fa... fazer minha lis... lista – disse Alexander.

E assim todos começaram a fazer sua lista secreta. Uma hora depois, cada um tinha uma relação considerável de pessoas que rejeitavam, odiavam, das quais queriam se vingar. Alguns tinham calafrios ao ver a imagem delas.

Sam, mais intrépido, fez seu relatório.

– O babaca aqui – falou alto e piscando muito – tem 14 inimigos que quer esganar. Dois tios que disseram que têm vergonha de mim por causa de meus tiques. Três primos que nunca estenderam as mãos para mim e, ao contrário, quando eu estava por perto, se afastavam. Tenho ódio de pelo menos dez colegas de classe que sempre debocharam dos meus tiques. Detesto também um neurologista que, em vez de me apoiar, me disse que minha doença só iria piorar e que todos se afastariam de mim no futuro como no passado se afastavam dos leprosos.

Hiroto afirmou:

– Tenho pelo menos 14 desafetos. Três deles quase me causam um ataque cardíaco quando os vejo: dois colegas de classe e um professor. Chamaram-me de japonês maluco, terrorista, aberração da natureza e coisas desse tipo.

Michael relatou:

– Tenho 12 pessoas que já tive vontade de enforcar. Nove colegas de classe que zombaram declaradamente de mim por eu ser negro, me colocando apelidos de animais. Dois professores que sempre me deram notas baixas, mesmo quando eu acertava mais questões do que os brancos. Também detesto meu irmão mais velho, que um dia me espancou. Bom, a lista é grande...

Chang tomou a palavra:

– Tenho uns 40 que eu coloco na geladeira, mais dez que estão entalados na minha garganta: meu irmão, que disse que era melhor eu não ter nascido; um psiquiatra que quis me internar à força porque eu o enfrentei; um psicólogo que falou que eu era esquizofrênico; dois policiais que disseram que era um delinquente irrecuperável; três colegas de classe que zombavam de mim; e dois professores que sempre pegaram no meu pé, um quando eu fazia o ensino fundamental e outro na universidade.

Jasmine também falou:

– Na geladeira eu coloco um monte. Mas tenho sete inimigos atrozes. Um tio que abusou sexualmente de mim; duas amigas da minha mãe que queriam me transformar em prostituta; um professor que deu risadas dizendo que eu era incompetente, portadora de um QI baixo, somente porque o corrigi em sala de aula. Além disso, detesto um colega que me denunciou à reitoria dizendo que eu era uma drogada e duas colegas de classe que cuspiram na minha cara porque eu as considerava umas patricinhas.

Florence estava com os olhos fixos em seu passado. Mas logo despertou de seus devaneios e comentou:

– Tenho mágoa gravíssima de quatro pessoas. O professor Jordan, que já enfrentei; um psiquiatra que bradou que sou uma doente mental incurável; um predador que me estuprou; e um colega de classe.

As dores eram inumeráveis. Eram personalidades partidas, emoções fragmentadas. Não há rebeldes sem causa. Por trás de uma pessoa que fere há sempre uma pessoa ferida. Alguns alunos não fizeram seus relatos. Florence os questionou:

– E vocês, Martin, Yuri, Harrison, Victor? São santos, não têm inimigos?

Disseram que tinham, sim, mas a lista era grande demais. Um por um eles fizeram seus comentários. Mas um aluno permanecia calado.

– E você, Peter? – perguntou Jasmine. – Quantas horas precisa para enumerar seus inimigos?

– Horas não, dias. Sou contra o mundo. Até agora são 62 inimigos mortais.

– O que é isso, Peter? Eu, de pele negra, que fui rejeitado, escorraçado e expulso das escolas, tenho apenas 12. Como você tem 62? – questionou Michael.

– Com raras exceções, parece que todos me detestam e eu detesto todos – afirmou Peter para Michael. – Minha lista é enorme. Alguns tios, diversos primos, vários policiais, uma dezena de professores, algumas dezenas de colegas de classe, o reitor Vincent, e por aí vai. Até meu pai está nessa lista.

– Até seu pai, cara? O que ele fez? – indagou Florence, que não conhecia alguns segredos de sua família.

– É melhor esquecer...

– Esqueça mesmo. A barra do Peter está pesada – afirmou Chang, que o conhecia muito bem.

– Comece por ele – sugeriu Jasmine.

– Isso é loucura! – afirmou Peter.

– Mas este treinamento inteiro não é uma loucura? Deixe seu pai participar dessa loucura – completou Jasmine. – Eu te acompanho.

– Eu também. Você é superpoderoso, arrasador, tremendo – disse Chang, falando com ar irônico. No fundo queria ver o circo pegar fogo.

E foi assim que esses alunos considerados um perigo para a sociedade e que tinham tantos problemas de personalidade mapearam seus fantasmas humanos. Perturbados e intimidados, saíram em grupos de três para revisitar os "porões" da sua história. Os imaturos carregam os próprios erros nas costas, não os assumem, mas são especialistas em apontar as falhas dos outros. Os alunos de Marco Polo estavam fazendo o caminho inverso.

Peter havia três anos saíra de casa devido ao clima horrível que ele mesmo causara, mas que nunca admitira. Nunca mais falou com seu pai, só com sua mãe. Seus pais moravam num bairro de classe média baixa. Era uma casa simples, com paredes amarelas e telhado vermelho. O jardim era pequeno, mas bem cuidado, com azaleias, duas roseiras brancas floridas e uma velha palmeira ao lado da porta central. Retomar seu passado e reescrevê-lo era algo impensável para ele quando começou a ser treinado. Agora estava decidido a voltar lá. Chang e Jasmine o acompanharam.

Estava muito pensativo durante todo o trajeto. Chang o provocava, mas ele permanecia calado. Ao chegar à sua casa, suspirou e disse:

– Não vai dar certo.

– Relaxa – pediu Chang, um perito em deixá-lo ainda mais tenso. Sempre debochado, disse para Peter: – É simples. Coloque seu pai no céu, se ajoelhe diante dele e dê a cara a tapa.

– Fique quieto! – falou áspero Peter, tremulando.

– Nunca o vi assim, cara. Está tremendo – zombou Chang novamente.

Jasmine, lembrando-se das aulas de Marco Polo, ordenou:

– Cale-se, Chang. Você está fechando o circuito da memória de Peter.

– Tá bom, tá bom. Só queria abrir a mente dele.

Pelo pequeno corredor do jardim, o grande Peter se aproximou da casa e fez soar um velho sino que estava na porta de entrada. Depois de eternos dois minutos, apareceu um homem de cabelos grisalhos, pele desidratada, sereno.

– Pai... – disse Peter, mas, antes que ele completasse a frase, seu pai fechou a porta na sua cara lentamente, sem raiva, mas também sem amor.

Estava querendo dizer: "Não quero falar com você. Esqueça-me!"

Os dois amigos olharam para Peter e sua reação foi imediata. Sentenciou seu pai, como sempre fizera:

– Estão vendo? Esse velho é intolerável.

E deu as costas para ir embora. Jasmine lhe chamou a atenção.

– Seu pai é intolerável ou ele quis dizer que você é que é?

– Pare de me julgar! – disse Peter, gritando.

– Pode julgar, Jasmine – afirmou Chang, o único que o conhecia bem. – Esse cara já roubou o próprio pai umas dez vezes, foi para a delegacia umas cinco, bateu o carro do velhote umas quatro e surtou com overdose umas duas vezes, quebrando quase tudo dentro de casa.

Peter se calou. Era verdade o que Chang contava. Jasmine ficou horrorizada.

– É verdade, Peter?

Peter se manteve calado.

– Fala, cara. Tem medo dos seus fantasmas? Não estamos num treinamento para pessoas dissimuladas?

– Roubei meu pai umas cinco vezes, e não dez.

– E o resto?

– O resto talvez tenha acontecido, sim. Mas não há filhos perfeitos – atalhou, tentando se defender.

– Mas não tão assombrosamente imperfeitos – comentou Jasmine com razão.

– Vamos embora, isso não vai dar certo. O velho me detesta.

– Essa não, Peter. Ele te detesta ou você é que detesta seu Oliver? – seu amigo chinês o colocou contra a parede citando o nome de seu pai.

– As duas coisas.

E foi saindo, jogando a oportunidade para o alto.

Mas Jasmine foi fundo em sua provocação:

– Você brigou com Victor, Michael, Sam e comigo. Você pegou Marco Polo pelo colarinho dizendo que não seria rato de laboratório! Lembra? Sou sua amiga, mas você é da pá virada. Você seria capaz de dar tantas chances para alguém como seu pai lhe deu?

Peter sentou-se desanimado num dos pequenos degraus que davam para a porta central. Pela primeira vez estava encurralado.

– Estou arrasado.

– Também estou, cara – disse Chang.

Seu pai, com os ouvidos colados à porta, ouvia tudo do lado de dentro da casa.

– Vamos, seus bananas! Levantem-se – instou Jasmine.

Mas eles pareciam soldados cuja guerra estava perdida. Como Marco Polo havia dito, dar a outra face é o sinal mais solene dos seres humanos resilientes. Ela ousadamente fez soar o sino por ele, e o fez forte e insistentemente.

Agora o casal abriu a porta. Seu Oliver e dona Rachel, sua mãe, estavam com os olhos arregalados ao ver o filho sentado no degrau da escada com seu velho amigo Chang. Silêncio mortal. Então Jasmine tomou a iniciativa:

– Seu Oliver, seu filho tem uma grande notícia para lhe dar.

Peter se levantou lentamente, mas não conseguia falar. Seu pai, como conhecia muito bem o filho, tomou a frente e indagou:

– De quanto você vai precisar?

Suas aparições eram fantasmagóricas, não falava com o pai, mas pressionava a mãe para pagar determinadas dívidas que não conseguia saldar. Lacrimejando pela enésima vez, dona Rachel disse:

– Qual foi o problema desta vez, filho?

Seu pai olhou para a esposa e a questionou:

– Qual o problema dele, Rachel? A pergunta é: qual problema ele vai nos causar?

Seu Oliver estava farto do comportamento agressivo e irresponsável do filho, por isso o acusou:

– Você roubou o dinheiro da minha aposentadoria umas quatro vezes.
– Eu sei – assumiu Peter, perturbado.
– Você furtou nossos pertences dez vezes para comprar drogas.
– Eu também sei – concordou ele, constrangido.
– Você bateu meu carro embriagado três vezes.
– Assumo, fui um insensato.
– Você gritou conosco, como se animais fôssemos.

Peter caiu em si. Percebeu pela primeira vez que era um filho violento, irresponsável e um carrasco das pessoas que o amavam. Num momento único de múltiplos insights, usou seus míopes olhos emocionais para observar com uma lupa as lágrimas que seus pais encenavam no teatro de seus rostos. Vislumbrou as rugas da testa do pai. Ele tinha 60 anos, mas aparentava 80 – talvez por causa das preocupações gigantescas que Peter lhe dera.

Perdera tempo, muito tempo. Poderia ter tido outra história com seus pais, ouvido e aprendido mais, dado muito mais risadas, brincado, sonhado, mas viveu pesadelos. Poderia ter cobrado menos e se doado bem mais. Mas era um algoz que os retalhava não com lâmina, mas com palavrões, críticas e discussões. O tempo, porém, é o mais cruel dos fenômenos existenciais. Não se muda jamais o passado, só se reconstrói o futuro reciclando as loucuras do presente.

Peter caiu em lágrimas. Não conseguia dizer sequer uma palavra. Seus pais não entenderam sua reação, nunca o viram chorar, nunca presenciaram sua sensibilidade. Talvez estivesse fisicamente doente, com problemas cardíacos, com câncer ou às portas de uma condenação judicial grave.

Vendo Peter chorar, Chang pediu com os olhos marejados:
– Cara, não faz isso, não vou aguentar também.
– Está doente, filho? – perguntou a mãe, assustada.
Ele parou, pensou e disse:
– Muito. Mas não fisicamente. Estou infectado pela arrogância, dramaticamente doente pelo meu orgulho. Me desculpe...

Jasmine também se emocionou. Não imaginava que Peter pudesse ter a coragem de revelar suas insanidades.

– Como assim, Peter? O que está ocorrendo aqui? – indagou seu pai, perplexo.

Peter nunca fora humilde. Jamais reconhecera os próprios erros. Só os outros erravam. Enxugando suas lágrimas com a mão direita e com a voz embargada e pausada, o rapaz finalmente virou a outra face:

– Vocês não são perfeitos, mas são os melhores pais do mundo. Me estenderam as mãos quando caí, me abraçaram em minhas loucuras, me supriram com o pouco dinheiro que tinham. Eu... os fiz sofrer tanto. Eu... eu não os mereço. Perdoem-me, perdoem-me, papai e mamãe...

O poder do elogio desarma inimigos; o poder de reconhecer erros constrói pontes para eles. Ao usar o poder do elogio e pedir desculpas sinceras, Peter entrou como um raio no planeta emoção dos seus pais. Foi até eles e os beijou e depois os abraçou prolongadamente. Todos se desarmaram como jamais acontecera na história deles.

– Vamos entrar – disse dona Rachel emocionadíssima. – Acabei de fazer um bolo de laranja.

– Eu sabia! Dar a outra face resolve até os problemas estomacais – disse Chang, sempre brincando com a vida.

Eles entraram e explicaram o treinamento que estavam fazendo. Depois de todo o relato, os pais de Peter pela primeira vez nos últimos anos respiraram aliviados. Havia um caminho para seu filho se tornar um ser humano saudável.

– O reitor escolheu só os alunos alienados e difíceis para esse tal de Marco Polo treinar? – indagou a mãe sorrindo e, ao mesmo tempo, limpando as lágrimas de seu rosto.

– Não, também convocou os de pavio curto, os barras-pesadas, os que detestavam a universidade, como eu e seu digníssimo filho, dona Rachel – disse Chang.

– E também pessoas ansiosas e complicadas como a Jasmine – completou Peter, dando risadas.

– Peguem leve aí, suas matracas – retrucou Jasmine, sorrindo para ambos.

– Esse Marco Polo é um santo – sentenciou dona Rachel.

– Santo? Esse homem é uma fera. Está sempre nos virando do avesso – declarou Peter.

– Até agora nenhum psiquiatra deu jeito em você, meu filho.

– Mas não estou em tratamento, mamãe; estou em treinamento. Estou sendo treinado com as ferramentas socioemocionais que, segundo Marco Polo, "o maior líder e empreendedor da história" usou para educar seus exóticos alunos.

– Parece que vocês estão indo bem – disse seu Oliver, que torcia para que seu filho tivesse sucesso em se tornar um ser humano, se não brilhante, pelo menos responsável e minimamente empático.

– A parada é dura, seu Oliver. Tem dia que estamos no céu, tem dias que estamos no inferno – afirmou Chang. – O time é maluco demais. O melhorzinho deles sou eu. Imagine o resto.

Todos sorriram. De repente, seu Oliver tocou num assunto muito sensível, a pior mágoa que Peter tinha dele:

– Eu te amo e te perdoo. Mas também te peço perdão por não ter sido paciente o suficiente com você. Te peço perdão por ter chamado a polícia naquele dia...

Peter recapitulou a horrível cena. Estava alcoolizado e tinha usado uma droga à base de anfetamina. Perdera completamente o controle. Seu pai lhe chamou a atenção. Mas ele, irado e fora da realidade, começou a quebrar tudo dentro de casa.

– Não há o que perdoar. Eu estava alucinado e muito agressivo. Veja. – E apontou com a mão direita: – Até hoje há marcas nas paredes. Quebrei quase tudo... Mas um dia vocês ainda terão orgulho de mim.

Depois de duas horas de diálogo, os três saíram. Um novo capítulo se iniciaria entre Peter e seus pais. Despediram-se emocionados. Peter saiu caminhando de braços abertos, aliviado, cantando alegremente, mas de repente parou. Fitou os olhos de Chang e, conhecendo alguns dos seus segredos, lhe disse:

– Você é o melhorzinho da turma, hein? Então vamos treinar você a dar a outra face a um dos seus inimigos: seu irmão.

Chang, engolindo em seco, se esquivou:

– Por hoje basta. Já participei do seu treinamento.
– Errado. Agora será o seu – afirmou Peter.
– Meu irmão, não. Qualquer um, menos ele. Ele me excluiu, me enxotou de casa, disse que eu era um verme, uma aberração da natureza e muito mais...
– Para ele dizer isso, você deve ter aprontado poucas e boas. Quero ver você abraçando-o, elogiando-o, apostando nele – insistiu Peter.

Chang refugou outra vez:
– Você que feriu seus pais. Por isso foi muito mais fácil ter coragem de exaltá-los.
– Ótimo. Agora vamos subir um tom na escala da resiliência – sugeriu Peter.
– Também acho – concordou Jasmine. – Lembre-se do que o Dr. Marco Polo nos disse: por trás de uma pessoa que fere há uma pessoa ferida.
– Não dá. Não dá – disse Chang, colocando as duas mãos na cabeça.
– Não dá por quê? – indagou Jasmine, não entendendo sua dramática resistência.

Foi então que Chang contou um segredo que nem mesmo Peter sabia:
– Não dá! Porque, além de me ofender profundamente, ele roubou minha herança depois que meu pai morreu! Ele é um crápula.
– Não aprendemos que nossa paz vale ouro e que o resto é lixo? Repita mil vezes na sua mente essa poderosa ferramenta de gestão da emoção que você conseguirá – aconselhou Jasmine, lembrando-se do treinamento.
– Quero ver você manter a paz quando alguém lhe roubar 4 milhões de dólares.
– Quatro milhões de dólares? – falaram ao mesmo tempo Peter e Jasmine, espantados.
– Eu andei com um chinês pão-duro esse tempo todo? Vivia pedindo meus lanches. Sempre paguei coisas para ele, e agora ele vem me dizer que é milionário? Era só o que me faltava! – exclamou Peter, abobalhado.
– Era milionário! Era!

– Se ele não morasse na China, eu te ajudaria a dar umas porradas nesse cara – disse Peter com toda a segurança do mundo.

– Ele mora aqui – afirmou Chang, indignado.

– Não é possível!

Jasmine tentou colocar panos quentes na fervura da emoção:

– Um dos códigos que o Médico da emoção ensinou foi "Felizes os pacificadores, os que não guardam mágoa...".

– Tenha santa paciência, Jasmine. Quatro milhões de dólares não são 4 mil dólares.

– Quem sabe, lambendo seu irmão, ele te dê uns trocados – disse Peter, implicando com o amigo.

– Pare de deixar Chang mais irritado, Peter – bronqueou Jasmine.

– Mas ele sempre faz isso comigo – retrucou Peter.

– Chang, seu irmão pode ter roubado a sua herança, mas não deveria roubar sua saúde emocional – concluiu a amiga.

Chang caminhou sozinho por um tempo, entrou num jardim e começou a pensar. Precisava parar um pouco para respirar. O peso do corpo é suportável; difícil é suportar o peso das mágoas, das decepções, das traições. Carregá-lo é para os fortes, e ser forte não é ser um herói: é aprender a perdoar, e não a vender a própria paz a troco de nada e por ninguém. Esse era o treinamento do carpinteiro da emoção que havia 2 mil anos revolucionara o mundo com suas ideias e teses.

Peter estava pesando uma tonelada a menos e Chang, uma tonelada a mais. Seus conflitos o fizeram se afastar por quatro anos de seu irmão. Tinha insônia quando pensava nele. O fenômeno RAM, o biógrafo implacável do cérebro, registrava seus pensamentos perturbadores, formando uma janela killer duplo P, com poder de ser inesquecível e poder de ser retroalimentada, gerando um núcleo traumático, um cárcere de segurança máxima. Era como um buraco negro no universo que sugava planetas e estrelas inteiras devido à sua tremenda força gravitacional. A emoção de Chang flutuava entre o céu do bom humor e o inferno do desejo de vingança. Um jovem tão alegre e inteligente estava desistindo de tudo, da universidade, das suas relações, dos seus sonhos...

8

O MÉDICO DA EMOÇÃO ENSINAVA A DIFÍCIL ARTE DO AUTOCONTROLE

Chang levou às mãos à cabeça enquanto era transportado de metrô junto com seus amigos para ir ao apartamento de Liu, seu irmão, em um dos bairros nobres da megalópole. Chegara a sua vez de passar pelo mais incrível teste de estresse. Todo palhaço esconde vampiros emocionais por trás de seu sorriso. Chang tinha os dele. O jovem bem-humorado perdera sua alegria, o garoto que levava a vida na brincadeira se calara, o universitário relaxado ficara hiperpensante, sofria por antecipação, imaginava a si mesmo digladiando-se com seu irmão. Mentalmente esgotado, sentiu baixar seu limiar para suportar frustrações, o que o levou a se irritar com uma mulher cheia de compras que sentou ao seu lado.

– Isto aqui não é um caminhão de transporte – disse, afastando-se.

– Sai para lá, seu mal-educado.

Jasmine colocou a mão direita no seu ombro.

– Acalme-se. Vai dar tudo certo.

– Mulheres, sempre românticas – retrucou Chang.

Peter assoviava feliz da vida. Já atravessara seu deserto, agora era a vez de seu amigo.

– Pimenta nos olhos dos outros não arde, Peter – comentou Chang, irritando-se com seu assovio.

– Relaxa, Chang. Perto das minhas loucuras e da fera do meu pai, enfrentar seu irmão vai ser como tirar doce de criança. Será moleza.

– Moleza? Já pensei três vezes em matar meu irmão – revelou.

Peter engoliu em seco. Não imaginava que o conflito fosse tão sério.

– Tá brincando, Chang.

– Tô não. Meu irmão turbinou minha loucura. Ao chegar perto do Liu, acho que vou avançar no pescoço dele.

– Acho melhor cairmos fora, então.

– Espere aí, Peter. Cadê o pacificador? Lembrem-se da síndrome predador-presa que Marco Polo nos ensinou. Detona o gatilho da memória, abre uma janela killer no cérebro e a âncora fecha o circuito – recordou Jasmine com inteligência.

– Sim, se esse mecanismo acontecer, o Chang já era. Vai ressuscitar Bruce Lee.

– Você está ativando o instinto agressor de Chang.

– Foi mal. Não queria...

– Faça o DCD, Chang – sugeriu Jasmine. – Duvide que será escravo de seu irmão, critique sua falta de controle e decida gerir sua emoção. Afinal de contas, você é um homem ou um saco de batatas?

– Um saco de batatas! – afirmou Chang com um leve sorriso. Estava voltando a si. – Parece que estou sem ar!

De fato, o estado de descontrole emocional de Chang era muito maior do que ele conseguia expressar para seus dois amigos. Parecia um animal indo para o matadouro. Xingaria, daria escândalo, discutiria, atacaria, as consequências seriam imprevisíveis.

Quando saíram em direção ao apartamento de Liu, Chang estava tão ansioso que Peter resolveu medir sua pulsação.

– Cara, seu coração está a 160 batimentos por minuto.

De repente, as atenções que estavam voltadas para Chang mudaram de direção. Jasmine viu alguém que a fez perder imediatamente a cor, ficou pálida e ofegante e deu alguns passos na direção contrária à de seus amigos. Parecia um leopardo prestes a atacar uma presa. Peter chamou por ela, mas nada.

– Jasmine. Jasmine!

Ela parecia em transe. Não conseguia escutar. Para Chang, foi momentaneamente boa a distração de sua amiga. Vendo-a hiperconcentrada e esfregando as mãos uma na outra como se estivesse pronta para agredir alguém, tentou também chamar sua atenção.

– O que foi, Jasmine? – indagou Chang.

Ela não respondeu. Ele foi até ela e pegou seu rosto com as duas mãos, insistindo:

– Surtou? O que foi?

– Aquele crápula – apontou ela para um homem de meia-idade tomando uma bebida na área externa de uma cafeteria.

– Que crápula? – perguntou Peter.

– O professor Robert – explicou Jasmine, ainda apontando para o homem 20 metros à sua frente.

– O que tem ele? – insistiu Peter.

– Ele me humilhou publicamente porque questionei uma informação que ele ensinava em sala de aula. E eu estava certa. Mas ele disse que eu era incompetente, que não tinha QI suficiente para estar na universidade.

– E você tem? – brincou Chang.

– Já saiu da sua crise, Chang? – perguntou Jasmine, vendo que o amigo voltava a ironizar tudo e todos.

– Um professor que humilha um aluno não serve nem para dar aula para cavalos. Estou contigo, Jasmine – afirmou Peter.

– Eu também – concordou Chang.

Todos eles esqueciam muito facilmente as ferramentas de gestão da emoção que aprendiam. Ao ver um agressor, desafeto ou inimigo, perdiam imediatamente o livre-arbítrio. Os atores coadjuvantes do Eu entravam em cena e os dominavam. E eles agiam instintivamente, com vontade de voar no pescoço dos outros, como sempre fizeram.

– E esse verme não parou por aí... – disse ela.

Chang, curioso, perguntou:

– O que mais esse verme fez?

– Me convidou para sair. Como eu neguei, passou a me perseguir e me deu nota baixa na última prova.

– Também, você não estudou... – disse Chang, dando risadas e olhando para Peter.

Jasmine se irritou tanto com Chang que o pegou pelo colarinho e lhe disse:

– Você e o Peter são insuportáveis. Não falem bobagens que desconhecem. Eu estava com toda a matéria na ponta da língua. Sabia que ele queria me ferrar, então estudei muito, seu babaca.

Ao ouvir isso, Chang ficou irado com o professor Robert.

– Então esse cara é um sem-vergonha, descarado. Vai lá e enche ele de bolachas.

– É o que pretendo fazer agora. Você não vai me ajudar?

– Eu te ajudaria se ele não fosse um brutamonte – afirmou Chang.

– Covarde! – sentenciou ela.

– Prático! – rebateu ele.

Peter tomou a frente e a desencorajou:

– Espere, Jasmine. Será que essa é a atitude correta? Será que brigar, discutir, humilhar não é o que sempre fizemos quando contrariados? – questionou, olhando para a sua própria história.

– Está se acovardando também, Peter? – disse ela, esfregando as mãos no peito como se fosse morrer.

– Não. Estou pensando que, se você tivesse me encorajado a fazer com meus pais o que pretende fazer com esse professor, tudo teria terminado de um jeito muito diferente.

Nesse momento, Jasmine foi iluminada e suspirou profundamente. Apesar disso, ainda estava muito resistente. Peter ponderou:

– Já pensou que reagir pelo fenômeno bateu-levou retroalimenta a violência?

– Mas, Peter, ele não é meu pai nem minha mãe. Não posso ser omissa ou serviçal desse mau-caráter. Não posso ser tola! – disse Jasmine, exacerbando seus tiques.

– Não adianta, Peter. Mulher magoada não volta atrás. Deixe ela enchê-lo de porrada – disse Chang.

Mas Peter não concordou:

– Será que dar a outra face é ser tolo? Estúpido? Frágil? Ou é ser resiliente, dar um tapa de luva de pelica num inimigo e jogar uma bomba na consciência estúpida?

Chang olhou bem nos olhos de seu amigo e lhe disse:

– Peter, tô te estranhando, cara. Tá malucão. Tudo era na porrada com você, agora está amarelando. Marco Polo está te benzendo, cara.

– Não, ele está me fazendo pensar. – E, para espanto de seus amigos, completou: – Apostar em quem nos decepcionou não faz parte do treinamento? Se esse cara fosse um estuprador ou abusador, você não deveria ir até ele, mas entregá-lo à polícia.

– Mas ele foi um estuprador das minhas emoções. Não tinha como provar o assédio moral. Não serei boba da corte.

– Jamais quero que você seja uma boba da corte. Mas o que fiz com meus pais foi um teatro? O que você me encorajou a fazer foi uma armação?

Jasmine perdeu a voz. Parou, pensou e reconheceu:

– Tentar garimpar amigos no universo dos nossos inimigos é quase impossível.

– Estamos num treinamento. O maior líder da história treinou seus discípulos a darem uma chance para prostitutas, ladrões, fariseus, enganadores, dissimuladores. Uma chance para pessoas como eu – argumentou Peter.

– Vocês dois estão perturbando minha genialidade. Tô assustado – falou Chang.

Mas Peter fez a última tentativa como pacificador:

– Esse Robert é um professor imperfeito, injusto, imaturo. Um verdadeiro idiota emocional. Mas quantas vezes nós não fomos idiotas emocionais também? Tente dar a outra face com elegância. Se não funcionar, vamos denunciá-lo à universidade e à polícia.

Foi então que ela deu um longo e profundo suspiro e admitiu:

– Quando é a nossa vez de entender que por trás de uma pessoa que fere há uma pessoa ferida, achamos que estamos sendo tolos e frágeis, não lúcidos e fortes. Você tem razão – reconheceu humildemente.

Depois de um momento de silêncio, Chang fez uma sugestão para não apenas livrar Jasmine do sufoco, mas especialmente salvar a própria pele de ter de enfrentar seu irmão:

– Peter, você é um gênio, mas vamos para uma lanchonete, uma boate e depois ter uma bela noite de sono. Vamos assumir que somos malucos e esquecer esse negócio de dar a outra face.

– Vocês me encorajaram a não ir embora quando meu pai fechou a porta na minha cara.

– Não, não vamos embora. Vou praticar o DCD agora – afirmou Jasmine. E começou e falar para si e para seus amigos com segurança: – Eu duvido que não possa olhar no rosto do meu predador, duvido que ele vá furtar minha saúde mental, critico meus pensamentos vingativos e exijo ser líder de mim mesma, ter autodomínio. Minha paz vale ouro, o resto é lixo.

Depois ela observou que o professor Robert estava pagando a conta para ir embora. Logo que ele saiu da cafeteria, Jasmine corajosamente o chamou:

– Professor Robert? Professor Robert?

Ele veio em sua direção, mas Jasmine deu-lhe as costas.

– Pois não – disse o professor.

De repente Jasmine virou o rosto.

– Jasmine? Você por aqui?

– Por quê? Espantado, professor?

– Não, é que...

Jasmine continuava colocando em prática a técnica de autogestão da emoção dentro de si, o que a impediu de ofendê-lo de todas as maneiras e de todos os nomes. Os momentos de silêncio pareciam uma eternidade para seu professor e para seus amigos, a tal ponto que Chang a chamou várias vezes para ela reagir:

– Jasmine, Jasmine, Jasmine. Tome uma atitude!

– Ah.

– O que aconteceu? – indagou Peter.

– Fiz o silêncio proativo. Estava tentando ser autora da minha história e não comprar o que não me pertence.

Quando o professor Robert, um sujeito de 1,90 metro, ouviu suas inteligentes palavras, quase caiu de joelhos.

– Que técnica de autocontrole é essa? Com quem está aprendendo?

– Não importa – disse Jasmine.

– Para mim importa, sim, e muito. Eu sou um professor muito ansioso – confessou, para espanto dela.

Foi então que a aluna que fora ofendida por ele deu-lhe um choque de lucidez, oferecendo-lhe a outra face:

– Professor Robert, o senhor é um professor culto e que explica muito bem a matéria.

Ele ficou perplexo, pois sabia que fora injusto com sua aluna. Esperava uma discussão, mas, quando foi elogiado por Jasmine, sentiu que ela driblou sua agressividade. O gatilho da memória encontrou não janelas killer, mas janelas light. A âncora, portanto, não fechou o circuito da memória, impedindo-o de agir instintiva e impulsivamente. Ele relaxou e foi generoso.

– Ah, muito obrigado, Jasmine – disse, constrangido.

Depois de lhe dar a outra face, ela falou destemida, mas educadamente, da sua injustiça:

– Apesar de suas qualidades notáveis como mestre, o senhor debochou publicamente de mim.

O professor, com peso na consciência, confessou:

– Eu errei. Me desculpe.

Ela ficou atônita com seu reconhecimento. Chang e Peter também. Mas a estratégia de exaltá-lo e depois lhe apontar sua falha realmente o desarmou. Jasmine continuou:

– E, além disso, por não ter aceitado seu convite para sair, o senhor foi injusto na correção da minha prova. Apesar de ser um professor notável, estou magoadíssima com sua atitude.

O professor Robert era intolerante às frustrações. Em qualquer outra situação, soltaria os cachorros. Mas a atitude de Jasmine extraiu dele o que havia de melhor em seu psiquismo. Humanizou-se, respirou longamente e teve a coragem de dizer:

– Você tem razão. Você é muito bonita. Errei ao convidá-la para sair. E errei em ser injusto na correção dessa última prova.

– Fico surpresa que esteja reconhecendo suas falhas – afirmou ela emocionada.

– Surpreende-me também que você esteja sendo tão generosa com quem merece sua ira. – E completou: – Você me chamou de idiota na frente de seus colegas. Perdi o controle.

Quem bate esquece, quem apanha sempre será lembrado pelas suas janelas killer.

– Não lembrava que também o tinha ofendido – disse Jasmine.

– Quando fui corrigir sua prova, não fui isento. Não foi por sua recusa em sair comigo, mas por suas palavras críticas em sala de aula. Mas não importa. Eu estou muitíssimo mais errado. Meu nível de tolerância deveria ser maior. – E, depois de um momento de silêncio, disse: – Mas lhe prometo que revisarei sua prova com isenção. Você não é apenas uma bela aluna, mas tem uma mente incrível.

– Muito... muito obrigada – disse Jasmine, estendendo-lhe as mãos.

Nunca se sentira tão lisonjeada por um professor.

– Dê um abraço e um beijo no homem – provocou Chang.

Constrangido, o professor tomou a iniciativa de abraçá-la e deu-lhe um beijo na testa. Em seguida cumprimentou Peter e Chang e disse as últimas palavras antes de partir:

– Tirei centenas de quilos das minhas costas. Dormia com um fantasma. Não conseguia pegar no sono pensando na injustiça que havia cometido. Saí mais resiliente dessa experiência.

Os três amigos tomaram outra direção. Estavam boquiabertos. Sentiam-se nas nuvens, sobretudo Jasmine.

– É incrível, simplesmente fascinante. Elogiar antes de criticar... Enfim, dar a outra face é uma ferramenta poderosa – confessou Jasmine.

Peter olhou para Jasmine e nunca a viu tão linda e interessante.

– Realmente você é linda por dentro e por fora, Jasmine.

– Ô, branquelo. Jasmine não é para teu bico, não. Eu é que tenho passado de lorde – debochou Chang.

Peter o empurrou e lhe disse:

– Tem razão, meu amigo chinês, chegou a sua vez de enfrentar o rei que te usurpou.

Ele engoliu em seco e recuou novamente:

– Me poupe. Já tem um monte de gente que me rejeita porque acha que estou infectado com um coronavírus. A dose de estresse de hoje já foi muito pesada.

– Agora – ordenou Jasmine com autoridade.

Chang sentiu um arrepio na espinha e deu um pulo.

– Esqueçam que eu existo.

E tentou sair correndo. Ela o agarrou e disse:

– Todo ser humano tem um drácula que suga sua energia mental. Mas eu e, em destaque, você e o Peter temos um montão. Eu e o Peter já começamos a domesticá-los.

– Eu não quero domesticá-los, quero matá-los. Meu caso é de vida ou morte, vocês não estão entendendo.

– Larga mão de ser banana. Não é você que é o mais otimista e bem-humorado do bando? – indagou Peter.

– Era. Ai, meu Deus, estou enrolado, perdido, assediado moralmente e, ainda por cima, duro e mal pago – concluiu Chang sobre sua situação emocional.

E assim os três partiram. Chang caminhava a passos lentos, pois não estava longe do apartamento do irmão. De vez em quando tomava a direção errada. Peter estava perdendo a paciência com o amigo. Depois de andar umas três quadras, chegaram ao magnífico edifício onde morava Liu. O hall do prédio era imponente, tinha uns 200 metros quadrados. O piso era de mármore Carrara, belíssimos quadros enfeitavam as paredes laterais e no teto havia dez lustres folheados a ouro com uma centena de lâmpadas cada. Ao vislumbrar todo aquele luxo, Chang, escandaloso, soltou um grito assustando todo mundo, como se alguém o tivesse atacado súbita e violentamente. Vivia duro como rocha, sonhava com um pouco de glamour.

9

O MÉDICO DA EMOÇÃO LIDERAVA A MENTE NOS FOCOS DE TENSÃO

Chang, com olhar furtivo, observava indignado o luxo do edifício onde seu irmão Liu morava. O desejo de vingança ganhou musculatura. Liu morava na cobertura do edifício, enquanto ele morava num quarto pequeno, de 6 metros quadrados, escuro, com as paredes desbotadas e, pior ainda, sem banheiro. Liu tinha uma Mercedes conversível e mais dois carros de luxo, enquanto Chang andava de transporte coletivo.

Seu pai, Deng, morrera havia três anos num acidente de carro. Deng era um bem-sucedido atacadista do comércio exterior. Importava produtos eletrônicos da China para os Estados Unidos numa época em que a guerra comercial entre os dois países não havia começado. Ganhou muito dinheiro. Como Chang era um gastador compulsivo, que se embriagava com facilidade e cursava administração de empresas mas não sabia minimamente administrar a própria vida, seu pai não lhe contava quase nada sobre seus negócios. Segredava tudo a Liu. Com sua morte, Liu, embora médico, passou a dirigir o conselho da empresa familiar.

Meses antes de morrer, Deng lhe disse:

– Cuide de Li Chang, ele é seu meio-irmão.

– Cuidarei, mas você tem décadas pela frente ainda.

– A vida tem suas surpresas. Se um dia eu morrer, não lhe dê todo o seu dinheiro. Ele se destruirá. Faça-o aos poucos. Dinheiro nas mãos dele voa.

A primeira geração de imigrantes de uma determinada nação atravessa os vales de desafios, perdas, exclusões e humilhações, o que expande a resiliência e a capacidade de se reinventar, elevando a taxa de sucesso socioprofissional dos seus membros. A segunda geração tem mais bonanças, o que diminui a taxa de sucesso socioprofissional, que ainda é alta, pois o exemplo vivo dos pais forma mais sucessores do que herdeiros. Já a terceira geração, com as devidas exceções, é frequentemente menos resiliente e reinventiva. A mordomia e a superproteção abortam a formação de líderes e elevam a taxa de consumidores compulsivos que não pensam no futuro, tornando-os, não em poucos casos, herdeiros torradores de herança ou pessoas apenas preocupadas com a simples sobrevivência, sem garra para empreender. Chang foi para os Estados Unidos na adolescência, era partícipe da primeira geração, mas se comportava como se fosse da terceira.

Irresponsável financeiramente, com a morte do pai, Chang pressionou Liu a lhe dar a sua parte na companhia, mas este se negou. Temia que o irmão pudesse perder tudo em menos de um ano, o que inclusive levaria a empresa à bancarrota. Discutiram seriamente. Chang o acusou de ladrão, corrupto e usurpador. Nas raras vezes que tentaram conversar, não chegaram a nenhum acordo. Liu era racional e Chang, impulsivo. Até que, poucos meses antes, Chang abriu um processo contra o irmão.

Ao adentrarem o saguão do edifício, eles precisaram se identificar.

– Sou irmão de Liu – disse Chang rispidamente.

O porteiro, olhando-o de cima a baixo, desconfiou. As suas vestes eram simples e estavam amarrotadas.

– Desculpe, o senhor é mesmo irmão do Dr. Liu? – tentou confirmar.

– Claro! Não reconhece a diferença entre um trabalhador e um vagabundo? – indagou Chang, mais uma vez perdendo o controle.

– Sua identidade – pediu o porteiro.

– Para quê? Não vê que eu pareço com... aquele...

– Homem de negócios! É isso que ele ia dizer – interrompeu Peter, completando a frase de Chang e lhe dando uma cutucada nas costas.

– Vou ver se o Dr. Liu pode atendê-lo.

– Vai ver? Eu exijo que ele me atenda – afirmou Chang, que nesse momento teve uma crise de ansiedade. Começou a ter taquicardia e sua respiração ficou ofegante. – Preciso ir a um hospital – disse, desesperado, tentando fugir da arena.

– Precisa ter coragem, amigo. Sua paz vale ouro ou lixo? – questionou Peter.

– Ouro – respondeu.

Mas Chang começou a ter vertigem, parecia que ia ter um colapso cardíaco.

– Pare com essa frescura! – disparou Jasmine.

– Não é frescura, Jasmine. Vou morrer – falou em tom mais alto.

– O que é isso? Você está ótimo – afirmou Peter.

Foi então que Peter se lembrou dos seus dramáticos ataques de pânico. Não podia ser injusto com Chang. Fisicamente o amigo estava bem, mas mentalmente estava tendo uma crise de ansiedade. O cérebro dele comprou a ideia de que estava morrendo. Chang, que já era histriônico, exagerado, começou a gritar tresloucadamente:

– Vou morrer! Vou morrer! Meu coração vai estourar!

Todos os que passavam pelo edifício ficaram preocupadíssimos. Os seguranças correram ao seu encontro.

– Acalme-se, amigo – pedia Peter, mas nada o aquietava.

Chang começou a chorar descontroladamente, algo raríssimo para alguém que não levava a vida a sério. Olhou para a amiga e lhe assegurou:

– Estou morrendo, Jasmine!

Seus amigos ficaram tão preocupados que abortaram a ida ao apartamento do irmão. Foram rapidamente ao pronto-socorro mais próximo. Ao chegar à entrada do hospital, Chang desatou a gritar:

– Socorro! Socorro! Estou morrendo! Estou morrendo!

Todos no hospital pararam para ouvi-lo.

– Nunca vi alguém fazer tanto escândalo antes de morrer – disse Peter.

Mas Chang podia perder a vida, não a piada. Olhou para Peter e lhe disse:

– Você fez mais escândalo quando entrou no caixão de Marco Polo.

– Pare, Peter – repreendeu-o Jasmine.

– Tô morrendo, cara! É verdade. Você nunca mais vai ver meu rosto. Adeus. Nunca mais iremos a festas, não viveremos mais aventuras nem beijaremos árvores ou contemplaremos as flores... – disse ele segurando a mão de Peter.

Peter caiu em si. Vendo em frangalhos seu amigo de longa data, que sempre brincou com a vida, mas nunca com a saúde, desesperou-se.

– Pode ser um ataque de pânico como eu tive. Mas não sei. – E bradou: – Um médico, rápido! Um médico, por favor!

Colocaram-no numa maca. Logo foi atendido por médicos e enfermeiros. Em seguida, embora seu plano de saúde não cobrisse, foi submetido a uma bateria de exames: de sangue, eletrocardiograma, ultrassonografia do tórax, tomografia do cérebro e cintilografia das coronárias para ver se elas estavam entupidas. Depois dos exames, foi para a UTI para aguardar os resultados. Horas depois Chang foi transferido para um quarto. Lá estavam seus dois amigos esperando-o. Chang, ao acordar, brincou:

– Estou no céu ou no inferno?

Mas, olhando para Peter, logo disse:

– Acho que no inferno.

Os dois deram risadas.

Eram 11 horas da noite. Um médico chinês à porta do quarto ouvia a conversa. Ele aparecera súbita e sutilmente para dar as explicações para ele e seus "familiares", Jasmine e Peter, sobre seu estado de saúde. Antes que percebessem a presença do médico, Chang zombou da morte. Indagou:

– Será que desta vez a morte vai me pegar?

– Desta vez, não – disse o médico.

– Quem é você? – perguntou Jasmine.

– O médico diretor deste hospital, que autorizou e acompanhou uma junta médica para avaliar o diagnóstico do paciente.

Aquela voz parecia conhecida. Chang voltou subitamente seu rosto para a porta e ficou branco e mudo.

– O que foi, Chang? – indagou Jasmine.

– É meu irmão... – disse ele quase branco.

– Você é Liu? – perguntou Jasmine, admirada. Liu ficou em silêncio.
– Um médico? Diretor deste enorme hospital?

Para espanto dos seus amigos, Chang sentou-se na cama. Lentamente andou e foi até o irmão.

– Depois que vi a morte de perto, o que você fez para mim pouco importa.

– Depois que fiquei sabendo que meu irmão estava internado no hospital que dirijo, com suspeita de infarto, eu pensei: nada importa também. Daria tudo que tenho para tê-lo de volta.

– Não acredito. Mas te perdoo – expressou Chang.

– Você me perdoa? Mas consegue se perdoar?

– De quê?

– De todas as vezes que se embriagou. Das dezenas de vezes que estourou seu cartão de crédito. Dos 50 mil dólares gastos numa noite em Las Vegas.

– Cinquenta mil dólares? – falaram admirados Jasmine e Peter.

– Sabia que ele era um palhaço, mas não um irresponsável – disse Peter. Chang foi ficando vermelho.

– Mas isso é muito pouco. De não olhar na minha cara no velório do papai. De não ter estendido as mãos para mim no leito de morte da mamãe – continuou Liu com lágrimas nos olhos.

Chang ficou perturbado e envergonhado diante de seus amigos. Pela primeira vez começou a ter um sério sentimento de culpa. Mas tentou rebater:

– Eu amava a mamãe. Muito mesmo. Mas não conseguia perdoar quem me roubou.

– Eu te roubei, Li Chang? Tem certeza disso? Ou você que se roubou de si mesmo? Roubou de si o direito de ser feliz.

Chang ficou mais perturbado ainda.

– Mas o dinheiro era meu!

– E ele continua sendo seu.

– Continua? Como assim?

– Antes de morrer, papai me fez jurar que eu só lhe entregaria seu dinheiro quando você tivesse juízo, quando parasse de beber, valorizasse os estudos e pensasse nas consequências dos seus comportamentos.

– Ele disse isso? Por que você não me contou?

– O pior surdo é aquele que ouve sons, mas não distingue as palavras. Sou 12 anos mais velho e sempre agi como um pai para você.

– Mas você nunca me visitou.

– Tentei seis vezes, mas você nunca retornou as ligações. E, por fim, enviou um advogado para conversar comigo.

Chang ficou mudo. Seu irmão completou:

– Fui até o dono do pequeno apartamento onde você morava e paguei várias vezes seu aluguel atrasado.

– Por isso ele não me cobrava!

Depois, para espanto dos três amigos, Liu disse quanto Chang tinha em dinheiro e aplicações.

– Você tem 6 milhões, 153 mil e 200 dólares à sua disposição.

As pernas de Peter e Jasmine bambearam. Chang começou a gaguejar:

– Se... seis milhões e cento e ci... cinquenta e três mil? Mas eram quatro milhões!

– Eu multipliquei o dinheiro que era seu. Lembre-se, sou seu segundo pai.

Chang caiu em prantos. Liu também. E abraçaram-se afetuosamente.

– Me perdoe, me perdoe – disse Chang, beijando-o. – Depois se afastou, olhou bem nos olhos de seu irmão e lhe disse: – Foi você que geriu sua emoção e deu a outra face para mim. Foi você quem exaltou quem não merecia.

– Dr. Marco Polo! – disse Liu de forma enigmática.

– Você o conhece? – perguntou Jasmine, curiosa.

– Eu também fui aluno dele. E soube que você era um dos escolhidos. Fui às nuvens ao saber disso, pois sabia que ele iria virar seu cérebro de cabeça para baixo.

– E tem virado – assegurou Jasmine.

– Ele não desistiu desse time de malucos – disse Peter brincando.

Liu passou os olhos por eles e disse aos três:

– Muitos malucos são gênios, o problema é que não poucos deles também são autodestrutivos.

Os três pararam, pensaram e concordaram com Liu. Eram jovens muito inteligentes, mas carrascos de si mesmos. Em seguida Liu falou a respeito dos exames que Chang havia feito.

– Você, ao que parece, teve um ataque de pânico. Portanto, tem uma segunda chance, meu irmão. Não a desperdice. Se não mudar seu estilo de vida, poderá sofrer um infarto ou quem sabe um câncer ou uma doença psicossomática. O Dr. Marco Polo deve ter dito para você e seus amigos que uma mente estressada continuamente é uma bomba para seu corpo.

– Como assim?

– Ao avaliar as artérias do seu coração, detectamos que você tem 30% da coronária esquerda obstruída. Precisa ter uma alimentação melhor, não fumar, controlar muito as bebidas alcoólicas, não arrumar confusão, enfim, mudar seus hábitos de vida.

– Poderei dar risadas da vida e da minha estupidez.

– Deve! Seu bom humor era o que o papai e a mamãe mais admiravam em você. Eu também. Não o perca.

– Vixe, cara. Não incentive esse palhaço a bagunçar o circo porque ninguém o aguentará – afirmou Peter.

E deram risadas.

– Mil desculpas – disse Chang novamente. – Eu prometo. Eu o visitarei, meu irmão.

– É meu sonho. Você tem um sobrinho que pergunta muito pelo tio que pouco conhece.

– Diga para ele que o terror das crianças logo o visitará.

Em seguida Liu lhe deu um cartão de crédito e, por escrito, a senha. Disse-lhe:

– Há 100 mil dólares nessa conta. Depois falaremos sobre os seus demais recursos.

E se despediram afetuosamente. Ao saírem do hospital, Peter dava pulos de alegria:

– Tenho um amigo ricaço. Uauuu! Cara, vamos ao melhor restaurante desta cidade.

Chang pensou e respondeu:

– Não. Vamos comer um hambúrguer.

– Que cara pão-duro – disse Jasmine.

– Devemos aprender a comprar aquilo que o dinheiro não pode comprar. Não é essa uma das ferramentas do nosso treinamento? Vamos contemplar os lírios do campo...

– O quê? Está dando um golpe em nós, cara, somos seus amigos, divide um pouquinho dessa grana – disse Peter, desconfiado.

– Lembre-se da história de Salomão que Marco Polo nos contou. O poder o infectou, o controlou, o tornou um miserável morando em palácios. É melhor economizar – disse Chang sorrindo.

Mas seus amigos queriam chorar.

E Chang aproveitou para pedir a eles que não alardeassem sua situação financeira. Queria manter sua humildade e, ao mesmo tempo, evitar ser espoliado. E saiu assoviando e dando pulos como se fosse Charles Chaplin. Estava feliz da vida e com muito dinheiro. Continuava bem-humorado, mas agora muito mais esperto.

10

O PODER DO SENHOR DAS TREVAS DA UNIVERSIDADE

Os alunos voltavam cada vez mais eufóricos de seu treinamento. Ao contar os desafios e peripécias uns dos outros, eles ficavam fascinados e se motivavam a continuar a sua jornada. Cada ferramenta psiquiátrica, psicológica e sociológica que Marco Polo lhes ensinava era treinada em grupo ou individualmente, por uma ou duas semanas consecutivas. Nos últimos meses, além de treiná-los no "poder de ser resiliente", em "estar convicto de que minha paz vale ouro, o resto é lixo", em "conquistar o que o dinheiro não pode comprar", "pacificar conflitos" e "colecionar amigos", treinou-os também para superarem a penetrante glossofobia, o medo de falar em público, que atinge 75% da população e um percentual ainda maior entre os jovens. Para isso, propôs aos alunos substituírem algum professor da sua classe, mas sem aviso prévio aos demais alunos. Imagine alunos como Peter, Chang, Jasmine, Michael e Sam, que todos consideravam irresponsáveis e alienados, escórias da universidade, chegarem 15 minutos antes do professor e apresentarem com brilhantismo o resumo da matéria. Foram acontecimentos maravilhosamente chocantes.

Marco Polo os treinou ainda a reeditarem a penetrante alodoxafobia, o medo da opinião dos outros, uma fobia que abortava a capacidade de centenas de milhões de jovens e adultos de darem respostas inteligentes nas situações estressantes, como diante de críticas, ameaças, pressões e bullying. Para isso, Marco Polo propôs que entrassem em classes diferentes do seu curso e debatessem com os professores matérias que nunca haviam estudado. Aluno de direito, Michael teria de entrar na aula do curso de psicologia e debater mais do que os demais alunos o assunto que o professor estava ensinando. Jasmine, que fazia o curso de sociologia, teria de entrar na aula de economia e discutir com o professor o tema do dia. Peter, do curso de direito, deveria debater assuntos de medicina que estavam sendo ensinados por determinado professor. Para isso, os alunos de Marco Polo estudavam dia e noite temas desconhecidos que seriam abordados. Para se prepararem, tinham de se submeter às críticas uns dos outros. E, apesar dos percalços, muitos brilharam. Reeditaram não todos, mas diversos fantasmas fóbicos que estavam no calabouço de suas personalidades. Entenderam que o conhecimento não deve ser compartimentalizado. Alguns alunos que não os conheciam indagavam: de onde são esses jovens intelectuais? Assim eles descobriram que há um gênio dentro de cada ser humano, preso nas lâmpadas de seus medos.

Marco Polo lhes propôs outros treinamentos inusitados. Estimulou-os a irem aos bairros dos ricos em Los Angeles, como Beverly Hills e Holmby Hills, para avaliar se eram ricos emocionalmente ou miseráveis que moravam em palácios. Abordaram as pessoas mais bem-vestidas ou que saíam dos seus carros de luxo e, como agentes sociais, usavam um questionário para avaliar se elas eram felizes, relaxadas, realizadas, ou se eram ansiosas, depressivas e portadoras de sintomas psicossomáticos. Muitos dos entrevistados foram solícitos e abriram seu livro socioemocional, embora sem entrar em detalhes da sua privacidade. A maioria atravessava os vales sórdidos dos transtornos emocionais. Eram mais mendigos emocionais do que os sem-teto da megalópole.

Num dos exercícios, partiram para São Francisco, que fica a seis horas de carro de Los Angeles, e foram ao Vale do Silício, centro de inovação do mundo. Queriam avaliar se os executivos, os empreendedores, os apóstolos do mundo digital faziam parte da era dos idiotas emocionais ou se eram gestores da sua emoção, recicladores dos pensamentos perturbadores e operadores de técnicas como a do DCD

(Duvidar, Criticar, Determinar) para reeditar janelas killer, ou traumáticas, e a mesa-redonda do Eu para construir janelas saudáveis e, assim, tornarem-se líderes de si mesmos nos focos de estresse. Ficaram deslumbrados com a ousadia e o nível de inteligência lógica dos entrevistados, mas constataram que muitos eram meninos no território da emoção, portadores da síndrome do pensamento acelerado; tinham mentes hiperpensantes, agitadas, que detestavam o tédio; acordavam fatigados, sofriam por antecipação, ruminavam o passado e não se conectavam consigo mesmos, embora se conectassem com milhares nas redes sociais. Os apóstolos digitais declaravam a necessidade de preservar o planeta Terra, mas descuidavam criminosamente do seu próprio planeta psíquico. Trabalhavam em empresas digitais vocacionadas para ter impacto global, pela sua escalabilidade, sua repetição de processo e inovação, mas não se importavam que a única empresa que jamais poderia falir, sua própria mente, fosse à bancarrota. Muitos bilionários eram ótimos para os outros, mas carrascos de si mesmos, incapazes de dar risadas da própria estupidez, de contemplar o belo, de gerenciar os pensamentos.

Todos os alunos de Marco Polo tiveram experiências incríveis. O psiquiatra pensou concretamente que teriam chances de avançar no treinamento, embora tivesse muitas dúvidas sobre se algum deles completaria toda a empreitada com sucesso. Tormentas, tempestades, vendavais os abateriam.

O reitor Vincent Dell era informado de tudo que se passava no treinamento de Marco Polo. O ciúme de políticos e intelectuais é de uma ferocidade inimaginável, levando a sabotagens intencionalmente programadas. Vincent Dell tinha crises de raiva com os resultados que Marco Polo estava alcançando com aquele time de rebeldes. De repente, para turbinar mais sua crise, apareceu numa sala obscura, com pouca luminosidade, alguém mais obscuro ainda, um homem encapuzado, para lhe dar as últimas notícias do treinamento. O encapuzado lhe contou:

– Marco Polo chama cada ferramenta de "poder". Ele começou a trabalhar ultimamente o "poder" de se reinventar, de recomeçar tudo, de dar tudo que se tem para os que pouco têm, da resiliência, de contemplar o belo, de considerar a paz psíquica como ouro, do autocontrole.

O reitor Vincent Dell deu risadas.

– Poder, poder... Esses alunos intratáveis são atores, mentes frágeis e apequenadas.

– Como o senhor sabe disso? – perguntou o encapuzado.

– Está me questionando? Sei porque eu mesmo já tentei aconselhar alguns. São incorrigíveis, zombam da ética, da sociedade, da Constituição do país. O futuro deles é serem hóspedes de uma prisão ou de um hospício.

O encapuzado, cujo rosto não estava minimamente visível, coçou seu gorro e disse:

– Dr. Vincent, pode ser espantoso, mas o Dr. Marco Polo está conseguindo sulcar os solos rochosos da mente desse bando de malucos.

E lhe contou alguns treinamentos que tiveram nas últimas semanas. O reitor quase teve um ataque cardíaco.

– Exercitaram o perdão. Treinaram dar a outra face. Avaliaram o quadro socioemocional de líderes do Vale do Silício.

– Não é possível! Não é possível! – bradou Vincent Dell duas vezes, dando um soco na mesa. – Como eles estão desenvolvendo essas habilidades?

– É difícil explicar. O treinamento é complexo. Parece virar o cérebro do avesso.

– Como? Qual o segredo? São um bando de rebeldes com baixíssima capacidade de suportar frustrações. Como estão aderindo à experiência? Vamos, solte a língua – ordenou Vincent impaciente.

Subitamente apareceu The Best. Mas o encapuzado não sabia que ele era um *Robo sapiens*. Para ele, seu nome era Franklin, o secretário do reitor.

– Franklin, se aproxime – disse Vincent Dell com raiva. – Qual a sua avaliação?

– Tenho tentado entender nos mínimos detalhes o que Marco Polo está fazendo. Os exercícios são completamente fora do padrão previsível. Um treinamento que ninguém praticou, penso eu, em nenhuma universidade ou corrente filosófica ou mesmo em ordens religiosas, nem nas que vivem em reclusão.

Vincent deu um soco mais forte na mesa.

– Complexo? Exercícios fora da curva? Franklin, como meu secretário, você está aqui para me informar, e não me sabotar! Você não tem competência para fazer análises psicológicas. São um bando de psicóticos! – disse rispidamente Vincent Dell para o *Robo sapiens* disfarçado de secretário.

O encapuzado ficou intimidado diante dos dois. Vincent Dell olhou bem nos olhos dele e lhe ordenou:

– Vamos, vomite o que mais você sabe.

– Segundo Marco Polo, as ferramentas que Jesus utilizou direta ou indiretamente turbinavam a capacidade dos seus ansiosos e egocêntricos seguidores de se reinventarem. Ser pacificador, encontrar o fariseu que habita em cada um de nós, dar a outra face ou elogiar antes de criticar, valorizar o essencial, e não o trivial, superar a necessidade neurótica de ser o centro das atenções sociais, enfrentar o medo de falar publicamente, ser líder de si mesmo são técnicas revolucionárias.

– Como isso é possível? Nem nossos melhores intelectuais treinam essas aptidões! Como poderão adquiri-las jovens que dão porrada em tudo e em todos? No histórico curricular deles há mais de 100 advertências.

– Não sei, não. Ele está magnetizando esses rebeldes – falou o encapuzado, constrangido.

– Está magnetizando você, por acaso?

– Eu? – perguntou o encapuzado, titubeando. – Eu... Eu não!

– Lavagem cerebral! É isso que Marco Polo está fazendo! – exclamou Franklin.

O reitor esfregou as mãos no rosto, pensou, analisou e afirmou:

– Lavagem cerebral é impossível, The Best, quer dizer, Franklin, o cérebro deles é indomável.

Franklin, com sua notável inteligência lógica, arrematou dizendo:

– Marco Polo dá liberdade para eles desistirem, mas ao mesmo tempo os provoca a deixarem de ser mentes frágeis, marionetes do sistema e a mapearem seus fantasmas emocionais. Mas o que é um fantasma emocional?

– Isso é coisa de maluco! – afirmou o reitor.

Nesse momento Vincent Dell teve um grande insight. Abriu um largo sorriso.

– Tenho uma estratégia.

O encapuzado ousou questionar o reitor:

– O que pretende fazer, senhor das trevas da universidade?

– "Senhor das trevas" é um bom nome – opinou Franklin.

– Chamem-me de "senhor das trevas" de novo que ambos cairão em desgraça – sentenciou o reitor Dell.

– Conte-me em segredo sua estratégia que ocuparei seu lugar para executá-la – pediu Franklin, dando uma risada aterrorizante.

The Best estava aprendendo rapidamente a simular o terror.

Até o encapuzado tremeu de medo ao ouvi-lo. Em seguida ele saiu, deixando os dois maquiavélicos a sós. No dia seguinte Vincent chamou dez alunos que tinham problemas na universidade, mas não tão graves quanto os do grupo dos 12 que Marco Polo treinava.

– Vocês estão na minha lista negra. Mas posso limpar o nome de vocês. E, além disso, posso recomendá-los para outros centros de pesquisa para fazerem seu PhD ou direcioná-los para algumas empresas que pedem minha indicação de alunos fora da curva para contratá-los com altos salários tão logo terminem seus cursos.

Os dez alunos foram às nuvens. Mas, desconfiados, disseram coletivamente:

– Qual a contrapartida?

Então Vincent os orientou. Mas, enquanto isso, um agente escondido atrás da cortina ouvia a conversa. Não se sabia se era para garantir o êxito da armadilha de Vincent Dell ou para sabotá-la.

No dia seguinte, o segundo grupo encontrou seis alunos do time que estava sendo treinado pelo psiquiatra. Motivados, contavam uns para os outros as suas fantásticas experiências. Como Peter e Chang eram os mais famosos pelas balbúrdias que já haviam provocado na universidade, eles foram chamados de lado pelos alunos orientados pelo reitor Vincent Dell:

– Peter, Chang, por favor, poderiam se aproximar? – pediu um deles.

Como não tinham amizade com o rapaz, Peter e Chang acharam estranho. Porém, já que estavam aprendendo a ser gentis, desgarraram-se dos companheiros de treinamento e se aproximaram.

– Fala – disse Chang.

– Ficamos sabendo que vocês estão num treinamento incrível e que estão se saindo muito bem.

– Somos meros alunos em fase de aprendizado. Mas seremos PhDs um dia – comentou Peter, gracejando.

– PhDs em quê? – perguntou um deles.

Chang foi rápido em responder e ironizar:

– Em maluquice. – E deu risada de si mesmo. – Mas, falando sério, nós já éramos anormais, só que agora estamos aprendendo a ser mais anormais ainda. Até abraçar quem nos contraria.

Ao ouvir isso, um deles se aproximou de Chang e deu uma escarrada no rosto dele. Chang ficou fulo da vida. Num ataque de raiva, armou um murro para revidar.

– Ei, espere aí! Vocês não estão aprendendo a dar a outra face? Não é isso que aquele maluco psiquiatra ensinou?

Peter, em outra ocasião, já teria socado meio mundo. Mas agarrou Chang pelo braço e lhe disse:

– Vamos, Chang, isso é uma armadilha.

– Armadilha uma ova. Vou pegar esse cara.

– Eles estão em dez. E nós em dois, mais os quatro lá atrás...

O grupo agressor, como estava em maior número, aumentou a provocação. Um deles agarrou o braço de Peter, deu uma escarrada na cabeça dele e ainda debochou:

– Peter, parabéns, você virou uma menina. Não briga mais.

Peter voltou-se para o grupo e disse algo surpreendente:

– Olhe, eu já fui um idiota emocional. Reagia pela tese bateu-levou.

E vocês são inteligentes, mas são cegos para perceberem que estão provocando quem não quer brigar.

Perplexo, um dos provocadores respondeu:

– E daí? Não vão revidar?

– Não. Vocês não merecem a minha ira.

E, então, todos cuspiram juntos no rosto deles.

– Vão dar a outra face?

Ao verem a confusão, Florence e Jasmine se aproximaram, mas eles pegaram as duas e as empurraram.

– Quem são essas prostitutas?

Quando viu os rapazes sendo violentos com elas, Peter não suportou:

– Não vou dar a outra face, vou dar na face de vocês, seus canalhas!

Como era lutador de artes marciais, começou a socar todo mundo. E Chang, que era um tanto covarde, instigava Peter:

– Porrada neles, amigo! Amanhã voltaremos a ser santos outra vez.

Nesse momento chegaram o reitor Vincent Dell e meia dúzia de seguranças.

– Seus psicopatas. Sempre perturbando a minha universidade.

Peter e Chang foram levados para a reitoria. O clima estava horrível. The Best estava ausente, mas não se sabia onde. Chegando lá, Vincent Dell foi implacável com os alunos de Marco Polo:

– Serão expulsos da universidade!

– Fomos cuspidos, feridos, provocados – explicou Chang.

– Não! Caímos numa armadilha! – afirmou Peter.

– Armadilha? Que armadilha? – questionou Vincent Dell aos brados.

– Na sua armadilha – acusou Peter.

– Você está me acusando, seu insolente, seu psicopata de merda? – gritou o reitor.

Peter ameaçou reagir, mas os seguranças sacaram suas armas. Qualquer agressão da parte dos alunos seria contida à bala. Nesse momento Marco Polo apareceu. Vincent Dell o expulsou da sala.

– Saia imediatamente desta reitoria!

Mas Marco Polo disse destemidamente:

– Esta reitoria faz uma audiência justa ou uma inquisição acadêmica? Eles são meus alunos e o destino deles é do meu pleno interesse.

– Então saiba que esses agressores psicopatas de hoje em diante não fazem mais parte desta instituição.

– Você não pode fazer isso! Esses alunos estão indo muito bem no meu treinamento – argumentou o psiquiatra.

– Você está treinando marginais para serem criminosos – disse o reitor, expressando-se preconceituosamente e torcendo para que sua sentença se cumprisse.

Marco Polo se aproximou da mesa do reitor e deu uma última cartada:

– Tem algo que você precisa ver. É do seu máximo interesse.

– Não me interessa! Saia daqui!

– Interessa, sim, e muito, para seu futuro como reitor.

Perturbado com as palavras de Marco Polo e sabendo que ele não era um dissimulador, Vincent permitiu que se aproximasse. O psiquiatra então pegou seu celular e lhe mostrou as imagens em particular. Nelas, Vincent orientava os alunos a provocarem agressivamente o time de Marco Polo: "Agridam, xinguem, cuspam no rosto. Se vocês conseguirem que eles tenham atitudes violentas, eu os indicarei para as melhores empresas e as melhores pós-graduações."

Vincent ficou de olhos arregalados.

– Onde conseguiu essas imagens?

– Tenho meus informantes.

– Alguém me traiu – balbuciou Vincent.

Na realidade, ao entrar na sala da reitoria, o encapuzado deixara seu celular ligado ao lado de um abajur no canto esquerdo do ambiente, num lugar pouco visível, enquanto Vincent Dell se distraía tomando uma dose de vinho. Nem Vincent Dell nem Franklin perceberam que estavam sendo gravados. Duas horas depois, o homem voltou para pegar o aparelho. Ao ver a estratégia macabra do reitor, o encapuzado editou as imagens e enviou sorrateiramente um pen-drive para Marco Polo. Mas não se identificou.

– Se esse vídeo chegar ao conselho acadêmico, haverá um processo disciplinar. Você perderá seu cargo de reitor.

Apavorado, Vincent Dell fez um momento de silêncio e depois disse a Peter e a Chang:

– Será a última vez que os tolerarei, seus terroristas, insubordinados. A reunião está terminada.

E pediu para os seguranças e os demais se retirarem da sala. Marco Polo não quis levar o caso do reitor ao conselho acadêmico, pois, se isso ocorresse, haveria tantos interrogatórios, inclusive a seu grupo de alunos, que seu próprio treinamento poderia ser abortado. Sabia que os piores inimigos de um ser humano estavam dentro dele, mas ficou plenamente consciente de que o "senhor das trevas" daquela universidade maquinaria dia e noite para sabotar o seu projeto de formar mentes brilhantes a partir de alunos cotados para ter zero sucesso na vida.

11

O LÍDER TEM DE SER UM SONHADOR PARA FORMAR LÍDERES MUNDIAIS

Reunida a equipe, estavam todos abalados. Marco Polo os abraçou e pediu a eles que ficassem muito atentos, vigilantes, que forças ocultas queriam de qualquer maneira derrotar o projeto de treinamento e arruinar a vida de cada um deles. Se fossem provocados, ofendidos, criticados, deveriam redobrar a atuação do Eu como autor da própria história. Dentre todas as técnicas de gestão da emoção que ensinou, duas deveriam ser aplicadas imediatamente numa situação de conflito: "Não comprar o que não lhes pertence" e o DCD. E relembrou:

– A técnica de "Não comprar o que não lhes pertence" é para evitar o conflito, e a técnica do DCD é para abortá-lo. Com a primeira, você não entra no caos, você não compra as ofensas e calúnias que lhe fizeram; com a segunda, você resgata a liderança de si mesmo e recolhe as armas da ira, da raiva, do desejo de vingança. Com a primeira, você deixa o urso-instinto hibernando no seu cérebro; com a segunda, você se utiliza de estratégias para que ele não devore quem está ao seu redor.

– Professor, por que você nos ensina todas essas coisas profundas? – indagou Michael, curioso.

– E por que nos abraça e não desiste de nós? – questionou Peter.

– Já o decepcionamos tanto – afirmou Chang com propriedade. – Qualquer professor teria desistido, até porque nós o ofendemos no começo da jornada.

– Para os líderes de nossas universidades, somos uma aberração da natureza. Mas você insiste conosco – comentou Yuri.

– Corre o risco de colocar em jogo sua reputação e até se ferir de alguma forma – apontou Jasmine.

– Eu não entendo tamanha dedicação. Você não está ganhando nada financeiramente, mas está se desgastando muito! – ponderou Florence.

Marco Polo abriu um sorriso e falou:

– Parece ilógico eu me dedicar a vocês sem nenhum retorno financeiro, parece mais ilógico ainda correr tantos riscos. Mas os treino dedicadamente por causa de três retornos que dinheiro nenhum poderá pagar. Primeiro, o progresso de vocês me fascina e irriga meu prazer como educador, psiquiatra e pesquisador da psicologia.

– Um interessante motivo – opinou Florence. – E o segundo retorno?

– Segundo, se vocês utilizarem as notáveis ferramentas do Mestre dos mestres associadas à Teoria da Inteligência Multifocal e tiverem sucesso, como felizmente estão até agora conseguindo, criar-se-á um novo modelo educacional socioemocional que poderá revolucionar a educação clássica neste século ou no vindouro. O aluno libertará seu imaginário, desenvolverá um pensamento crítico elevado e treinará exercícios no ambiente social, aprendendo habilidades socioemocionais únicas, como pensar como humanidade, e não apenas como grupo social, pensar antes de reagir, ter empatia, solucionar pacificamente conflitos, trabalhar frustrações, ter autocontrole, empreender e muito mais. Com esse novo modelo, ele conhecerá a própria mente como raros pedagogos e psicólogos, e aprenderá a ser autor da própria história tanto quanto possível.

– Extraordinário motivo – apontou Peter. – E tem mais um retorno?

Foi então que Marco Polo fitou cada um dos 12 e quase os fez cair da cadeira. Estavam numa sala fechada, mas suas palavras atravessaram as paredes e ecoaram no teatro do tempo:

– E o terceiro retorno é que sonho que deste pequeno grupo saiam líderes mundiais.

Ao ouvirem essas palavras, alguns alunos tiveram crises de tosse, outros ficaram ofegantes e ainda outros deram gargalhadas.

– Está brincando, Marco Polo? Esqueceu quem somos e como os líderes de nossas universidades nos veem? – disse Chang sorrindo. – Como eu, um sujeito socialmente "insignificante", tachado de maluco, terei expressividade mundial?

Marco Polo olhou bem nos olhos dele e respondeu:

– O Mestre dos mestres treinou alunos que viviam na mediocridade existencial. Lembram-se? Sonhavam com peixes, viviam de peixes e morreriam como pescadores, uma profissão digna, mas sem expressividade social. Ao morrerem, seriam sepultados como se não tivessem existido, mas, através do treinamento que receberam, suas palavras e seus comportamentos ganharam uma dimensão tal que se tornaram inesquecíveis. Recordam-se? O mundo fala de Pedro, Tiago e João até hoje. Como podem pescadores iletrados estarem entre os homens mais lidos e comentados de todos os tempos? Não é isso incrível? Isso é a obra-prima do artesão mais notável da educação, o Médico da emoção, o Mestre dos mestres.

– Mas o que espera de fato deste grupo de malucos? – indagou Jasmine.

– Sonho que saiam daqui alguns primeiros-ministros ousados, flexíveis, altruístas, criativos, anticorruptos, que valorizem mais a sociedade e o futuro da humanidade do que as vaidades de seu próprio partido. Quem sabe saia um primeiro-ministro do Japão, Hiroto, um presidente da Rússia, Yuri, ou um chanceler da Alemanha, Martin? Quem sabe saia deste grupo algum presidente dos Estados Unidos, Peter, Michael e Jasmine? Quem sabe saiam também escritores de renome internacional, Florence, Harrison, capazes de influenciar a humanidade com suas ideias psicopedagógicas e socioemocionais? Ou ainda quem sabe saiam diretores de Hollywood mais profundos, que procurem, antes de entreter, provocar a pensar, Victor e Sam? Ou até mesmo executivos ou fundadores de empresas de alcance global, Alexander, Chang, que se preocupem com a sustentabilidade do planeta e promovam igualdade salarial entre homens e mulheres e igualdade de oportunidades?

– Estou pasmado. Não sabíamos que éramos tão importantes para você, professor. Pensei que éramos apenas um grupo experimental – falou Peter.

– E por que não? – indagou Florence. – Eu proponho fazermos um pacto, confiarmos e encorajarmos uns aos outros a dar sempre o melhor para a humanidade, não importando raça, religião, cultura, política.

– Eu topo esse pacto – disseram um a um todos os alunos da turma, incluindo Marco Polo.

E a mão direita de Marco Polo foi colocada embaixo e todos eles sobrepuseram as deles e bradaram:

– SONHADORES PELA HUMANIDADE!

E foi uma grande festa. Esse grupo bizarro, formado por jovens considerados "rebeldes", talvez fosse mais longe do que se poderia imaginar. Isso se conseguisse superar os enormes e imprevisíveis obstáculos à sua frente e as forças poderosas e violentas que queriam destruí-lo. Unidos, eram muito mais fortes.

Diante disso, o pensador da psiquiatria elevou o nível das discussões sociopolíticas e socioemocionais. Treiná-los para serem líderes mundiais era uma tarefa gigantesca, ainda que alguns deles não tivessem sucesso. Mais uma vez os chocou. Ponderou que o sistema educacional mundial estava ancorado em premissas erradas em relação aos fenômenos que estão nos bastidores da mente humana, principalmente em relação aos papéis da memória, ao processo de interpretação e de construção dos pensamentos.

– O sistema educacional, com as devidas exceções, está doente, formando pessoas doentes para uma sociedade doente – disse, reafirmando sua tese. – O ser humano ama reproduzir respostas. A prova que avalia o conhecimento é a mesma que o aprisiona. A mente humana é especialista em se rebelar contra a repetição das respostas. Pensar não é se lembrar do passado, mas recriá-lo. A tese de Descartes, "Penso, logo existo", está errada. O correto é: "Penso, logo crio."

– Como assim? – indagou Victor, perturbado.

– Não apenas dois seres humanos interpretam o mesmo objeto de forma distinta, mas um mesmo ser humano em dois momentos distintos interpreta de forma distinta o mesmo objeto, seja ele um fenômeno físico ou um comportamento. Criar não é uma opção do *Homo sapiens*, é seu inevitável destino.

Os alunos ficaram confusos com essa informação.

— Você dá um nó na minha mente, professor Marco Polo. Está afirmando que não somos os mesmos em dois momentos distintos? — perguntou Florence.

— Exato. O *Homo sapiens* é distinto a cada momento existencial. Por que inventamos, saímos, construímos novas relações? Por que reconhecemos erros e nos arrependemos? Por que temos insights e curiosidades? Porque não somos lineares, unifocais, mas multifocais, continuamente criativos. A criatividade pode ser expandida ou asfixiada, mas é incontrolável. Ela surge não apenas porque o Eu a deseja conscientemente, mas por causa dos fenômenos inconscientes que estão na base da construção de pensamentos e que já estudamos.

— Lembro deles! O gatilho cerebral, as janelas neutras, killer ou light, a âncora da memória e o autofluxo — recitou Michael. — São esses alguns dos fenômenos que nos mantêm em contínuo processo de transformação?

— Sim. Estamos sempre em mutação, para o bem ou para o mal. À medida que os dias e meses passam, nos tornamos mais tranquilos ou ansiosos, comunicativos ou introvertidos, bem-humorados ou mal-humorados. Como o biógrafo do cérebro, o fenômeno RAM, registra diariamente milhares de pensamentos e emoções, formando inúmeras janelas da memória, a paisagem da personalidade, ainda que imperceptivelmente, está em evolução, seja saudável ou doentia. São ingênuos os psicólogos que creem que a personalidade é imutável.

Os alunos tentavam metabolizar essas ideias. Marco Polo completou-as:

— Os professores transmitem o rico suprimento do conhecimento para uma plateia de alunos que se comportam como espectadores passivos, mas a cada aula o aluno não é o mesmo nem o professor é exatamente o mesmo. A nossa mente é uma usina ininterrupta de ideias, imagens mentais, pensamentos. Mesmo pessoas fechadas, rígidas, radicais têm inúmeros pensamentos novos, ainda que não os verbalizem e não os cultivem.

Yuri tomou a frente e disse:

– Professores e alunos me julgam como instável e impertinente só porque discuto a matéria. Recebo muitas pauladas. Mas suas teses são mais críticas que a minha rebeldia.

– É provável. Mas já recebi muitas críticas. O silêncio transforma os tolos em filósofos. Quem não quer ser criticado deve ficar calado. Fico feliz que vocês tenham treinado expor seu pensamento, dar aulas, debater ideias fora do curso que estão fazendo.

– Estou feliz em descobrir que sou um ser humano em mutação. O sol que se põe não é o mesmo que nasce, pois perdeu matéria no dia em que brilhou – afirmou Jasmine.

– Belíssima metáfora, Jasmine. Quem emite luz nunca mais é o mesmo. Mas muitos teimam em ficar num quarto escuro – destacou o psiquiatra.

– Vo... você disse que a prova que avalia o conhe... nhecimento é a mesma que o apri... prisiona. Isso é um dos mo... tivos do siste... tema educacional estar do... doente? – indagou Alexander.

O pesquisador do processo de formação do Eu como gestor da mente humana respondeu à indagação de Alexander:

– As provas escolares asfixiam a ousadia e a criatividade ao exigir que os alunos reproduzam o conhecimento que os professores e os livros ensinam. É possível dar nota máxima para quem errou todas as questões.

– Tá brincando? Nunca ouvi falar que posso tirar nota 10 se errei tudo. Sou um colecionador de zeros – comentou Chang, arrancando risadas da turma.

Marco Polo sabia que esses 12 alunos não se encaixavam no hermético e cego sistema educacional, pois este não individualizava a cognição de cada aluno, sua capacidade de ver, entender e construir o conhecimento.

– Séculos antes de existirem os robôs, o racionalismo escolar já robotizava os alunos, procurando formar mentes programadas para dar as mesmas respostas nas provas. Não entendia que cada ser humano era único e irrepetível. Milhões de gênios, de mentes fenomenais, foram tachados de loucos, insanos, burros, estúpidos. Um assassinato coletivo de intelectos notáveis, mas incompreendidos. Um tema central, mas que rarissimamente as universidades debatem, os livros apontam ou Hollywood filma.

– Muito triste esse assunto. Se não estivesse neste treinamento, eu seria um dos sepultados – desabafou Sam.

– Eu também – declararam os outros onze alunos.

Marco Polo os provocou:

– Para que os alunos fazem provas, seja no ensino básico ou nas universidades?

– Para avaliar o que aprenderam, lembrar o que foi ensinado – afirmou Victor.

– Pois bem, não há lembrança pura.

– Como não? – indagou Jasmine, assombrada. – A lembrança não é o pilar central da educação?

– Sim. Mas está errado: o professor ensina, o aluno assimila e depois é exigido que ele se lembre do que assimilou em suas respostas nas provas. Mas existe um sistema de encadeamento distorcido no processo de construção de pensamentos. Essa foi uma das descobertas que mais jogaram na lona meu orgulho e minha rigidez.

– O ato de pensar é gestado por um sistema de encadeamento distorcido? Estou mais confuso do que cego em tiroteio – afirmou Chang.

– Eu também – declarou Florence. – Toda vez que eu penso, a realidade ou meu pensamento são distorcidos?

– O pensamento é distorcido. Mas hoje sabemos que, fisicamente, o pensamento distorce a realidade – ponderou Marco Polo.

– Eu sou um mega-hacker. E sei que toda programação é lógica, por isso eu hackeio computadores, aliás. Mas o que você está afirmando é que nossa mente é ilógica – afirmou Yuri.

– Claro, ser ilógico demais é um grande problema, nos torna incoerentes, mas somos naturalmente ilógicos, por isso amamos quem nos decepciona, temos compaixão, damos novas chances para quem erra, perdoamos, produzimos arte, brincamos. Quem é lógico demais é quase insuportável – declarou Marco Polo.

E explicou os motivos pelos quais, apesar de sermos construtores da lógica, há um sistema de encadeamento espontâneo que distorce a construção dos pensamentos, dos mais simples aos mais complexos. Comentou também que há vários fenômenos ou variáveis que atuam na leitura da memória: quem sou (nossa personalidade), como estou (nosso estado emocional), onde estou (ambiente social), o que intenciono (nossa motivação consciente e subliminar). Disse ainda que a atuação desses fenômenos torna impossível a lembrança pura do passado. Pensar o passado é recriá-lo, ainda que minimamente. Uma mãe paralisaria a própria história no velório do seu filho se não recriasse a experiência angustiante da perda. Um artista paralisaria sua criatividade se não recriasse sua maneira de enxergar o mundo. Um cientista tornar-se-ia estéril se não olhasse por outros ângulos os fenômenos que contempla.

– Se acrescentamos novas experiências e informações à memória, mudamos a variável "quem sou". Se estamos alegres ou ansiosos, mudamos a variável "como estou", o que interfere na maneira como abrimos as janelas da memória. Se o ambiente social é acolhedor ou opressor, também alteramos a variável "onde estou", o que modifica também o acesso aos dados da memória. E, dependendo das nossas intenções, se há motivação, interesse, desejo, abrimos ou fechamos janelas da memória. Tudo isso modifica a construção de pensamentos e, consequentemente, as respostas tanto nas provas escolares quanto na vida. Portanto, não há lembranças puras.

– Somos tão admiravelmente complicados – disse Yuri, entendendo pelo menos um pouco do que fora explicado.

– Portanto, reafirmo: as provas precisam mudar a sua essência e seu processo de avaliação. Elas deveriam ser diárias e espontâneas. Em destaque, precisariam considerar, para a pontuação do aluno, sua participação, sua capacidade de debater, de se envolver com a matéria e com os demais alunos. E, se tiverem de ser escritas e mensais ou bimestrais, dever-se-ia considerar a criatividade, a imaginação, o raciocínio complexo, a ousadia, a inovação do aluno. Por isso, reitero, seria totalmente possível dar nota máxima para alguém que errou todas as respostas, mas que preencheu os requisitos que proponho. Somente dos especialistas, como engenheiros, médicos, juristas, se poderia exigir detalhes e, ainda assim, sem deixar de levar em conta a complexidade do raciocínio de cada aluno.

O pensador da psiquiatria ainda esclareceu para sua diminuta plateia que todo ser humano tem um potencial incrível para propor novas ideias, mas os ditadores têm calafrios ao ouvir isso, fomentando uma escolarização que nos robotiza. Depois dessa exposição, indagou:

– Perguntamos muito ou pouco no começo da vida, antes da escolarização?

– Muito, claro – falou Florence.

– E depois de entrar na escola: perguntamos mais ou menos com o passar do tempo?

– Nós nos calamos pouco a pouco. Eu era muito questionador. Hoje sou uma múmia em sala de aula – comentou Hiroto. – E, no Japão, o silêncio em sala de aula é até cultuado.

– Não apenas as provas clássicas asfixiam a criatividade, mas também a arte de perguntar e duvidar – concluiu Marco Polo, antes de propor um exercício de memória simples mas significativo para mostrar que ela não é especialista em lembrança de dados, mas em criação de informações: – O que vocês comeram há uma semana no almoço? – perguntou.

– Não me lembro – afirmou Jasmine.

– E ontem?

– Deixe-me ver, comi espaguete ao sugo e uma salada.

– Quantos gramas de espaguete? E quais eram os ingredientes? Quantas vezes levou seu garfo à boca? Em quanto tempo terminou o almoço?

– Não me lembro.

– Mas, se eu pedir para você criar ideias em cima do almoço, você usará o esquema básico dos dados, o espaguete, o molho e a salada, e construirá criativamente novas ideias. Talvez fale do barulho ao sugar o espaguete, de como o enrolou no garfo, de como se deliciou; talvez dê uma estimativa do tempo gasto e fale do prazer que teve.

– Interessante – disse Jasmine. – Não me lembro de dados puros, mas crio em cima de dados básicos. Por isso você está correto. As provas, ao buscarem dados puros, abortam a criatividade dos alunos.

– Elas nos transformam em zumbis – concluiu Chang.

– Mas os professores não são culpados. É o sistema que é encarcerador, alicerçado num pântano, e não na construção de pensamentos. Os detalhes são importantes, mas apenas para os especialistas de uma profissão. A mente humana prioriza o raciocínio global, ao contrário dos computadores, que são hiperexatos. No ensino básico e em muitas matérias de um curso universitário que não são a essência da formação, deveríamos priorizar também o raciocínio complexo, a criatividade, o pensamento esquemático e estratégico.

– Então grande parte do que aprendemos é inútil? – questionou Peter.

– Não digo totalmente inútil, mas de baixíssima contribuição para formar pensadores e de alta contribuição para estressar o cérebro. Infelizmente, mais de 90% das informações que aprendemos desde o ensino fundamental até as universidades não são resgatados nem utilizados. Notem que os grandes empreendedores da atualidade não se destacam porque são mentes cultíssimas e têm uma formação acadêmica impecável. Steve Jobs e outros nem completaram a universidade. Desenvolveram outras habilidades, como ousar, correr riscos, pensar globalmente, ter disciplina, resiliência, reinventar-se nas derrotas, teimar nos desafios.

Depois dessa exposição, Marco Polo sugeriu um exercício, pelo menos para os que estavam cursando a universidade cujo reitor era Vincent Dell.

– Na próxima prova, não escrevam apenas o que a pergunta aparentemente exige. Sejam imaginativos, desenvolvam um raciocínio esquemático, ousem, inovem... e vejam o que acontecerá.

– Não sei, não. Isso não vai dar certo – hesitou Chang.

Mas assim fizeram nos exames seguintes. E não deu certo mesmo. Apenas um professor exaltou a capacidade intelectual de um deles – no caso, Victor. E, ainda assim, lhe disse: "Apesar de ter tido um raciocínio brilhante, vou lhe dar uma nota muito baixa, pois não posso ir contra o sistema desta universidade."

Victor lhe perguntou se ele não poderia ir a favor da própria consciência, ao que o professor respondeu que poderia ser punido se o fizesse.

Outros tentaram argumentar com seus professores, mas foram rechaçados.

"Eu pensei em cada pergunta. Respondi coisas que não estavam no script da sua aula, mas são ideias que deveriam ser consideradas", dissera Florence. Mas o professor rebatera alegando que não discutia as próprias decisões com os alunos.

Chang também tentou, dizendo: "Professor, nunca fui tão criativo, veja minhas respostas, fui estratégico." E o professor lhe respondeu com zombaria: "Também fui. Dei-lhe estrategicamente um zero para não enrolar mais nas respostas."

Ao saber dos resultados, Marco Polo, como pensador das ciências da educação, comentou:

– Infelizmente o sistema educacional está preparado para formar repetidores de informações, e não pensadores críticos. Felizmente há pensadores que também são críticos do sistema. Tenho publicado minhas ideias, inclusive no livro *Pais brilhantes, professores fascinantes*, e há milhares de professores se reciclando em vários países. Mas há um longuíssimo caminho a percorrer. Existem mais de 5 milhões de escolas em todo o mundo ensinando mais de 2 bilhões de alunos e, por punirem as respostas que não correspondem às expectativas dos professores, estão destruindo o que os alunos têm de melhor, sua inventividade, seu pensamento multifocal, sua capacidade de explorar, duvidar e enxergar os fenômenos por outros ângulos. Eles desconhecem a pedagogia do maior professor da história, o maior formador de líderes de todos os tempos. O Mestre dos mestres, sem salas de aula clássicas, sem lousas, sem provas e com exercícios imprevisíveis, fundou a maior startup educacional mundial para mudar o traçado da humanidade. Depois que ele caminhou nesta Terra, ela nunca mais foi a mesma.

Os alunos de Marco Polo ficaram perplexos com tudo que aprenderam. Entenderam por que não conseguiam se encaixar no currículo escolar proposto pela universidade. Agora estavam num supertreinamento, num projeto sem salas clássicas, sem lousas, sem provas, mas com testes de estresse imprevisíveis. Mas teriam eles chances de se transformarem em líderes mundiais? Era possível. No entanto, para serem pelo menos líderes de si mesmos, ainda teriam de passar por provas incríveis e inesperadas, nas quais o que contava não era a exatidão das respostas, mas a ousadia para se reinventar e inovar a cada momento existencial.

12

O MÉDICO DA EMOÇÃO ENSINAVA A LIBERTAR O IMAGINÁRIO

Ano 32 d.C.

Um dos códigos socioemocionais mais incríveis que Jesus ensinou aos seus discípulos era não serem escravos de respostas, não serem repetitivos nem fechados para pensar em outras possibilidades, mas esvaziarem-se de si mesmos e amarem a arte das perguntas para ampliar seu campo de visão. Quanto à espiritualidade, ele usava a fé e a necessidade de convicção plena, mas, quanto à educação e a formação de mentes brilhantes e saudáveis, ele ensinava perguntando e respondia indagando: "O que diz o povo que eu sou? Mulher, onde estão teus acusadores? Amigo, para que vieste?"

Mas os alunos do carpinteiro da emoção tinham dificuldades em assimilar temas complexos, novos e que iam contra a maneira estreita deles de interpretar os eventos da vida. Pedro, André, Tiago, João, Tomé, Judas e Filipe eram ricos em orgulho e autossuficiência. Suas verdades eram irrefutáveis. Mesmo depois de mais de um ano andando com Jesus, eles eram controlados pela necessidade ansiosa de ser o centro das atenções sociais. Por isso debatiam entre si quem era o maior dentre eles.

Nas disputas pelo poder, os insensatos optam pelas palavras, e os sábios, pelo silêncio. Os insensatos elevam o tom de voz; os sábios o abaixam. Os insensatos inflam seu ego, enquanto os sábios se curvam em agradecimento à vida. Eles deveriam ter ficado em silêncio, mas eram impulsivos, rápidos e ansiosos. Pedro não era diferente. Talvez não tão ambicioso, mas era portador de um ego muitíssimo inflado. Respondia sem pensar. Era rápido no gatilho. Os ansiosos vivem com o cérebro em estado de alerta máximo, qualquer faísca pega fogo.

Certa vez, um empresário dissera orgulhosamente para Marco Polo: "Eu não levo desaforos para casa!" O psiquiatra respondeu: "Claro, você é um desequilibrado. Não leva desaforo para sua casa física, mas leva para sua casa mental. Por isso registra mágoas e frustrações com facilidade." Pedro era um aluno que não suportava desaforos. Era uma bomba ambulante.

O senhor do mundo na época do Mestre de Nazaré era o tirânico imperador romano Tibério César, um ditador sem escrúpulos, sexualmente devasso e que, ao mesmo tempo, odiava o cargo que ocupava. Só queria extrair os poderes que dele emanavam. Por isso, nos últimos anos, retirou-se para a ilha de Capri e ali praticava suas orgias sexuais. Apesar de ter deixado Roma órfã, não deixou órfã a cobrança de impostos, já que a pesada máquina imperial dependia de pesados impostos das nações dominadas.

Uma vez, os saduceus, a elite espiritual junto com os fariseus, mas que tinha uma relação mais estreita com o império romano, queria de qualquer forma silenciar Jesus. Uma forma "ética" de fazê-lo era considerá-lo subversivo e, para isso, nada melhor do que rejeitar os impostos a Roma. Sutilmente os saduceus apareceram e, em vez de perguntarem a Jesus sobre sua relação com o fisco romano, foram ao seu mais ansioso aluno, Pedro.

– Teu mestre paga impostos?

Diante de um questionamento tão importante, capaz de impactar as relações sociopolíticas e levar à condenação sumária de Jesus por traição ao império, era óbvio que esse assessor de plantão deveria levar a questão ao seu líder. Mas o rapidíssimo gatilho mental de Pedro disparou:

– Sim! Ele paga impostos.

Pedro provavelmente dissimulou ou mentiu. Ele nunca vira Jesus pagando impostos ao império tirânico de Roma. Mentiu por medo de investigação, porque era hiperfalante, pelo risco de levarem preso a quem tanto amava. O caso foi levado a Jesus. Dizer simplesmente "sim" aos asseclas de Roma não era a resposta que Jesus provavelmente daria. Ele não mentiria nem dissimularia. Era um homem transparente. Ao ouvir a resposta que Pedro dera, poderia dar uma bronca em seu aluno, condenar sua impulsividade e sua conduta política subserviente. Mas ele corrigia em particular e elogiava em público. Nunca expunha publicamente o erro de quem amava, ao contrário de muitos pais, professores e executivos, que não perdem a oportunidade de expor a estupidez de seus liderados. São deselegantes e descontrolados.

Já que Pedro mentira, era melhor preservar a saúde mental do seu agitado aluno. Nesse momento, por estranho que pareça, Jesus saiu da sua condição estrita de um simples e inteligentíssimo professor e mostrou sua face mais poderosa, mas de forma muitíssimo bem-humorada. Ele se dirigiu aos saduceus e depois voltou-se para Pedro e fez uma pergunta quase incompreensível:

– Pedro, o filho do rei paga impostos?

Mais uma vez usou a arte das perguntas para estimular seus alunos a pensar. Mais uma vez recusou-se a dar uma resposta pronta, embora a tivesse na ponta da língua. Pedro, um afoito em dar respostas, sofreu um abalo em sua mente. Pensou: "Espera um pouco. Se meu mestre é filho de um rei, Rei dos reis, ele não deveria pagar impostos, mas recebê-los."

Vendo o pensamento fervilhar na mente de seu aluno, o mestre, mais uma vez bem-humorado, tentou relaxá-lo. Deu-lhe outra lição para que ele aprendesse a difícil arte de pensar antes de reagir.

– De quem é a efígie inscrita nesta moeda? – indagou para os saduceus.
– De César!
– Então dai a César o que é de César e a Deus o que é de Deus.

E sugeriu que Pedro, um especialista em pescar, fosse até a praia e pegasse um peixe, até aí uma tarefa não tão difícil. Mas a complexidade viria a seguir. Dentro do peixe ele encontraria uma moeda e com ela saldaria o imposto que disse que Jesus pagaria.

Durante a caminhada até o mar, Pedro deve ter pensado muitas vezes: "Meu mestre está de brincadeira! Nunca aconteceu esse fenômeno em toda a minha história de pescador. Uma moeda dentro de um peixe é algo impossível! Vou passar vergonha." Mas, ao que parece, o antinatural aconteceu da forma mais natural possível. Pedro pescou seu peixe, abriu-o e encontrou sua moeda. Dessa vez pescou a paciência e o autodomínio da impulsividade, e não apenas um peixe. Assim treinou um pouco mais suas habilidades socioemocionais.

Marco Polo, ao comentar essa história, disse a seus impacientes alunos:

– A ansiedade e a impulsividade são características de personalidade muito complexas e não são formadas por janelas killer isoladas, mas por milhares delas. Portanto, não se resolvem rapidamente, mas num processo de reedição contínua. Em casos mais sérios, resolvem-se com o uso da psicoterapia e até com intervenção de ansiolíticos, principalmente quando há insônia e sintomas psicossomáticos persistentes. Quem se punir quando errar estará fora do jogo da saúde emocional; quem cair e se mutilar também estará fora do jogo da felicidade real.

E o psiquiatra contou que, nos últimos momentos do treinamento com seu mestre, Pedro ainda tinha reações intempestivas, ainda era irritadiço e rápido em disparar o gatilho cerebral, embora estivesse mais maduro e consciente. No último jantar, seu mestre falou emocionado:

– Todos vocês me abandonarão como ovelhas sem pastor. Ele queria dizer que a solidão é difícil, mas ser abandonado pelos que amamos é muito mais difícil ainda.

✦

Marco Polo explicou que Jesus, como excelente gestor da própria emoção, sabia que as pessoas íntimas são aquelas que mais podem nos ferir. Os inimigos nos decepcionam, mas só os amigos nos traem. O que fazer então? Afastar-se de tudo e de todos? Ser um ermitão? Não! Usar a ferramenta de gestão correta. "Qual?", indagou o psiquiatra. Ele mesmo respondeu:

– Doar-se, mas diminuir a expectativa do retorno. Esperar o retorno é digno, esperá-lo demais é indigno de nós mesmos. Pais que esperam muito o afeto dos próprios filhos morrem angustiados. Casais que cobram em excesso retorno um do outro veem seu romance falir. Não viva com alguém para ser feliz, viva para ser mais feliz, pois feliz você já deveria ser.

O que Marco Polo disse foi uma bomba para seus alunos. Mais uma vez eles nunca tinham pensado nesses temas, embora atolados neles até o pescoço.

Florence, eufórica, comentou:

– Ah, como preciso disso. Viver com alguém para ser mais feliz, pois feliz eu já deveria ser é tão... tão impactante. Somos tão ingênuos em nossos romances.

Chang, perturbado, afirmou:

– Eu pareço desligado, debochando da vida, mas no fundo espero demais dos outros. Não posso estar fora do jogo.

– Eu também – confessou Peter. – Sempre que eu brigava com o mundo, a solidão me derrotava.

– Até você, Peter? – perguntou Jasmine, espantada. – Eu também. Sou agitada e pareço desligada, mas, quando alguém me dá um abraço ou um simples sorriso, me emociono.

– Eu choro muitas vezes sem lágrimas – admitiu o jovem alemão Martin. – É duro ser abandonado pelos amigos.

Marco Polo olhou para seus alunos, que todos consideravam insensíveis, verdadeiros psicopatas, e lhes disse:

– Muitos se espantariam ao contemplar vocês falando sobre seus sentimentos. Parabéns pela honestidade. Lembrem-se: quem não mapeia os próprios fantasmas será vítima deles a vida toda. Por favor, doem-se sem medo de ser decepcionados, mas exijam o mínimo de retorno possível. Assim terão gestão da emoção contra a solidão. Vejam o caso de Pedro. Ele amava seu mestre, não queria perdê-lo em hipótese alguma. Mas não se conhecia, não mapeava os monstros que devoravam seu heroísmo. Ao ouvir Jesus dizer que eles o abandonariam, bradou: "Todos podem te abandonar, mas eu jamais o farei. Se possível, morrerei contigo." Mas o Mestre dos mestres fixou seus olhos nele e lhe disse em outras palavras:

"Você não se conhece. Não sabe das armadilhas mentais que o aprisionam. E vou lhe dar uma informação e uma lição inesquecíveis: antes que o galo cante duas vezes você me negará três vezes."

Marco Polo, após descrever essa passagem, perguntou:

– Jesus deu bronca em seu aluno?

– Não – respondeu Jasmine.

– Ele advertiu Pedro delicadamente? – indagou o psiquiatra.

Eles pararam e pensaram. Em seguida, Florence respondeu:

– Incrível. Ele usou o canto de uma ave para ensinar Pedro a ter contato com a própria fragilidade. Não era uma cobrança, era um alerta dócil.

– Jesus Cristo, mesmo às portas da morte, não excluiu quem o negou ou o traiu. Mesmo sendo abandonado, ele não desistiu dos seus alunos. Não é sem razão que ele foi o maior líder e professor da história. Vocês desistem de quem os frustra?

– Todo dia – respondeu Peter.

– Toda hora – acrescentou Chang.

– Quem não é paciente para educar está apto para conviver com máquinas, mas não para conviver com um ser humano. As máquinas não reclamam, não frustram nem exigem sabedoria. Quem é um apontador de falhas está habilitado a operar computadores, mas não vocacionado a formar mentes brilhantes e livres – concluiu o pensador das ciências da educação.

E deu-lhes outras grandes lições.

Ressaltou que um computador com cinco anos de uso já está velho e ultrapassado, enquanto um ser humano de 5 anos é apenas uma criança inocente, que pouco sabe decidir, caminhar só e trabalhar as próprias crises. Um ser humano de 12 anos é um pré-adolescente inexperiente e inseguro, enquanto muitos animais com essa mesma idade já estão na fase final de vida.

– Um cérebro extremamente complexo como o nosso, com um processo de formação da personalidade sofisticadíssimo, exige décadas para vivenciar milhões de experiências e alcançar a maturidade. E, ainda assim, muitos têm 40 ou 50 anos, mas sua idade intelectual não passa de 10 ou 12 anos.

Marco Polo concluiu dizendo que pais que só sabem transferir dinheiro ou dar produtos, mas não sabem transferir o capital das próprias experiências e, enfim, falar das lágrimas invisíveis, das perdas que sofreram, dos desafios que enfrentaram, perdem a oportunidade de formar plataformas de janelas light para alicerçar nobres características da personalidade.

– Agora entendi – disse Florence, confessando algo que ninguém sabia. – Meu pai é multimilionário.

– Não diga! Topa namorar? – falou Chang brincando, mas sem confessar que também era rico.

Florence completou:

– Apesar de milionário, eu sempre senti que mendigava o pão da alegria. Ele deu o mundo para mim, mas nunca seu próprio mundo. Pagou-me os melhores psiquiatras e psicólogos para me conhecerem, mas ele mesmo não me conhece nem eu o conheço.

Na era digital, as famílias se tornaram um grupo de estranhos, próximos fisicamente, mas infinitamente distantes emocionalmente.

Marco Polo completou:

– Seres humanos ricos do ponto de vista psiquiátrico são capazes de fazer muito do pouco, se encantam com a vida, consideram perdas uma oportunidade para ganhar, veem nas crises desafios estimulantes. Seres humanos bem resolvidos não se mutilam, são afetivos consigo mesmos.

– Eu me automutilei durante anos no banheiro da escola. Meus pais me batiam muito. Eu recebia cem broncas diárias – confessou Sam. – Tentava me imprimir dor física para tentar neutralizar minha dor emocional.

– Eu também – confessou Florence.

– Eu não me mutilava fisicamente, mas emocionalmente. Saía gastando tudo e muito mais no meu cartão de crédito. E depois, atolado em dívidas, tinha de trabalhar vinte horas por dia nos fins de semana para pagar as contas. Eu me odiava – admitiu Victor.

– Namorar a vida antes de namorar alguém é vital. Dar tantas chances para si quantas forem necessárias é igualmente fundamental. Quem de hoje em diante a namorará? – indagou Marco Polo para sua emocionada plateia.

Todos levantaram as mãos. Mas ele disse categoricamente:

– Eu não confio em vocês! – Eles deram risadas e o psiquiatra concluiu: – Lembrem-se sempre: o inferno emocional está cheio de pessoas bem--intencionadas. Treinem, treinem e treinem se cobrar menos e abraçar mais. Treinem nunca desistir das pessoas que falham! Vocês entenderam?

Disseram coletivamente:

– Entendemos!

Responderam muito rápido novamente, por isso Marco Polo resolveu testá-los ali mesmo naquela sala de aula. Disse-lhes:

– Já que disseram que entenderam e, me desculpem, mas duvido que tenham entendido plenamente, o treinamento será aqui mesmo, só com vocês. Falem o que pensam um do outro.

– O quê? Falar qualquer coisa? – indagou Peter.

– Falem o que realmente sentem um pelo outro. Quero ver se sabem namorar a vida.

– Mas isso é moleza. Pode mandar bala que eu aguento – afirmou Chang.

– Você é superficial, Chang – disparou Florence.

– Superficial? E você sempre foi arrogante!

– Arrogante uma ova. Eu sou a mais sensata do grupo – retrucou ela.

– Esperem – pediu Marco Polo. – Viu como não é moleza, Chang? Em dois segundos você deixou de namorar a vida. Perdeu o autocontrole, rebateu impulsivamente. E você, Florence, não suportou sequer a primeira crítica.

Ela meneou a cabeça confirmando sua imaturidade. Hiroto, por sua vez, pensou, refletiu, olhou para Peter e lhe disse:

– O Peter de vez em quando é dissimulado e pouco confiável.

Peter bateu na mesa raivosamente. Foi impulsivo também.

– Dissimulado e pouco confiável é você, seu japonês irritante.

– Calma, cara! Em grande parte do tempo você é notável.

– O Alexander parece tão humilde com sua dificuldade de falar, mas é um sujeito que apunhala pelas costas – disse Sam.

Alexander subiu a serra. Pegou Sam pelo colarinho:
– Está me chamando de... traidor?
– Nossa, cara, nem gaguejou muito para se defender – disse Sam assustado.
– Você tem cara de terrorista, Sam – disse Michael.
Sam quebrou uma cadeira e foi para cima de Michael.
– Só porque sou islamita está dizendo que sou terrorista, seu preconceituoso. – E, piscando os olhos e movimentando muito os ombros, completou: – A grande maioria dos muçulmanos é pacífica, generosa, amiga, acolhedora.
– Calma, Sam, estou só testando sua impulsividade.
Sam respirou profundamente e, por fim, se acalmou. Caiu em si e disse:
– Por trás da aparente calmaria em nossa mente, há um terremoto emocional pronto a eclodir.
– É isso mesmo, Sam – concordou Marco Polo. – Vocês conhecem a sala de visitas de sua personalidade, mas não sua essência, tal como Pedro não se conhecia quando jurou que jamais negaria seu mestre. Um dia me enganarão? Torço para que não. Mas estou me doando e diminuindo a expectativa do retorno. Senão, estarei fora do jogo da minha saúde mental.
Eles ficaram impressionados com o desequilíbrio que possuíam, com a violência embotada, com a hiper-reatividade que estava debaixo do verniz da tranquilidade. Muitos eram vítimas de uma educação conflitante, que não transferia o capital mais saudável das experiências e, por mais paradoxal que pareça, repetiam comportamentos dos seus pais que diziam detestar. Continuavam dando broncas em quem errava, gritavam com quem os decepcionava, perdiam a paciência com quem não correspondia às suas expectativas. Marco Polo deixou uma pergunta no ar:
– Erraram com vocês, mas o desafio é: o que faço com os erros que cometeram comigo?
A educação deles foi doente. Eles estavam doentes e continuavam contribuindo para formar pessoas doentes. Teriam a oportunidade de reinventar a história, pelo menos a sua história. Algo raro.

13

O MÉDICO DA EMOÇÃO CONSIDERAVA CADA SER HUMANO ÚNICO E IRREPETÍVEL

Vários jornalistas, cientistas, roteiristas, escritores, filósofos vivem a tese de que ser um intelectual é ser um ser humano pessimista, o que não é emocionalmente saudável. Marco Polo tinha a tendência a ser pessimista por tudo que pesquisou sobre o psiquismo, todo o conhecimento que produziu sobre os bastidores da construção de pensamentos, todas as loucuras das sociedades modernas que analisou e todas as enumeráveis críticas que elaborou sobre o sistema, mas treinava sua emoção para contemplar o belo e ser irrigada com prazer. Tratar de fenômenos tensos com profundidade sem perder a esperança e o encanto pela vida era algo raríssimo, um exercício contínuo.

Tinha descoberto e ensinado sobre a síndrome predador-presa, que está na base da autodestrutividade da humanidade. Somos dramaticamente mortais, mas agimos como se fôssemos eternos. Muitos têm dificuldade de entender seus ensinamentos, inclusive seus alunos, pois eles envolvem fenômenos que atuam em milésimos de segundo no cérebro. Ele recapitulou que, nos focos de ansiedade, o ser humano detona o gatilho cerebral, que abre uma janela traumática, que por sua vez gera um volume de tensão tão devastador que a âncora da memória fecha o circuito em torno dela, impedindo que milhões de dados sejam acessados.

– Nos primeiros 30 segundos de tensão, cometemos os maiores erros da nossa vida. Palavras que nunca deveriam ser ditas ou atitudes que jamais deveriam ser tomadas são construídas nesses cálidos momentos. Lembrem-se que a síndrome predador-presa sempre pautou o comportamento humano diante de ameaças, ainda que irreais ou imaginárias. Muitos devoram emocionalmente quem amam quando contrariados.

– Como? – perguntou Florence.

– Elevando o tom de voz, sentenciando-os e dizendo "Você não vai virar nada na vida", criticando-os excessivamente.

– Fui vítima a vida toda dessas sentenças – afirmou ela.

Marco Polo completou:

– Muitos maridos prometem, no ato nupcial, que amarão suas esposas na saúde e na doença, na miséria e na fortuna, mas devoram-nas com seu ciúme violento, com discussões intermináveis e cobranças atrozes. E vice-versa.

Em situações de risco, o ser humano aciona mecanismos primitivos e pode se transformar num animal e reagir instintivamente. Todavia, viver sob risco era a marca existencial do Mestre dos mestres. Suas ideias eram tão adiantadas no tempo, tão revolucionárias, que colocavam sua vida em perigo constante. Em tempos em que não havia redes sociais, suas mensagens provocavam uma reação em cadeia, seus gestos ganhavam poderosamente o fenômeno boca a boca e se alastravam como fagulhas em madeira seca. Sua notoriedade era de tal forma espetacular que Herodes Antipas, o governador da Galileia, estava curiosíssimo para conhecer o personagem que abalava pequenos e grandes vilarejos. Pilatos já havia recebido muitas informações sobre sua fama, queria conhecer o homem que resgatava o ânimo dos miseráveis e os sonhos dos desvalidos. As pessoas surpreendentes são impossíveis de serem escondidas, ainda que desejem o anonimato.

Em sua maioria, os judeus daquele tempo eram generosos, haja vista o padrão de ética e altruísmo de José, que não acusou sua mulher de adultério, embora ela estivesse grávida de um filho que não era dele. Mas sempre houve, em qualquer sociedade, tiranos, predadores que não podem ser minimamente confrontados que mostram suas garras. Marco Polo então contou que, certa vez, um grupo de justiceiros, entre eles alguns fariseus, pegou uma mulher em flagrante adultério. Eles libertaram o homem e aprisionaram a mulher.

– Mas isso é injusto – protestou Florence. – Como libertam o homem e aprisionam a mulher?

O psiquiatra então fez um comentário emocionado:

– Os homens têm historicamente uma dívida impagável com as mulheres. Em média, elas são muito mais solidárias, amáveis, doadoras e inteligentes emocionalmente do que os homens, mas, ao longo dos séculos, com raras exceções, elas foram apedrejadas, silenciadas, tolhidas, queimadas pelos homens. Elas sempre cometeram menos crimes hediondos ou violentos que eles. Rarissimamente deflagram guerras, pois não querem enviar seus filhos aos campos de batalha.

– Mas dirigem muito pior – disse Chang.

– Errado. São mais cuidadosas ao volante.

– Será? – indagou Peter em dúvida.

Marco Polo continuou:

– Hoje as mulheres ainda são aviltadas. Pelo mesmo trabalho, elas ganham menos, seja no Japão, na China, na África, na Europa ou nas Américas. O Mestre dos mestres sempre soube das injustiças contra as mulheres, sempre esteve ao lado delas e elas sempre estiveram próximas dele, inclusive quando estava pendurado no madeiro. E sua bandeira contra as injustiças sociais não era teórica. Talvez tenha sido um raro, se não o único, homem que correu risco de morrer para proteger mulheres que se prostituíam e que ele nem sequer conhecia.

– Que homem era esse que se doou tanto pelas mulheres e pelos desvalidos? – indagou Florence emocionada.

– Ele era o Médico da emoção, e não um simples médico da alma humana. Para ele, "quem não gere a própria emoção será carrasco de si e dos outros". De quem vocês são carrascos? Seu foco não era tratar as doenças, mas preveni-las. Ele foi muito mais longe do que a inteligência emocional se propõe hoje. Ele ensinou as pessoas a serem líderes de si mesmas. Analisem a cena.

E continuou sua explanação:

– Os carrascos da mulher pega em adultério arrastaram-na por centenas de metros. Ela sangrava, suplicava e dizia: "Por favor, tenham compaixão de mim! Eu fiz isso porque precisava sobreviver." Mas, como predadores, não a ouviam, eram incapazes de ser empáticos. Violentos, queriam usá-la como isca para silenciar a voz do intrigante professor de Nazaré. Interromperam sua aula ao ar livre. E, raivosos, indagaram: "Ela foi pega em adultério! Segundo nossos costumes, ela deve ser apedrejada. Qual a sua sentença?"

Depois desse relato Marco Polo perguntou aos seus alunos:

– Qual resposta ele deu?

Muitos sabiam a resposta.

Peter tomou a frente e disse:

– Quem não tem pecados atire a primeira pedra.

– Tem certeza, Peter? – questionou Marco Polo.

– Sim. Foi isso que ele falou – afirmaram Florence e Jasmine.

– Errado. Essa foi a segunda resposta. A primeira resposta foi uma técnica poderosa de gestão da emoção.

– Qual? – indagou Chang, curioso.

– O silêncio proativo! Ele escrevia silenciosamente na areia – declarou Marco Polo.

– Silêncio pro... proativo? – indagou Alexander, admirado. – Explique me... melhor.

– É um momento único em que, nos focos de estresse, nos calamos por fora mas gritamos por dentro, questionando-nos. Por exemplo: Quem me caluniou? Por que me criticou? O que está por trás do ofensor? Devo eu consumir a ofensa que não me pertence?

– Caramba. Essa técnica faz parte da mesa-redonda do Eu – concluiu Florence.

– Sim, mas mesclada com a técnica DCD – afirmou o psiquiatra.

Jasmine teve um notável insight:

– Poxa! Então, através do silêncio proativo, ele abria as janelas da sua memória, treinava seu Eu para pensar criticamente e dava respostas inteligentes.

– Ótimo, Jasmine, mas essa técnica ia além – ponderou o psiquiatra.

Peter também foi iluminado:

– Jesus estava desarmando com seu silêncio proativo a síndrome predador-presa dos carrascos daquela mulher.

– Exatamente. E ao mesmo tempo treinando seus discípulos a respeitarem os diferentes. O silêncio calmo, sem expressão de terror, é a melhor forma de desarmar alguém irado, nervoso, explosivo – explicou Marco Polo. E continuou: – Depois, perturbados positivamente com seu silêncio, os algozes daquela mulher "prostituta" perguntaram de novo: "Qual o seu veredito?"

Marco Polo, antes de continuar sua explanação, perguntou a seus alunos:

– E se a indagação fosse dirigida aos seus discípulos, qual seria a resposta deles?

– Alguns certamente diriam: "Atirem as pedras!" – falou Florence.

– Você atiraria pedras se estivesse lá, Peter? – questionou Marco Polo.

Peter não teve coragem de responder no primeiro momento. Martin, constrangido, disse por ele:

– Talvez eu atirasse.

– Eu também – afirmou Chang.

– Até hoje atiro pedras em quem me contraria – declarou Sam.

– Ainda ontem atirei pedras pelo celular quando minha mãe me fez uma crítica – relatou Yuri.

Marco Polo concluiu:

– Somos especialistas em atirar pedras em quem deveríamos abraçar. Quantas pedras já atiraram?

– E você já atirou pedras, Dr. Marco Polo? – indagou Jasmine corajosamente, respondendo com uma nova pergunta.

Ele sorriu para ela e lhe disse:

– Já atirei. Fui rápido em criticar algumas vezes. Já discuti desnecessariamente, já falei em tom deselegante. Mas, com o passar dos anos, descobri que quem atira pedras o faz porque se julga perfeito, ainda que falsa e hipocritamente. Hoje, descobrindo meus defeitos, me tornei rápido em abraçar e lento em julgar.

Seus alunos não esperavam por essa declaração. Ficaram mais uma vez abismados com a transparência do seu treinador.

– E você, Jasmine? Já atirou pedras? – perguntou Marco Polo.

– Atirei pedras com frequência. Tenho sido uma hipócrita incapaz de ver meus defeitos. Ao participar deste treinamento, sinto que sou muito falha e descontrolada.

Marco Polo concluiu:

– Milhões de pais e filhos, professores e alunos se apedrejam emocionalmente quase todo mês. Em alguns casos, todo dia. Não corre sangue pelas salas de casa e de aula, mas jorram dores e mágoas mútuas. Do mesmo modo, executivos são peritos em atirar pedras em seus colaboradores. Sabem lidar com máquinas, mas não gerir seres humanos e extrair o melhor deles.

O psiquiatra, depois de trazer as experiências do passado para se tornarem lições no presente, revelou:

– Depois de ser questionado pela segunda vez sobre seu veredito, ele autorizou o assassinato da mulher.

– Autorizou? Como assim? – questionou Florence espantada.

– Sim, ele autorizou o apedrejamento, mas mudou a base do julgamento – afirmou o psiquiatra. – Ele disse: "Quem não tem erros e falhas atire a primeira pedra."

– Nossa, que inteligência! Ele sabia que não era possível falar bem da mulher, pois ele e ela morreriam imediatamente. Ele elogiou a capacidade de julgar daqueles carrascos, abrandando a síndrome predador-presa – concluiu Jasmine.

Florence também foi muito lúcida ao comentar:

– Pelo que estamos estudando, independentemente de uma religião, Jesus talvez não tenha sido o homem mais inteligente da história, mas foi o maior pacifista e, de fato, o maior defensor das mulheres. Ele colocou a própria vida em risco por uma mulher adúltera que não conhecia. Ele mudou a base do julgamento daqueles justiceiros, encorajando-os a mapear as próprias falhas e loucuras para só depois cumprir a sentença. Desse modo, mudou a paisagem do inconsciente deles, fazendo-os deslocar a âncora da memória para as janelas killer das falhas deles.

Marco Polo as aplaudiu solenemente.

– Bravo! Bravo! Vocês são incríveis.

– Puxa-saco das mulheres – falou Chang. – Brincadeira. Sempre achei as mulheres mais inteligentes que os homens. O problema é que inventaram o cartão de crédito.

E caiu na risada.

Perplexos com a ousadia do Mestre dos mestres, os justiceiros saíram envergonhados de cena.

– Talvez tenha sido a primeira vez na história que linchadores abandonaram as armas nos focos de tensão e pensaram antes de agredir ou matar.

– Mas, se pedirmos para as pessoas que estão se digladiando num estádio para que pensem na própria agressividade e se coloquem no lugar dos adversários, continuarão a se agredir. São imparáveis – ponderou Sam.

– De fato, Sam, principalmente porque o Eu deles não aprendeu a fazer o silêncio proativo. – E Marco Polo continuou: – A mulher resgatada estava completamente assustada, mas, profundamente delicado, ele não a chamou de adúltera, mas de mulher, de "ser humano". Ele a exaltou como um ser humano único, especial, notável, independentemente de seus erros e de sua história. Ele disse: "Mulher, onde estão seus acusadores?"

– Mas ele sabia que os fariseus haviam se retirado de cena. Por que perguntou? – indagou Florence.

– Pense e responda você mesma, Florence.

Ela estava muito impressionada com o treinamento de Marco Polo hoje e do Mestre dos mestres no passado. Depois de se interiorizar, respondeu:

– Porque ele desejava que ela construísse sua própria resposta e se reinventasse.

– Porque ele mesmo não queria acusá-la – completou Jasmine.

– Jesus, comemorado nos Natais, é o personagem mais famoso de nossa nação, mas talvez seja o menos conhecido em sua inteligência. Nem as religiões nem as universidades e nem mesmo Hollywood foram justas ao abordá-lo – analisou Michael apropriadamente.

Os alunos de Marco Polo, considerados insignificantes pelas universidades onde estudavam, davam um salto tão grande em sua intelectualidade que penetravam em camadas mais profundas do teatro psíquico. Quando deixamos de ser plateia e nos tornamos protagonistas do teatro social, nunca mais voltamos a ser os mesmos.

– Mais uma vez ele fez uma pergunta e não deu uma resposta pronta – ponderou Victor.

– Ele não que... queria constran... trangê-la nem perguntar com quantos ho... homens ela dormiu – comentou assertivamente Alexander.

– Exatamente, Alexander. Já pensaram em quantas lágrimas ela chorou na sua infância? Já imaginaram as perdas que sofreu? Talvez não tivesse pais, parentes nem amigos e a única forma de sobreviver fosse se prostituir. O Mestre dos mestres a respeitou em prosa e verso. E, ao perguntar delicadamente "Onde estão seus acusadores?", ela lhe disse "Eles se foram". E ele finalizou dizendo, em outras palavras: "Vá e se repense. Você não me deve nada, não precisa me seguir, apenas reflita sobre seus percalços e reconstrua sua história."

Jasmine ficou emocionada com essa interpretação:

– Que gentileza é essa com quem era considerada adúltera e passível de ser apedrejada? É surpreendente que ele tenha se despedido dela sem nem sequer pressioná-la para se tornar sua seguidora.

– Fascinante – declarou Florence. E lembrou-se das primeiras aulas:

– O Dr. Marco Polo várias vezes também se despediu de nós sem nos pressionar a estar no treinamento.

– Pois é, tive um excelente professor – declarou o psiquiatra, falando sobre sua análise criteriosa das ferramentas utilizadas pelo Médico da emoção.

De repente, Chang chegou a uma brilhante conclusão:

– O Mestre de Nazaré estava treinando os justiceiros pescadores, seus alunos paranoicos e intolerantes, a não atirarem pedras, a viajarem para dentro de si mesmos e se colocarem no lugar dos outros.

– Bravo, Chang! Como conseguiu elaborar essa conclusão? – indagou Peter, admirado com o palhaço.

– Parabéns, Chang – elogiou Florence.

– Eu sou demais. Entendi tudo. Não atirarei mais pedras – disse convictamente Chang.

– Não seja falso – rebateu Victor.

– Falso é tu, seu paranoico.

– Pronto, já atirou uma pedra – apontou Jasmine.

– Espere, eu estava brincando. Victor é um cara admirável.

– Tem certeza que entendeu tudo, Chang? – questionou o psiquiatra, intrigado.

– Convictamente, mestre – respondeu ele em tom de brincadeira.

– Então você está apto a praticar.

– Praticar o quê? – perguntou Chang, engolindo em seco.

– Praticar a ferramenta deste treinamento.

– Lá vem chumbo – comentou Michael.

– Devia ter ficado calado, Chang – brincou Peter.

– Muito bem, vocês vão sair daqui agora, procurar prostitutas e perguntar a elas quantas pedras já lhes atiraram. Indagarão sobre as lágrimas que choraram e sobre as lágrimas que nunca se encenaram no rosto delas. Penetrarão em suas histórias e as abraçarão.

– Dialogar com prostitutas? Perguntar sobre a história delas? Como? Não somos psicoterapeutas... – argumentou Yuri.

– Mas são seres humanos, e seres humanos dão um ombro para apoiar e outro para chorar.

Michael, abalado com o exercício, titubeou:

– Professor, já pensou no que nos está propondo? Essas mulheres dormem cada dia com um homem. Não querem diálogo, querem dinheiro.

– É verdade. Como vamos nos aproximar delas? Vão dar gargalhadas em nossa cara – hesitou Peter.

Marco Polo não gostou.

– Estão atirando pedras nelas, Peter e Michael. Vocês sabem o que é a dor da discriminação. Como têm a convicção de que o que elas querem é dinheiro? Como sabem que zombarão de vocês? Já conversaram com elas? Já penetraram nos pesadelos delas? A fina camada de cor da pele negra ou branca jamais pode causar a discriminação de seres humanos com a mesma complexidade intelectual. Comportamentos que vocês desaprovam também não. Vocês podem não concordar com os comportamentos das pessoas, mas devem respeitá-las.

– Estamos perdidos. Entramos numa fria! – exclamou Hiroto. – Já dormi com prostitutas, mas nunca dialoguei com elas.

– Que preconceito é esse? Vamos penetrar na história dessas heroínas desta sociedade excludente – afirmou Florence.

– Tem certeza que dá para praticar isso, Florence? – indagou Peter.

– Claro! – afirmou ela.

E, depois desse embate, Marco Polo propôs outro exercício polêmico:

– Em Los Angeles há cerca de 50 mil sem-teto. Procurarão esses nobres mendigos que vivem nas ruas sem proteção social. Estenderão a mão a eles, investigarão seus sonhos e pesadelos, confortá-los-ão e darão banho neles.

– Tá brincando, professor? Esses caras fedem mais que defunto – disse Chang.

– Não, não, não. Aí você foi longe demais... – afirmou Jasmine, suando frio. – Tenho TOC, tenho horror a falta de higiene.

– Minha saúde não é boa. Tenho medo de ser contaminado – afirmou Hiroto.

Mas Marco Polo não se importou com suas queixas:

– Desculpem-me, mas meu treinamento, meus exercícios.

O maior líder da história sonhava dia e noite que a humanidade julgasse menos e abraçasse mais, amasse incondicionalmente, perdoasse tantas vezes quantas fossem necessárias, desse o melhor de si para os fragmentados, recolhesse as pedras e estendesse a mão para os feridos de alguma forma. Mas o tempo passou e bilhões de pessoas, das mais diversas sociedades, mais da metade da humanidade, inclusive milhões de religiosos, tornaram-se viciadas como os dependentes de drogas em discriminar, excluir, dar broncas, fazer cobranças, punir, criticar excessivamente. Ainda atiramos pedras nas salas de casa, nas classes, no pátio das empresas, nas redes sociais. Até nossa indiferença em relação à dor dos outros é uma pedra traumatizante. Marco Polo deu as costas ao seu grupo de alunos e saiu sem dizer mais nada...

14

O MÉDICO DA EMOÇÃO TINHA DE GARIMPAR OURO NOS SOLOS DA MENTE HUMANA

Os 12 alunos de Marco Polo se dividiram em dois grupos de seis membros e saíram para garimpar ouro nos solos rochosos da mente dos seres humanos considerados resíduos da sociedade, pessoas com as quais ninguém se importava. Eram anônimos que deveriam ser enterrados nos solos da sua insignificância. Todavia, houve um homem que foi na contramão dessa atrocidade. Ao individualizar cada ser humano e considerá-lo uma estrela viva no teatro da existência, independentemente de seu currículo social, Jesus Cristo se mostrava não apenas um homem revolucionário, mas um educador de líderes apaixonados pela humanidade tão revolucionários quanto ele.

Seu treinamento tratava frontalmente dos quatro desejos neuróticos que infectavam a humanidade: o desejo neurótico de poder, o desejo neurótico de controlar os outros, o desejo neurótico de ser o centro das atenções sociais e o desejo neurótico de estar sempre certo.

Era possível inferir que, se todos os líderes mundiais experimentassem minimamente o treinamento que o Mestre de Nazaré propôs, a governança nas cidades, nos estados, nos países e nas empresas seria mais eficiente, fraterna e inteligente. As instituições religiosas seriam mais saudáveis, altruístas e impactantes.

Os alunos do Mestre dos mestres e de Marco Polo estavam aprendendo não a ter compaixão e tolerância superficiais, mas a ser garimpeiros de ouro nos solos dos seres humanos, fossem ricos ou miseráveis, éticos ou mundanos, intelectuais ou iletrados. Os jovens alunos do psiquiatra pareciam descolados, destemidos, audaciosos, atrevidos, topavam tudo, mas tais comportamentos só se manifestavam dentro de um script programado. Quando saíam desse script, a inteligência deles travava. Pareciam meninos numa cova de leões, frágeis, tímidos, com medo de cair no ridículo ou ser devorados pelo inesperado.

Florence, Alexander, Sam, Victor, Michael e Hiroto foram contatar os sem-teto, dialogar, explorar suas experiências, suas aventuras e quem sabe oferecer a eles um banho refrescante para completar o banho emocional que lhes proporcionariam. Não tinham ideia de que havia milhares sem residência em Los Angeles, vivendo em condições indignas no país mais rico do mundo. Florence foi abandonada pelo pai, teve que lidar com o fato de sua mãe ter sido prostituta, mas nunca havia passado necessidade. Victor era de família relativamente abastada. Alexander, Sam, Michael e Hiroto eram de classe média. Como nunca haviam passado fome, não imaginavam o vale das dores que esses sem-teto atravessavam.

Alexander avistou dois sem-teto sentados numa calçada. Cabisbaixos, olhando para os próprios pés, aparentemente estavam desolados. Sobreviver era um peso enorme. Tentou abordá-los com gentileza, mas, ansioso, sua voz se embargou mais do que das outras vezes:

– Po... po... po... deria dar a... a... a... tenção?

O sem-teto não lhe deu bola. Ele insistiu:

– Po...po... poderia...

Como ele demorava demais para falar, um dos sem-teto foi direto ao ponto:

– Quanta grana você tem?

– Gra... gra... na?

Victor, observando o clima tenso, tomou a frente e lhe disse:

– Senhor, não trouxemos grana nenhuma. – Em seguida coçou a cabeça e disse um tanto constrangido: – Viemos lhe oferecer um ombro amigo.

O outro sem-teto olhou rapidamente para ele e disparou:
– Ô, almofadinha, já temos dois ombros.
Florence tentou ser mais explicativa:
– Senhores, viemos dialogar sobre sua história, sua vida, suas aventuras.
– Nossa vida? Nossas aventuras? Quem são vocês? – E depois, olhando para o outro sem-teto, disse: – Era só o que faltava. Encontramos um bando de malucos.
Parecia impossível estabelecer um diálogo.
– Suas histórias devem ser bem interessantes – especulou Michael.
O primeiro sem-teto olhou para ele e depois para sua árdua história, e comentou emocionado:
– Isso é uma piada? Se estamos vivos ou mortos, ninguém se importa. Nunca existimos para a sociedade. Agora vêm vocês dizendo que nossas histórias devem ser interessantes? Morem dois ou três dias na rua e depois façam seus julgamentos – concluiu o maltrapilho. Seus olhos lacrimejavam enquanto tecia suas palavras.
A "garimpeira" Florence, que estava se tornando especialista em explorar os solos rochosos de mentes fechadas, usou sua sensibilidade:
– Mas vocês existem para nós. E estamos sendo honestos. Sei que nossos mundos são diferentes, que não passamos pela dor que passaram, mas ficaria feliz em conhecê-los um pouco. Eu já passei por dores também.
– Que dor, menina? – perguntou um deles.
– A dor da depressão. A dor de ter uma cama confortável, mas não ter descanso. A dor de ter uma mesa farta, mas não ter apetite. A dor de me sentir só no meio da multidão.
Eles fitaram-na profundamente. Depois um deles estendeu as mãos para ela e lhe disse:
– Você é uma de nós. – E, tocado com suas palavras, completou: – Quer mesmo nos conhecer?
Foi então que ele fez um relato emocionadíssimo:
– Meu nome é Radesh. Nem sempre fui sem-teto. Já morei muitíssimo bem e fui bem posicionado social e financeiramente, até que o mundo desabou sobre mim. Eu era um executivo de uma importante

empresa no Vale do Silício, mas o céu e o inferno emocionais estão muito próximos dos líderes das empresas que estão em contínuo processo de mutação.

Ele fez uma pausa e continuou:

– Para nós, que lideramos empresas digitais, não bastava corrigir erros, tínhamos de preveni-los; não era suficiente sermos eficientes, tínhamos de nos antecipar às tendências. Você consegue ter essa habilidade por algum tempo, mas não todo o tempo. Pressionado dia e noite para inovar, eu me punia por não conseguir. Diante de um fracasso, num ataque de fúria, quebrei tudo que estava ao meu lado, os computadores, os objetos sobre minha mesa. Foi um escândalo. Tornei-me mais um louco no Vale. Aliás, o Vale do Silício é uma fábrica de bilionários, mas também uma fábrica de psicose, depressão e suicídios.

Radesh enxugou seus olhos com as mãos. Mas o pior de sua história estava por vir. Ele relatou:

– Fui demitido da empresa, me deprimi e fiquei atolado em dívidas. Comecei a ter medo de mim mesmo, medo das minhas crises, medo de começar tudo de novo. Não durava mais do que um trimestre na mesma empresa. Minhas crises depressivas aumentaram e, por fim, minha esposa se separou de mim e levou meus filhos para a Índia, meu país de origem. Solitário, sentindo-me o pior dos homens, fui internado três vezes e tentei o suicídio duas vezes. A partir daí, fui rotulado como portador de depressão psicótica. Esse é um recorte da minha história. O Vale do Silício exalta mentes brilhantes, mas as descarta com facilidade. Fui cuspido e hoje estou nas ruas. Em São Francisco, como em muitas outras cidades da Califórnia, há vários sem-teto que outrora foram personagens ilustres.

Radesh nunca mais se reergueu. Ele fragmentou sua autoestima, o que asfixiou sua capacidade de se reinventar. E, olhando para seu amigo, o incentivou a compartilhar sua triste história também.

– Me chamo Fernandez. Estava sem documento neste país. Trabalhava 16 horas por dia, de segunda a segunda, para sobreviver. De dia, trabalhava em construção; à noite e de madrugada, limpando restaurantes. Nos fins de semana, cortava grama das casas. Minha esposa não suportou estar casada com um homem que não existia para ela nem para os filhos. Separou-se, vivia melhor sem mim, fazendo limpeza nas casas dos abastados. Mas o pior não foi perder a mulher da minha vida, o pior foi ter perdido meus dois filhos... – E silenciou.

– O que aconteceu? – indagou Florence, preocupada.

– Trabalhava tanto que não dei atenção para meu pobre Gonzalez, meu filho mais velho. Sou um traidor. Traí o tempo que deveria ter dedicado a elogiá-lo, a abraçá-lo, a dialogar com ele.

Os alunos se lembraram das palavras do professor Marco Polo.

– Todos somos traidores. Uns traem a quem amam, mas outros traem o próprio sono, a própria tranquilidade, a própria saúde mental. Cobram demais de si...

– Quando percebi, ele já era um dependente de droga. Tentei ajudá-lo, mas um pai sem tempo e sem dinheiro pode fazer o quê?

Fernandez desatou a chorar. Florence, Alexander, Sam, Victor, Michael e Hiroto ficaram comovidos com sua história. E, por fim, ele a completou:

– Durante a separação, meu filho mais velho morreu de overdose de heroína. – E, depois de fazer esse relato, disse: – Meu filho mais novo mora com a mãe, mas não quer ver a cara do pai fracassado, deprimido. Ele me culpa pela morte do irmão. Diz que não lhe dei atenção. Ele tem razão.

Radesh abraçou Fernandez para consolá-lo.

Os alunos mais uma vez lembraram-se das intrigantes palavras do pensador da psiquiatria, Marco Polo.

Eram dois anônimos que viviam na terra de Hollywood, portadores de uma vida riquíssima, mas ninguém se importava com essas histórias reais, cruas, concretas. Eles saíram pelas ruas de Los Angeles sem direção, buscando o mais importante endereço, um endereço que muitos milionários do Vale do Silício e produtores de Hollywood jamais encontraram: dentro de si mesmos. Havia uma explosão de transtornos emocionais e suicídios nas sociedades modernas e isso tirava o sono de

Marco Polo. Florence abraçou os dois e não se importou com o odor que exalavam. Em seguida lhes disse:

– Gostaria de consolar vocês, mas não sei como. Só posso dizer que todos os dias procuro uma versão melhor de mim. Se eu abraço quem é diferente de mim e ofereço um ombro amigo, hoje sou uma versão melhor de mim. Se contemplo as coisas pequenas e belas ao meu redor, também sou uma versão melhor de mim. Se tenho paciência, se julgo menos e sou mais tolerante, continuo sendo uma versão um pouco melhor de mim.

Radesh olhou para Florence profundamente tocado com sua inteligência e sensibilidade.

– Muito obrigado, mas muito obrigado mesmo. Uma garota sofrida me ensinou que eu não preciso de grandes mudanças, mas apenas buscar a cada dia diminutas versões melhores de mim mesmo. – De repente ele parou, dirigiu seus olhos para o alto e disse: – Olhem para o infinito e ouçam o universo gritando... Conseguem ouvir?

– Como assim? – perguntou Florence.

Os demais alunos olharam um para o outro e deram risadas tímidas achando que o homem estava tendo um surto psicótico. Mas ele os abalou com sua perspicácia e sabedoria:

– Ao dirigir meus olhos para o infinito, me apequeno a tal ponto que meus problemas e conflitos se diluem no espaço-tempo. Mas, quando olho para dentro de mim, eu desmorono, minhas lágrimas parecem maiores que as mais densas nuvens que choram sobre a Terra, minhas perdas tornam-se maiores que as estrelas que explodem quando sua energia diminui e se tornam supernovas, minhas dores inflam mais que o Big Bang e parecem preencher as mais de 100 bilhões de galáxias do universo.

Michael ficou profundamente perturbado com essas palavras. Radesh, sem conhecer a técnica da teatralização da emoção, a praticou. E a TTE o levou a ser transportado, através da empatia, a entender minimamente a dimensão astronômica da sua dor emocional. Fascinado, ele indagou para o grande personagem que vivia na pele de um maltrapilho:

– Mas... Mas, afinal de contas, quem é o senhor?

– Não importa.

– Talvez importe saber que houve um pensador da astronomia que disse que o pensamento do observador altera a realidade, embora, entre o conhecimento do observador e a realidade do objeto, haja um abismo intransponível. Talvez importe também saber que outro pensador, muito inteligente, que admiro, mas que foi tachado de louco, disse que "somos todos meninos brincando nos parênteses do tempo..."

O maltrapilho se virou, fitou bem os olhos de Michael e indagou, curioso:

– Você me conhece?

– O senhor é Radesh Kirsna. Mas, antes do Vale do Silício, onde o senhor trabalhava? – indagou Michael, completamente surpreso.

– Era professor de física teórica.

– Então é o senhor... Alguns dizem que o senhor é o gênio psicótico que anda pelas sombras das grandes cidades.

Radesh parou, pensou e comentou:

– Não é uma reputação tão ruim. De gênio e louco todo mundo tem um pouco.

Radesh tirou da mochila uma garrafa de um uísque barato e serviu seu amigo Fernandez. Em seguida ofereceu a bebida no mesmo copo para os alunos de Marco Polo. Somente Michael e Victor se arriscaram a bebê-la, mas a cuspiram tão logo a colocaram na boca, de tão ruim que era. Após esse encontro com Radesh e Fernandez, esses alunos ficaram de tal forma impactados que começaram a visitá-los com frequência e a construir pontes com outros sem-teto. Aprenderam a recolher as pedras e estenderam suas mãos. Retiraram, pelo menos um pouco, o tapete do preconceito contra esses sem-teto, no qual pisavam, e os abrigaram sob o teto do amor.

Treinados a pensar criticamente, esses alunos começaram a enxergar também algo que nunca haviam notado. Michael sintetizou essa descoberta:

– Há muitos mendigos emocionais, assombrados por medos, angústias, autopunição, pensamentos sequestradores, mas que usavam roupas da moda, celulares ultramodernos e moravam em boas residências. De fato, segundo nosso professor, há 800 milhões de miseráveis que não têm o que comer, mas 99% da população mundial mendiga o pão da alegria e da tranquilidade. São tão desnutridos mentalmente que são incapazes de se perguntar: "Quem sou? Por que vale a pena viver?" Os mendigos emocionais são lentos em acolher e rápidos em atirar pedras verbais: "Seus irresponsáveis!", "Alienados!", "Você não vai virar nada na vida!", "Não me misturo com essa gente!".

Os mendigos emocionais estão lotando as salas de aula, as famílias, inclusive as mais abastadas, as religiões e outras instituições.

Somos uma espécie pobre em empatia e especialista em atirar pedras.

15

O LÍDER PRECISA SE FAZER PEQUENO PARA TORNAR OS PEQUENOS GRANDES

Ao mesmo tempo que um grupo abordava os mendigos, o outro grupo, formado por Peter, Chang, Jasmine, Martin, Yuri e Harrison, foi minerar diamantes emocionais nos solos da personalidade das prostitutas. Sabiam que em muitos becos de Los Angeles havia pessoas que vendiam o próprio corpo, mas nunca tinham adentrado esse submundo. Para eles, ali havia apenas corpos se entrelaçando, sussurros sexuais, instintos satisfazendo-se.

Fazendo ponto numa rua semiescura na periferia da zona leste, havia uma prostituta de roupas bem justas e curtas cujo nome era Samantha. Samantha era uma imigrante ilegal vinda da Sérvia. Tinha 30 anos, mas as rugas ao redor dos olhos e a pele desidratada do pescoço indicavam uma aparência entre 40 e 45 anos. Mas continuava bela pelos padrões tirânicos de beleza. Mentes estressadas sempre foram um fator de envelhecimento precoce do corpo. Sua infância difícil e a adolescência traumatizante a fizeram buscar o sonho americano. Um sonho que se converteu em pesadelo. Sem qualificação nem documentos, tendo que trabalhar dia e noite para sobreviver, depois de dramáticos percalços alguns homens inescrupulosos a obrigaram a vender seu corpo para ganhar a vida, mas em alguns anos seria descartada como uma embalagem que se usa e se joga fora.

Esse grupo de alunos havia sido apedrejado de múltiplas formas, mas toda sua dor não os tornou seres humanos generosos, preocupados com as causas sociais. A síndrome do pensamento acelerado é o mal do século, e a indiferença é o mal das sociedades digitais. Viviam um personagem, mostrando-se felizes, magros, esculturais, mas chorando por dentro. A dor é uma lâmina que pode formar monstros ou lapidar seres humanos solidários. Somente agora estavam sendo lapidados para conquistar um dos melhores prazeres humanos: fazer os outros felizes.

Samantha era um protótipo da violência contra as mulheres. E, para piorar seu drama, ela era alugada por carrascos que se achavam donos de seu corpo. Membros da máfia oriental que atuavam em solo americano ameaçavam denunciá-la ao serviço de imigração se ela não servisse aos seus interesses.

– Vamos, sua vaca. Tem mais um encontro com um homem com o pé na cova – disse sem qualquer compaixão um dos cafetões que a exploravam.

Naquele dia, quando ela recebeu essa ordem, estavam em três. Mal-encarados, vestiam longos blazers para esconder as armas brancas e de fogo que portavam. Mas Samantha estava no limite. Não suportava mais ser tratada como uma escrava sexual.

– Não, não vou – disse, angustiada.

O segundo explorador, o mais alto, insistiu:

– Você vai, sim, sua prostituta. O moribundo vai pagar mil dólares. Ele tem 90 anos. Só vai se divertir. E você ganhará 20%: 200 dólares.

Soltando lágrimas, ela retrucou:

– Não suporto mais. Não irei.

Eles se entreolharam.

– Te daremos 250 dólares, e nada mais – insistiu o segundo.

– Mas qual o preço da liberdade? – disse ela. – Estou deprimida, sem prazer de viver.

– E desde quando prostitutas têm emoções? – perguntou o terceiro, o mais atroz. Era o chefe da organização criminosa, especialista em tráfico de mulheres. – Mas, já que você crê que as tem, te daremos opções: ou aceita o velhote, ou será deportada. Qual a sua escolha?

A segunda possibilidade lhe tirava o sono, seria criminalizada e deportada, se afastaria de seu querido filho, Josef, de 7 anos, ou o levaria consigo para passar fome, pois não tinha pais nem parentes próximos em seu país de origem. O garoto não sabia que sua mãe se prostituía para garantir-lhe a vida.

Ela optou pelo silêncio. Nesse momento, o mais cruel dos exploradores a esbofeteou impiedosamente. Ela gritou de dor.

– Nossa, ela tem sentimentos – zombou o homem sem escrúpulos.

Em seguida, ele a pegou por um braço, o segundo a pegou pelo outro e os dois a arrastaram por mais de 20 metros para colocá-la no carro.

– Terceira opção: morrerá para servir de exemplo para as outras – sentenciou o chefe da gangue.

– Eu vou. Eu vou.

– Tarde demais. Pagamos caro para te trazer ilegalmente para este país dos sonhos e dos pesadelos. Você é uma ingrata – disse ele, referendando sua sentença.

– Deixe-me em paz – bradava ela. E, numa tentativa de irrigar esses psicopatas com um mínimo de compaixão, soltou um segredo que jamais deveria contar. Soluçando, disse-lhes: – Por favor. Tenho um filho para criar.

Surpresos, eles pararam.

– Um filho? Você o escondeu de nós?

Ela ficou rubra. O chefe do grupo arrancou-lhe a pequena bolsa. Vasculhou os espaços ocultos e finalmente encontrou a foto de um garoto de 7 anos. Ele sorria na foto com a mãe. Josef era seu único prazer de viver na América.

– Quarta opção: a morte de seu filho.

– Não, não!

– Espere – disse o chefe. – Não haverá quarta opção. Você já foi sentenciada.

Os alunos de Marco Polo viram a cena de longe e ficaram chocados.

– O que estão fazendo com aquela mulher?

– Não sei, mas parece que a estão espancando – disse Chang. – É melhor irmos embora e chamarmos a polícia.

– Esperem. Lembrem-se da mulher que quase foi apedrejada em praça pública pelos religiosos legalistas. Jesus correu risco de vida por uma mulher que não conhecia. Por que não corrermos risco por ela?

– Está louco, Peter? – perguntou Yuri.

– Vamos cair fora – falou Martin, tenso. – Esses homens vão descobrir onde a gente mora, nos sequestrar, esquartejar e quem sabe algo pior.

– Mas tem algo pior que esquartejar? – retorquiu Chang.

– Peter, o Mestre dos mestres usou de extrema sabedoria para resgatar aquela mulher, mas, nós, que sabedoria temos? – questionou Jasmine.

– A maior sabedoria é o amor pelos feridos. Se não agirmos, ela poderá morrer – respondeu Peter, pela primeira vez mostrando compaixão por alguém que não conhecia.

– Os heróis morrem cedo – afirmou Harrison.

– Não somos heróis. Somos seres humanos preocupados com a dor de outro ser humano – respondeu, e, embora temendo, se desgarrou dos seus amigos e foi até a mulher e seus carrascos.

Jasmine o acompanhou.

– Peter, espere. Vou morrer sem gastar minha grana? – disse Chang, lembrando-se da sua herança, mas ninguém entendeu nada. Não sabiam do seu segredo.

Mas não deu tempo. Peter era impulsivo demais e estava se tornando afetivo demais também. Era um beco sem saída. Ninguém na rua. Parece que todos sabiam que ali não era um lugar recomendado para transitar. Os demais membros estavam bem atrás, caminhavam lentamente olhando para os lados, para não serem percebidos como intrusos. Ao ver um casal, Peter e Jasmine, vindo em sua direção, os exploradores da mulher ficaram apreensivos.

Eles colocaram as mãos por dentro do blazer como se estivessem com a arma em punho.

– Qual seu nome? – indagou Peter para a mulher.

O chefe dos exploradores disse laconicamente:

– Mil dólares por uma hora. Casal paga o dobro.

– Só mil dólares? Essa mulher não tem preço – falou Jasmine.

– Ela vale mais que todo o ouro do mundo – afirmou Peter.

Os exploradores olharam uns para os outros, perturbados.

– Quem são vocês?

Nesse ínterim, não perceberam que os outros quatro membros se aproximavam.

Chang, notando o clima tenso, disse:

– Grandes homens filosofando sobre a vida.

Os exploradores estavam confusos e tensos.

– Subimos o preço. Três mil dólares.

Jasmine, observando os brutamontes toscos, rudes, invasivos, temeu que poderia irromper uma chacina.

– Vocês não estão entendendo... Essa mulher vale seu peso em ouro – falou Jasmine, repetindo a pergunta: – Qual o seu nome?

– Samantha.

Samantha estava confusa, mas sorriu levemente, enquanto o chefe dos exploradores ficava muito tenso com aquele diálogo imprevisível.

– Se não têm dinheiro, caiam fora, não estraguem meu negócio.

Nisso Harrison surgiu sorrateiramente por trás deles e disse:

– Nós não estamos querendo transar, estamos querendo...

Mas os mafiosos o interromperam. Apontaram suas armas para ele. O maioral deles disse:

– Seis jovens. O que desejam? Mamadeira? Colo de mãe?

E revistou-os para lhes roubar os celulares, mas ninguém tinha levado o telefone.

– Sem celulares? Eu não entendo.

Chang rapidamente deu uma de professor. Estufou o peito e afirmou poeticamente:

– Senhores, somos enviados do céu para dizer que essa mulher é linda, única e irrepetível.

– Do céu, não; somos da Terra – rebateu Peter.

O chefe da organização criminosa não acreditou no que estava ouvindo. Um rebatendo o outro. Não sabiam se eles estavam debochando da cara deles, se eram ingênuos ou deficientes mentais. Engatilhou sua arma e disse categoricamente:

– E nós estamos aqui dizendo que vocês serão assassinados.

Chang reagiu:

– Por favor, senhor, não nos mate, somos religiosos.

– Desde quando somos religiosos? – perguntou Peter, irritado.

– Somos religiosos da ordem de São Marco Polo – explicou. E acrescentou: – Ah, Marco Polo, se sobreviver, eu te pego.

O clima ficou tão descontraído que eles deram risadas, perturbando mais ainda os mafiosos. Mas estes já não estavam tão irados.

– Ótimo. Religiosos morrem mais felizes. Ajoelhem-se – ordenou o chefe dos criminosos.

– Por que querem matar inocentes? São deuses? São imortais? Não enfrentarão as barras da justiça? – perguntou Peter.

Jasmine completou:

– Cometa essa chacina e toda a polícia de Los Angeles e de toda a nação estará atrás de vocês. Acham que somos insignificantes?

– Se eu morrer, até a máfia chinesa cairá em cima de vocês.

Eles se entreolharam, perplexos; parecia que estavam dentro de um filme. E começaram a pensar que de fato um assassinato coletivo seria um escândalo nacional. Pensar é um perigo para quem quer morrer ou matar.

– Quem são vocês? – insistiu um deles, ansioso.

– Somos aqueles que hackeiam celulares, peritos em causar perturbação social, rebeldes contra o sistema e agora resgatadores de fascinantes Samanthas – respondeu Yuri, emocionado.

– Cara, você arrasou – comentou Chang.

Dois bandidos coçaram a cabeça. Então Peter falou para eles:

– Já pensaram como é terrível mofar num presídio federal? – E completou: – Vocês podem ficar milionários usando a inteligência para outros projetos, e não para explorar mulheres inocentes.

– Calem a boca! – disse o chefe.

Jasmine, vendo que estavam mais maleáveis, embora mais tensos, e ouvindo uma sirene a distância, deu um golpe fatal:

– Ouçam a sirene. Atirem agora ou caiam fora e nunca mais perturbem essa mulher.

Nunca ouviram tanta ousadia. Aqueles sociopatas não acreditavam no que estavam vendo e ouvindo. Envolvidos pelo medo, entraram no carro e caíram fora.

Samantha ficou paralisada, sem ação. Nunca alguém se arriscara por ela. Agora um grupo de jovens a protegeu. Chang não perdeu a pose. Caiu na gargalhada.

– Eu sabia que tudo ia dar certo.

– Sabia uma ova – disse Martin. – Você disse que iria pegar Marco Polo.

– Pegar no colo, agradecer-lhe por se tornar meu treinador – falou Chang, sempre levando tudo na brincadeira.

Todos sorriram no meio do caos. Samantha lhes disse:

– Vocês falaram que sou mais importante que todo o ouro do mundo, que sou única e irrepetível. Como assim?

– Exatamente, senhorita. Uma mulher espetacular, encantadora, fascinante, belíssima – disse Chang, exagerando nos adjetivos e lhe dando um longo beijo no rosto.

– Chaaaang – advertiu Jasmine.

Mas Samantha topou a brincadeira:

– Com esse palhaço ninguém precisa ir ao cinema assistir a uma comédia.

Todos riram.

– Mas não encontrarás melhor ator do que eu, Samantha – disse Chang, e começou a imitar a voz de alguns presidentes dos Estados Unidos: George W. Bush, Obama, Trump.

Realmente ele era um notável ator.

Depois ela pensou e perguntou:

– Mas de que grupo ou instituição vocês são?

Chang rapidamente respondeu:

– Da instituição dos malucos! Fomos considerados alunos irrecuperáveis, dementes, pirados, e por aí vai.

– Hoje estamos ficando pirados para ajudar um pouquinho a humanidade – completou Jasmine.

Samantha comentou, sensibilizada:

– Eu entendo. É duro viver na periferia da sociedade. – E, deixando escapar algumas lágrimas, começou a contar sua história: – Eu morava na Sérvia. Meu pai abandonou minha mãe quando eu tinha 1 ano. Minha mãe, filha única, era garçonete num restaurante. Quando eu tinha 12 anos, ela morreu de câncer. Foi muito triste ver minha mãe se despedir da vida lentamente. Fui morar na casa de uma amiga dela, que era casada. Sonhava em ser médica. Mas meus sonhos foram interrompidos. Fui abusada sexualmente pelo marido dela e, durante três anos, ele abusou de mim e me ameaçou para que eu não contasse nada para sua esposa. Minha vida foi uma história de pressões, ameaças e violências indescritíveis.

As poucas lágrimas iniciais se converteram numa pequena catarata. Por fim, com 15 anos, Samantha foi parar nas ruas de Belgrado, a capital. Preferia se prostituir a viver debaixo do mesmo teto que o seu predador sexual. Até que um homem lhe ofereceu trabalho numa empresa nos Estados Unidos. Promessas lindas, mas mentirosas. E desse modo ela passou a ser explorada sexualmente como se fosse um objeto, não um ser humano completo e complexo.

– Eu odeio me prostituir – confessou. – Mas fui pressionada a isso para não ser deportada. A vida me foi injusta, como tem sido com milhões de outras crianças e adolescentes. Mas felizmente tenho meu pequeno Josef.

Ao ouvir toda essa dramática história, os seis alunos a abraçaram prolongada e afetivamente.

– Você não está mais só.

– Tem alguns amigos que estarão com você faça chuva ou faça sol.

Ela sorriu e disse com segurança:

– Se vocês correram risco por mim quando eu estava prestes a morrer, tenho certeza que conquistei verdadeiros amigos. A amizade talvez seja o começo do sonho americano.

E os "rebeldes" a convidaram a participar de algumas das aulas de Marco Polo. Além disso, eles a ajudaram a encontrar um emprego em que fosse tratada com dignidade e a legalizar sua permanência no país.

Aprenderam assim a recolher suas pedras e alargar seu coração emocional. Antes do treinamento, todos eles pareciam independentes e livres, mas, no âmago de seu psiquismo, tinham um vazio inextinguível, um tédio insuportável, uma falta de sentido existencial asfixiante. Então descobriram um dos mais excelentes prazeres humanos: dar o melhor de si para fazer os outros felizes.

Os criminosos que exploravam a ela e a outras mulheres naqueles becos foram denunciados. A polícia passou a perseguir essa máfia das emoções. Logo os olheiros de Vincent Dell, como fariseus da era moderna, mostraram a filmagem de longe, em que os alunos entram em "atrito" com mafiosos e se relacionam com uma prostituta. O reitor ficou sabendo que isso fazia parte dos exercícios de Marco Polo e ficou possesso. O psiquiatra, por sua vez, recebeu Samantha, que ainda usava trajes sensuais, em uma sala particular da instituição. Iria ajudá-la como psicoterapeuta. No momento da primeira entrevista, ela passou mal, teve vertigem e Marco Polo precisou apoiá-la para que não desmaiasse. Os "informantes" os fotografaram de tal modo que deu a entender que eles estavam se beijando.

No dia seguinte, Marco Polo também recebeu os maltrapilhos Radesh e Fernandez, que seriam encaminhados para atendimento por sua equipe para que se tornassem autores de sua história mesmo que o mundo tivesse desabado sobre eles. Num momento da entrevista, Radesh, ao recordar sua história, bradou: "Eu preciso matar! Matar todos os fantasmas que me assombram!" Eles foram filmados e as imagens foram editadas para dar a impressão de que ele queria cometer um assassinato coletivo na universidade.

Vincent Dell, diante das provas que forjou, abriu um processo disciplinar urgente contra Marco Polo por ele estar colocando seus alunos em situação de altíssimo risco, bem como a instituição, por trazer mendigos psicóticos com alta periculosidade e por praticar orgias sexuais com prostitutas. As acusações eram seríssimas. O conselho acadêmico se reuniu emergencialmente. Marco Polo, além de ser processado criminalmente, teria grande chance de ser varrido para sempre da universidade. Os justiceiros continuavam a atirar muitas pedras.

16

O LÍDER PRECISA SUPERAR O CAOS: PRIMEIRO LINCHAMENTO

Marco Polo estava na reunião de conselho acadêmico, que era constituído de vinte intelectuais: quinze homens e cinco mulheres. Soube de todas as acusações previamente e percebeu que Vincent Dell armara tudo para destruir seu projeto de formar líderes a partir do grupo de alunos considerados incorrigíveis que ele escolhera. Se as ferramentas inusitadas do Mestre de Nazaré funcionassem, isso poderia colocar em xeque seu plano de irrigar sua universidade com os *Robo sapiens* para realizar tanto tarefas operacionais menos complexas quanto tarefas sofisticadas, envolvendo atendimentos e técnicas psicopedagógicas. The Best seria o protótipo de uma nova era não apenas no mundo acadêmico, mas em toda colcha de retalhos das sociedades humanas. Mas o que Marco Polo não sabia é que havia uma ambição cega por trás de tudo isso. Esperto, o reitor era detentor de muitas patentes da construção do *Robo sapiens*. Sonhava em lançar sua empresa na bolsa de valores das empresas digitais, o que poderia torná-lo um dos homens mais ricos do mundo.

– Vejam as fotos e as imagens. Marco Polo expôs seus alunos ao risco de morrer, protagonizou libertinagens sexuais e trouxe potenciais assassinos para dentro da instituição, colocando em risco todo o corpo discente e docente. Ele fala que estamos na era dos idiotas emocionais, mas na realidade ele é quem quer nos fazer de idiotas – disse Vincent com sangue nos olhos.

Enquanto as fotos e imagens passavam num telão, o psiquiatra se manteve em silêncio. Sabia que o julgamento era político e já estava selado. Pensava numa estratégia para responder, mas parecia não haver saída.

– Seu silêncio é sua confissão, Dr. Marco Polo – falou rispidamente Vincent Dell.

– Não. Meu silêncio é a expressão da minha perplexidade diante de um julgamento que você armou através das imagens que editou.

– Você está louco, Marco Polo. Veja esse maltrapilho bradando: "Eu preciso matar! Matar todos os fantasmas que me assombram!" Esse homem pode matar inúmeros alunos e professores inocentes, causar uma violência sem precedentes nesta universidade. Como teve a coragem de trazer esse assassino para estas dependências?

Os membros do conselho ficaram temerosos. Enquanto Vincent Dell o transformava num professor irresponsável, subitamente apareceu um maltrapilho passo a passo. Era Radesh Kirsna.

– Eis o assassino! – bradou Vincent Dell.

O pânico foi geral. Mas Radesh, mostrando suas boas intenções, tirou seu velho blazer esfarrapado e ficou só de camiseta, o que revelava que ele não portava nenhuma arma. Logo depois, levantou as duas mãos, como se tivesse sido rendido por policiais. O conselho acadêmico se aquietou aos poucos e passou a ouvir o emocionalmente fragmentado mas inteligente maltrapilho.

– Eu sou Radesh Kirsna.

– O senhor não está autorizado a falar – retorquiu Vincent Dell com autoridade.

Mas, quando ele falou seu nome, alguns membros do conselho ficaram pasmados. Conheciam a fama do intelectual que teve surtos psicóticos e abandonou tudo. Sabiam que ele era um intelectual da física pura. Dois membros do conselho já haviam feito cursos com ele. Um deles rapidamente falou:

– Dr. Vincent, por favor, precisamos ouvir o Dr. Radesh Kirsna.

Em seguida Radesh assegurou:

– Não ofereço perigo, a não ser para mim mesmo.

– Como o senhor adoeceu? O que aconteceu? – perguntou outro intelectual que já fora um de seus alunos. Estava muito curioso.

Radesh parou, fitou-o e lhe respondeu:

– Eu já estive sentado numa dessas cadeiras em outra universidade. Era arrogante e insensível, não sabia que o mundo é cíclico, que o sucesso e o fracasso, a sanidade e a loucura se alternam em nossas vidas. Como professor de física pura, senti essa alternância ao experimentar a dramaticidade da força da gravidade emocional.

– Vamos terminar com esse show pirotécnico de ideias desconexas! – pediu Vincent Dell.

Houve um burburinho no grupo. Alguns pensavam, como o reitor, que Radesh ainda estava delirando, mas, na realidade, estava usando a física para falar metaforicamente sobre sua dilacerada história. E, para fascínio do comitê acadêmico, completou seu raciocínio:

– Einstein, contrariando Isaac Newton, disse que a força da gravidade não são dois corpos se atraindo e que, na verdade, os corpos maiores deformam o espaço, e tudo que está ao seu redor começa a girar em torno deles. Quando asfixiei minha capacidade de inovar, me atolei em dívidas e perdi minha família, minha mente se tornou um corpo celeste gigantesco que deformou todo o espaço ao meu redor. Os corpos celestes da autopunição, do sentimento de incapacidade, do medo do futuro e da depressão giravam em minha órbita mental, colapsando minha intelectualidade. E simplesmente não suportei.

Seus olhos umedeceram, mas ele não foi capaz de chorar. Uma professora de psicologia lhe disse:

– O senhor ainda é muito inteligente.

– Não sou inteligente, doutora. Sou um mendigo socialmente insignificante. Eu queria matar todos os fantasmas mentais que me assombram. Mas o Dr. Marco Polo me disse que é impossível, só é possível reeditá-los. Portanto, estou aprendendo a ser um caminhante que anda no traçado do tempo em busca do mais importante endereço, o lar dentro de mim mesmo.

Muitos do comitê nunca tinham encontrado esse fundamental endereço.

– O senhor poderia tentar voltar à cátedra – falou um intelectual da astronomia que não fora um de seus alunos, mas já ouvira falar de sua genialidade.

Radesh parou, respirou lenta e profundamente e disse:

– Quem sabe... Estou à procura de uma versão melhor de mim mesmo.

E saiu sob os aplausos do comitê universitário. Vincent Dell não sabia onde enfiar a cara. Mas desferiu o golpe:

– Do mal-entendido sobre assassinato coletivo o Dr. Marco Polo se livrou, mas, agora, das orgias sexuais, em hipótese alguma.

Quando o reitor estava terminando de falar, eis que Samantha apareceu no ambiente, correu até Marco Polo e o abraçou. Beijou-o delicadamente na face. Vincent Dell, sorrindo, olhou para seus pares do conselho e disparou:

– Eis a prova viva.

Mas Samantha tomou a palavra e intrepidamente defendeu Marco Polo:

– Vocês acham que Marco Polo teve um caso com esta prostituta dentro da universidade? Pensam também que seus alunos são inocentes e não sabiam dos riscos que corriam ao defender uma mulher que vivia à margem da sociedade?

Todos ficaram perturbados. Vincent tomou a frente:

– Você não foi chamada a opinar. Saia desta sala.

– Não posso opinar, senhor reitor? Eu estou no centro deste julgamento. Acham que as prostitutas não têm vertigens nem desmaiam e não podem ser socorridas por um médico, tal como mostram as imagens que os senhores viram? Acham que elas não pensam? Que não têm uma história? Que não têm pesadelos nem choram? E vocês, intelectuais, não choram, não têm pesadelos nem momentos insanos?

Todos ficaram chocados com a intervenção dela. Samantha continuou:

– Eu fui "comprada" como escrava sexual e trazida a este país que preza tanto os direitos humanos. Exploraram minha alma, devoraram meus sonhos, retalharam meus pulmões a tal ponto que eu não conseguia mais respirar. Já se sentiram sem oxigênio para viver? A única coisa que me animava quando me deitava como um animal sexual era que eu tinha um filho e que um dia ele poderia ter uma vida melhor que a minha. – E, lacrimejando, finalizou: – Os alunos que Marco Polo treinou correram riscos, sim, mas foram poderosos, metralharam mentalmente com bom humor e sua inteligência meus carrascos com armas de aço. Nunca imaginei que seria resgatada de maneira tão sublime por alunos considerados marginais pelo seu sistema acadêmico. Eles me fizeram sentir o sabor de ser um ser humano, um simples ser humano.

E, depois de sua fala, ela beijou a face do psiquiatra e lhe agradeceu:

– Muito, mas muito obrigada.

E partiu passo a passo.

Enquanto ela saía da audiência, alguns membros do conselho aplaudiram-na. Foi um momento mágico em que a intolerância social deu lugar à sensibilidade e à empatia. Após Samantha sair, Marco Polo olhou para o conselho acadêmico e concluiu as palavras dela:

– No mundo todo, a indústria de seguros é poderosíssima, mas rarissimamente alguém faz seguro emocional. Não apenas Samantha não tinha proteção, e muito menos seguro emocional, mas praticamente todos nós.

– Está dizendo que nossa mente é terra de ninguém? – questionou um intelectual da medicina, membro do conselho.

– Exatamente, senhor.

– A casa mais humilde tem porta e janelas, mas nossa mente, a mais complexa casa, não tem qualquer proteção.

– Mas isso é uma loucura! – disse um intelectual da física.

– Loucura ou não, o ser humano de todas as eras a viveu.

– Absurdo. Suas teses são irreais – afirmou Vincent Dell.

The Best não estava presente.

Mas um conselheiro que era um cientista da astronomia não deu importância à intervenção do reitor. Indagou, curioso:

– Marco Polo, está sugerindo que nosso sistema educacional está falido? Que forma técnicos, mas não mentes seguras?

– Não. Estou afirmando. Há duas formas de se fazer uma fogueira e se aquecer. Com sementes e com madeira seca. Qual é a mais adequada?

– É óbvio, Dr. Marco Polo, que com madeira seca. Com sementes é quase impossível se aquecer – respondeu um intelectual da sociologia.

– Sinto muito, senhor, mas a resposta está errada. As universidades usam a madeira, mas logo ela se acaba e o frio retorna. Plante sementes e assim haverá uma floresta inteira de madeira para se aquecer.

Os conselheiros ficaram impressionados. Vincent Dell, vendo que foram seduzidos, tentou interromper sua fala:

– Vamos acabar logo com isso!

– Espere, Vincent. O senhor está plantando sementes no psiquismo desses alunos considerados rebeldes? Estou usando ferramentas que desenvolvi, mas a maioria extraí do maior educador de todos os tempos: o inteligentíssimo Homem de Nazaré. Ele ensinou o ser humano a fazer muito do pouco, a olhar o invisível, a diminuir seu tom de voz nas disputas, a elogiar quem erra mais do que criticar seus erros, a ter coragem de aplaudir os diferentes, a pacificar conflitos. Ele treinou o Eu dos seus alunos a ser livre, autônomo, autocontrolado, gestor da própria emoção. Para ele, ensinar era provocá-los a serem líderes de si mesmos antes de liderar um grupo social.

– Surpreendente, Dr. Marco Polo, mas... mas Jesus morreu há muito tempo – disse, intrigado, o intelectual da física.

– Sim, mas a sua morte na cruz turbinou seu revolucionário projeto educacional de reescrever a humanidade, independentemente do bombástico significado espiritual que essa morte representa para as religiões. Ele enterrou suas sementes e elas brotaram. Sob os ângulos da psicologia e da sociologia, o Mestre dos mestres não saiu de cena quando morreu, pois as sementes não morrem. Ele estava vivo em meus alunos quando eles viram lírios do campo no âmago de uma prostituta. Mas e vocês? Têm visto lírios do campo em quem os rodeia? Talvez nem nas pessoas que amam. Talvez...

A grande maioria era emocionalmente cega, não via lírios do campo em nada nem ninguém. Eram incapazes de dizer a quem amam: "O que te sequestra? Quais pesadelos te asfixiam? Que sonhos te controlam? Obrigado por existires!" Vincent Dell queria gritar, espernear ou devorá-lo vivo, mas não conseguiu dessa vez. Marco Polo saiu da sala deixando todos boquiabertos. Plantar sementes é uma tarefa quase anônima, sem mágica ou heroísmo, mas os resultados são incontroláveis.

17

PREDADOR DOS SONHOS

Os alunos de Marco Polo submetiam-se semanalmente aos mais diversos treinamentos. Alguns eram realizados por meio de discursos em praças públicas, sob os mais diversos temas, como direitos humanos, injustiças sociais, discriminação. Peter, Florence, Jasmine, Chang, Victor, Michael, Alexander e os demais se tornavam cada vez mais ousados e eloquentes. Centenas de pessoas se reuniam para ouvi-los, sempre causando tumultos e polêmicas.

Certa vez discorreram sobre a discriminação racial numa enorme praça ajardinada onde passavam milhares de pessoas ocupadas na própria mente ou acessando seus celulares. Ninguém prestava atenção em ninguém. Os alunos fizeram um tablado de madeira e depois começaram a convidar os transeuntes.

– Venham! Senhoras e senhores, se aproximem! Vai começar o show! – dizia Chang, batendo num bumbo e depois fazendo alguns malabarismos.

Michael questionou em alto e bom som a plateia que se aglomerava:

– Já pensou se os negros tivessem escravizado os brancos?

E, para espanto de todos, começou a fazer a TTE a céu aberto. Ele, de pele negra, se colocou como senhor de escravos brancos. Rasgou impiedosamente a camisa de Peter e de Florence. Esta ficou só com seu sutiã. Pegou uma haste que parecia um chicote e começou a dar nas costas deles. A haste tinha uma tinta vermelha que, ao tocar nas costas deles, parecia sangrá-las. A cena era dramática. Michael bradava sem parar:

– Brancos miseráveis. Obedeçam, seus animais! – E continuava chicoteando-os.

– Não me machuque mais, senhor! Jamais fugirei outra vez – proclamava Peter, gemendo e chorando.

– Jamais fugirá de seu dono? Morrerá para servir de exemplo – gritava Michael raivosamente.

As pessoas na plateia colocavam as mãos na boca, perplexas. Nunca haviam visto essa troca de escravos.

– Eu tenho um bebê. Não me mate – suplicava Florence.

– Você é um animal feito para procriar, e não para pensar – bradou Michael novamente.

Depois eles interrompiam a cena e bombardeavam a plateia com questionamentos. Michael levantou seu chicote e indagou:

– Qual a diferença entre um negro, como eu, e um branco? Apenas a fina camada da cor da pele, pois nós, de pele negra, temos mais melanina. E essa fina camada jamais deveria servir de parâmetro para discriminar dois seres humanos que pensam e sentem igualmente. Somos uma família, uma espécie, uma humanidade. Somos irmãos – proclamou Michael, emocionado.

Alguns poucos atiravam objetos que tinham nas mãos, revelando ódio, mas a maioria, sensibilizada, atirava-lhes flores e os aplaudia. Muitos os filmavam e compartilhavam nas redes sociais. Embora criticassem o culto à celebridade, era inevitável que ficassem expostos.

Florence vestiu sua camisa rasgada e, intrépida, discursou:

– Em 1863, o presidente Lincoln assinou a emancipação dos escravos, mas, cem anos depois, Martin Luther King estava nas ruas deste país para defender os direitos civis dos negros. Por que a discriminação continuava um século depois? Porque os escravos foram libertados na Constituição, mas não através da educação. Se fizessem a técnica da teatralização da emoção nas escolas quando se ensina história, teríamos ceifado a discriminação em sua raiz. Mas a educação racionalista, cartesiana, fria, ao falar dos escravos sem teatralizar a dor que sentiram, expande ou no mínimo perpetua a discriminação.

Florence recebeu muitas palmas acaloradas. Era uma ousadia o que eles estavam solicitando. Estavam propondo uma revolução socioemocional nas aulas de história.

E Peter, diante de uma plateia atenta, acrescentou ao raciocínio dos seus amigos:

– Eu fui um supremacista branco. Era radical, cego e emocionalmente estúpido. Se eu tivesse sido educado para compreender o complexo processo de formação de pensamentos, abraçaria mais e me afastaria muito menos dos meus irmãos de pele negra. Vocês conhecem sua mente? Por que são *Homo sapiens*? Porque penetramos complexamente em nossa memória em milésimos de segundo e, em meio a milhões de opções, resgatamos verbos, substantivos, adjetivos e construímos as cadeias de pensamentos.

Chang completou a tese de Peter:

– Como negros, brancos e amarelos abrem as janelas da própria memória e resgatam o endereço das informações? Como unem as peças para formar os milhares de pensamentos diários? Não sabemos! Só sabemos que somos infantis quando nos discriminamos, porque todos os povos pensam da mesma forma. Somos incrivelmente sofisticados, dramaticamente iguais.

Centenas de pessoas ouviam euforicamente esses jovens. Alguém da plateia bradou:

– Bravo! Parabéns aos pequenos Martin Luther King apaixonados pela humanidade.

E, sob aplausos, os alunos desciam do tablado e iam abraçar os negros, os brancos, os asiáticos. E começavam a dançar juntos. Era uma festa de emoções. Marco Polo os observava de longe e se alegrava, com um sorriso brando em sua face.

Nos outros dias faziam debates e discursos em outros lugares sobre os direitos dos imigrantes, a desigualdade de salários das mulheres em relação aos dos homens, a solidão dos idosos abandonados pelos seus íntimos, a intoxicação digital que estava gerando um incremento assombroso no número de transtornos psíquicos e suicídios. Sobre este último tema, ocorreu algo emblemático. Naquela mesma semana, numa grande festa escolar, eles causaram um tumulto ao debater sem permissão da direção.

– Quem usa os celulares no sábado e no domingo mais de quatro horas por dia? – indagou Florence para pais, professores e alunos ao pegar o microfone do técnico que testava o som.

A grande maioria levantou a mão, o constrangimento era visível.

– E mais de oito horas?

Muitos ainda levantaram a mão.

– Vocês não têm vergonha?! – disse ela brincando. Muitos sorriram. Ela completou: – Jovens e adultos, desliguem seus celulares nos fins de semana. Apenas os usem como telefone. Suas maiores celebridades, seus verdadeiros seguidores, são seus irmãos, seus pais, seus amigos, apesar dos defeitos deles. Curtam-se uns aos outros, tenham contato com a natureza, joguem conversa fora. Vivam a vida real!

– É isso aí, Flooooreeeence! – bradou alto Sam. E completou: – Eu não sabia namorar a vida, mas estou aprendendo agooooooraaaa! Namorem a vida. Pais e filhos, se beijem! – solicitou.

Pasmados com os dados apresentados por Florence e pegos de surpresa pela sugestão de Sam, se beijaram. Por incrível que pareça, foi a primeira vez que alguns pais foram afetivos com seus filhos adolescentes.

– Quem usa o celular na hora do almoço ou do jantar? – indagou Yuri. A grande maioria levantou a mão. – Parabéns, vocês são criminosos emocionais!

Hiroto advertiu:

– Cuidado! O celular é uma bomba para o sono. Não devemos usá-lo duas horas antes de dormir, pois o comprimento de onda azul da tela bloqueia a produção de melatonina, que é a molécula de ouro do sono. A insônia é a mãe de grande parte das doenças mentais.

– Eu era insone, vivia loucão! Quem tem insônia ou dorme mal? – indagou Chang.

A maioria levantou a mão.

– Um bando de malucos! – completou Chang. Muitos deram gargalhadas.

– Então vamos fechar a escola e abrir um manicômio – sugeriu Victor, brincando, já que não era mais vítima das teorias da conspiração.

Mais risadas, embora alguns tivessem vontade de chorar.

– Não sejam mendigos emocionais. Gastem conquistando o que o dinheiro não pode comprar – aconselhou Michael.

Depois Peter e Chang arrasaram. Fizeram a técnica da teatralização da emoção. Nessa técnica Peter era o pai e Chang, o filho, um bebê.

– Muitos pais conversam com seus filhos quando eles não sabem falar – declarou Peter.

Chang chupava uma chupeta e depois a tirava e balbuciava:

– Gugu-dadá, gugu-dadá.

– Filho, vamos conversar com o papai? Fale tudo que você pensa!

– Gugu-dadá, gugu-dadá.

– Só gugu-dadá? Você é a coisa mais fofa do mundo. Vamos falar sobre futebol, economia, política – disse Peter, ironizando.

Mas o pequeno Chang só dizia:

– Gugu-dadá, gugu-dadá.

Em seguida Peter comentou:

– Mas, quando os filhos crescem e aprendem a conversar, o que acontece? Os pais frequentemente se calam. – E prosseguiu: – Menino, você está muito agitado – falou para Chang-criança, que não parava de se mexer.

Depois o garoto Chang pediu:

– Ô paizão, vamos bater um papo.

– Agora não.

– Só um pouco.

– Sai para lá, garoto chato. Já disse que agora não.

– Mas, pai...

– Estou ocupadooo! – E mexia freneticamente em seu celular.

– Mas, coroa...

– Coroa é a tua vó. Não importune. Tô ligado na minha rede social.

Muitos pais ficaram paralisados, pois no fundo eram impacientes para ouvir e conversar com seus filhos sobre o mundo deles. Depois disso, Jasmine entrou em cena e deu nos educadores outra lambada que aprendera com seu mestre Marco Polo. Disse:

– Muitos pais tiram o terno e a gravata e procuram roubar um sorriso dos filhos quando eles não entendem a piada, mas, quando eles crescem e a compreendem, vestem novamente o terno e a gravata e começam a apontar falhas. Que loucura!

Peter completou seu raciocínio com maestria:

– Vamos mudar a era da educação: da era do apontamento de falhas para a era da celebração dos acertos.

– Pois quem é um apontador de falhas está apto para consertar máquinas, mas não a formar filhos livres e brilhantes – arrematou Florence.

As pessoas estavam perplexas com a leveza e seriedade com que tratavam o tema. Pensaram que a escola tivesse contratado um grupo de atores profissionais para os alertar. E o diretor, apesar de estar abalado positivamente com a abordagem daqueles rebeldes, foi até o palco e lhes tirou o microfone. Mas Michael disse:

– Se nós não falarmos, senhor, os cérebros deles gritarão.

– Gritarão como? – indagou o diretor.

– Através de dores de cabeça, taquicardia, aperto no peito e outros sintomas psicossomáticos.

– Então falem – liberou o diretor.

Mas nem tudo eram flores nos exercícios socioemocionais dos alunos de Marco Polo. Na semana seguinte eles invadiram uma famosíssima exposição de moda. Centenas de modelos expondo os últimos lançamentos dos principais estilistas da França, da Itália e dos Estados Unidos. Diante de celebridades, fotógrafos e de um batalhão de jornalistas, eles subitamente subiram na passarela e começaram a causar um terremoto emocional.

Chang falou em voz alta:

– Cadê as gordinhas? Eu sou apaixonado pelas fofas e rechonchudas.

Todos se entreolharam e pensaram que o desfile estivesse inovando com uma peça teatral. Mas o teatro assumia ares de terror para o sistema que impunha padrões tirânicos de beleza.

– Onde estão as mulheres que representam a massa? – indagou Jasmine. – Cadê as mulheres com estrias, rugas, culotes, barriguinha?

Florence foi mais longe:

– Eu já tive bulimia. Fui vítima da ditadura da beleza. E hoje há mais de 70 milhões de pessoas, a maioria mulheres jovens, com transtornos alimentares, vítimas da bulimia, da anorexia e da vigorexia. Isso não lhes pesa na consciência, senhoras e senhores? Esses desfiles, que só valorizam o corpo magérrimo, esquálido e desnutrido, são biografados no cérebro e estão assassinando a autoestima das mulheres no mundo. Apenas 3% delas se veem belas! Não se calem! Não sejam predadores da autoestima!

O tumulto foi tão grande que rapidamente os seguranças foram acionados e começaram a levá-los à força. Ao ser arrastado em plena passarela, Peter bradava altíssimo:

– Essas modelos que vocês clicam estão há mais de 7 horas sem comer. Sabem por quê? Para não criarem nenhuma saliência em suas barrigas durante o desfile. Libertem-nas! Elas têm uma chance 20% maior de ter depressão e outros transtornos emocionais! Libertem-nas!

Foram tirados a tapas e empurrões do ambiente. Foi um escândalo nacional e internacional. As palavras deles ganharam ar de heroísmo em algumas revistas e nos movimentos que defendiam os direitos das mulheres. O escândalo foi tal que levou alguns estilistas a começarem a repensar a ditadura atroz da beleza. Os rebeldes foram levados para a delegacia e permaneceram um dia presos. Marco Polo pagou a fiança deles. Logo após saírem, o pensador da psiquiatria, em vez de lhes dar uma advertência, disse:

– Parabéns. Eu não teria feito melhor. Vocês estão indo mais longe que o mestre. – E completou: – Esse era o sonho também do Mestre dos mestres. Ele disse que seus discípulos fariam coisas maiores do que ele.

Florence, Jasmine, Peter, Chang, Martin, Michael, Hiroto, Yuri, Harrison, Sam, Alexander e Victor saíram da cadeia e, como estavam ficando famosos, várias pessoas queriam tirar selfies com eles. Gentis, os jovens as permitiam. Marco Polo os observava longamente. Eles estavam eufóricos e orgulhosos do êxito que alcançaram.

– Queridos alunos, para comemorar o êxito de vocês, mais um pequeno treinamento. A partir de amanhã de manhã, vocês vão ficar uma semana sem dinheiro nem cartão de crédito e sairão de dois em dois para ensinar as ferramentas de gestão da emoção que aprenderam para todas as pessoas que lhes abrirem as portas.

– Sem cartão de crédito? Isso é loucura – afirmou Chang, que estava endinheirado.

– Mas do que viveremos? – indagou Jasmine.

– Do que lhes oferecerem – afirmou Marco Polo.

– Mas poderemos morrer de fome... – retrucou Michael.

– Talvez emagreçam uns bons quilos.

– Mas pelo menos podemos trabalhar? – perguntou Peter.

– Sim, mas sem remuneração.

– Está brincando, mestre?

– Nunca falei tão sério. Se o que vocês aprenderam vale ouro, será possível que as pessoas sejam generosas e lhes deem de comer e local para dormir. Entrem na casa das pessoas e comam o que lhes oferecerem. Se não lhes oferecerem nada, poderão encontrar restos de comida nas lixeiras dos restaurantes.

Uma semana depois eles tornaram a se reunir. Ao invés de estarem mais magros, ganharam algum peso. Por alguns foram recebidos com deboches; por vários outros, com honrarias. Por alguns foram desprezados, mas pela maioria foram aplaudidos. Perceberam coletivamente que as pessoas estavam sedentas das ferramentas que lhes ofereciam.

Peter e Chang formaram uma dupla. Depois de dormirem na casa de americanos e hispânicos, em bordéis, e de ajudarem 15 pessoas a se reinventarem, caminhavam à noite e subitamente encontraram um homem em cima do parapeito de um viaduto. Aproximaram-se dele rapidamente, mas ele, ofegante, os rejeitou:

– Não se aproximem.

– O que está ocorrendo? – indagou Chang.

– Acabou! Vou me atirar deste viaduto. Nada tem sentido para mim – sentenciou. E fez um gesto de que ia se atirar.

Peter se lembrou de seu mestre e da arte das perguntas.

– Acha inteligente ser esmagado pelos carros lá embaixo em troca de uma noite tranquila na solidão de um túmulo?

– O que você está dizendo? – perguntou ele voltando-se para Peter. Chang entrou em ação:

– O senhor sabia que os suicidas são assassinos?

– Assassinos? Como assim?

– Os suicidas assassinam a si mesmos, mas depois matam lentamente os que os amam.

O homem nunca tinha pensado nisso.

– Mas estou atolado em dívidas. Sou um fracassado, derrotado, deprimido. Matando-me deixaria de dar trabalho para meus dois filhos e minha esposa.

– Errado, senhor. Acha que não os estaria atirando também deste viaduto? Acha isso justo? – questionou Peter.

O homem caiu em prantos.

– Qual é o seu nome? – perguntou Chang.

– Robert.

– Senhor Robert, sabia que quem quer morrer na realidade tem sede e fome de viver?

– Não estou entendendo! – disse o homem, abalado com os dois jovens.

E os dois se aproximaram, retiraram Robert do parapeito e começaram uma longa conversa:

– O senhor quer matar sua dor, não sua vida. Vamos ajudá-lo.

E assim os alunos de gestão da emoção ensinaram a Robert a técnica do DCD e a mesa-redonda do Eu, para que ele deixasse de ser vítima e passasse a ser protagonista da própria história. E o encaminharam rapidamente a um serviço de psiquiatria. Ele já tinha passado por tratamentos frustrados antes, mas, com as técnicas que aprendeu, conseguiu turbinar sua terapia.

O prazo de um ano de treinamento de Marco Polo estava quase chegando ao fim. Os alunos mostraram uma notável capacidade de se reinventar, de dar respostas fascinantes nos focos de estresse, uma resiliência impressionante e uma habilidade surpreendente para influenciar pessoas. O treinador temia o estrago que o poder e a fama poderiam lhes causar. Faltavam as últimas lições.

18

FORMANDO A MAIOR STARTUP MUNDIAL DE EDUCAÇÃO

Marco Polo estava na casa de Sofia, relaxado, tranquilo, relatando o progresso de seus alunos. Citava o nome deles um por um e comentava seus comportamentos. Ela, por sua vez, estava fascinada com a capacidade desses alunos problemáticos e desacreditados de dar um salto consistente em sua intelectualidade e em sua agenda emocional. Depois de ouvir os relatos, beijou-o suavemente, descolou seu rosto do dele e o cumprimentou com entusiasmo:

– Esse treinamento foi uma jornada épica, mas você teve êxito. Estou orgulhosa.

– O mérito é deles. Mas um professor nunca descansa. Sempre há situações imprevisíveis e acidentes inesperados.

– Sua responsabilidade está chegando ao fim. Eles terão de caminhar sós. E certamente impactarão a sociedade em que se encontram.

– Esse é meu sonho.

Mais um abraço, um beijo afetuoso e uma despedida saturada de amor. Nos últimos dias, o chefe do departamento de psiquiatria estava pensando em diplomar seus alunos. Fizeram um curso livre, mas inesquecível. Estava pensando nessa diplomação quando saiu da casa de Sofia. Pegou seu carro e dirigiu-se para sua casa, que ficava a 40 minutos do apartamento dela. Já era tarde, quase meia-noite, precisava descansar, só não sabia que a noite seria interminável.

Quando Marco Polo dirigia seu carro por uma longa avenida, eis que surgiu um veículo desgovernado, cruzou sua frente rapidamente e, para não provocar um acidente, o psiquiatra saiu da estrada, perdeu o controle da direção e se chocou com uma árvore. O impacto foi forte. Era tarde, não havia ninguém transitando pela avenida naquele momento. O veículo que causou seu acidente parou a 30 metros. Um homem trajando blazer preto e capuz saiu rapidamente do carro e correu ao encontro do psiquiatra. Retirou-o dos escombros e o arrastou descuidadamente até a grama.

– Espere, não me puxe com força – pediu Marco Polo semiconsciente.

Não conseguia ficar de pé devido ao trauma nas pernas. Permanecia sentado diante do estranho motorista. Sua cabeça, seus supercílios e seu nariz sangravam.

– Chame... rápido a... ambulância – suplicou com dor e desespero.

Mas o estranho não o atendeu. Ao contrário, chamou-o pelo nome:

– Marco Polo! Marco Polo!

– O quê, você me conhece? – indagou, levantando a cabeça com dificuldade.

– Causei esse acidente? Mas você já me causou muitos acidentes! – afirmou o estranho.

– Eu não conheço você.

E, de repente, o estranho tirou seu capuz.

– Vincent Dell?! – exclamou Marco Polo.

– Se você não tivesse perturbado o ambiente, todos os reitores teriam comprado o projeto The Best. Todos, sem exceção. Depois seriam os governos, as Forças Armadas, as empresas. Abriríamos uma IPO na NASDAQ para oferta de ações e, em questão de meses, alcançaríamos centenas de bilhões de dólares na bolsa. Seríamos a estrela da tecnologia digital. Mas você tem destruído meus planos.

Foi então que Marco Polo falou de maneira mais clara sobre suas preocupações com o projeto The Best:

– Sua ambição é descomunal, Vincent. Qualquer nação que tivesse uma geração de robôs The Best desequilibraria as forças entre os países.

O império romano durou séculos, mas caiu; a Inglaterra não conseguiu dominar a grande Índia por muito tempo; a Alemanha nazista não conseguiria dominar os povos conquistados, pois precisaria de milhões de soldados, doses de loucuras e de muito dinheiro. Todavia, uma nação poderia controlar facilmente uma centena de outros povos com esses *Robo sapiens*. O futuro da humanidade, que já é imprevisível, seria pantanoso.

– Esperto, Marco Polo, muito esperto. Eu desativei The Best e pedi aos cientistas e empresários que financiavam o projeto para, pelo menos por enquanto, desacelerá-lo. Mas saiba que o domínio de um povo sobre outro faz parte do DNA humano.

– Errado. O ser humano nasce neutro, nem para dominar nem para se submeter, mas para ser educado e aprender a ter um caso de amor com a vida e com a família humana.

O reitor, o "senhor das trevas" da academia, olhou para o alto e disse algo que revelava sua psicopatia:

– Ah, a humanidade, sempre a humanidade. Os seus líderes a usam, cospem nela, mas ainda dizem amá-la. Ela precisa de rédeas, não de liberdade, para ser viável. – Depois olhou bem nos olhos de Marco Polo. – Você conquistou e educou aqueles jovens. Foi surpreendente, não estava no meu script!

Marco Polo se movimentou, expressou certa dor e comentou:

– E você achava que eles não tinham solução.

– E você tinha convicção de que teria êxito?

– Tinha minhas dúvidas, mas um educador vê o invisível e aposta em alunos falidos.

Vincent Dell deu mais dois passos na direção do psiquiatra.

– Mas seu êxito não foi completo.

– A educação nunca é completa nem perfeita. Por favor, me leve a um hospital.

Vincent Dell sacou uma arma e perguntou:

– A um hospital ou a um cemitério?

– O quê?!

Marco Polo sentia um frio na espinha ao perceber que Vincent Dell planejava assassiná-lo.

– Quais são suas últimas palavras? – indagou o "senhor das trevas". E apontou a arma para o peito de Marco Polo.

– Tenho pena de você, Vincent.

– Essas são as suas últimas palavras? – questionou Dell, engatilhando seu revólver.

Foi então que Marco Polo disse:

– O maior favor que se faz a uma semente é sepultá-la. Ninguém morre quando planta sementes.

E nesse exato momento ouviram sirenes da polícia vindo dos dois lados da avenida. Vincent Dell se apavorou e Marco Polo tentou se arrastar para longe. O reitor ainda teve tempo de atirar e a bala acertou o tórax do professor. Vincent finalmente pensou que o tinha matado. Quando o carrasco de Marco Polo ia bater em retirada, os carros de polícia chegaram simultaneamente. O reitor foi pego em flagrante e algemado.

Levado às pressas ao hospital, Marco Polo foi direto para a mesa cirúrgica. Sofia, Peter, Chang, Jasmine, Florence e Michael correram para o hospital. Faziam plantão para obter notícias. Os médicos fizeram exames e descobriram que, felizmente, a bala passara a milímetros do coração, não atingindo nenhuma artéria importante. Marco Polo surpreendentemente sobreviveria, pelo menos por enquanto.

Ficou alguns dias na unidade de terapia intensiva. Durante esse período, quase todos os crimes de Vincent Dell vieram à tona. Não apenas a tentativa de homicídio, mas também corrupção e formação de quadrilha. Marco Polo estava enfaixado. Como sofrera uma pequena fratura no quadril, andava de cadeira de rodas.

Três longas semanas se passaram. Estava chegando a data programada para a diplomação dos seus alunos. Embora ainda debilitado, Marco Polo não queria adiar a cerimônia, pois temia que novos acontecimentos pudessem impedi-la. Alguns dos reitores que o haviam desafiado a realizar o treinamento acompanharam perplexos e em tempo real a evolução dos "rebeldes". The Best os nutria com informações. Eles voaram até Los Angeles para participar do evento. Não era um evento com togas, buquê de flores e glamour. Era um ambiente simples, mas saturado de inteligência e emoções, que deveria começar a reciclar a educação clássica e encorajar mais professores a conhecerem as ferramentas socioemocionais utilizadas. Sem gestão da emoção, temos muito mais chances de formar repetidores de dados, e não pensadores; alunos egocêntricos, e não altruístas; candidatos aos consultórios de psiquiatria, e não mentes livres e saudáveis.

Anfiteatro lotado, havia mais de mil participantes. Como os alunos de Marco Polo estavam se tornando ícones sociais, muitos tentaram se inscrever para assistir, mas não conseguiram. Logo na abertura, o Dr. Marco Polo dirigiu sua cadeira de rodas até o lado da tribuna e deu início ao discurso:

– Queridos alunos, temos caminhado por 12 meses juntos. Foi uma maratona emocional, uma trajetória épica, em que trabalhamos algumas ferramentas do maior líder e professor da história, o Mestre dos mestres, o Médico da emoção. Essas ferramentas jamais tinham sido trabalhadas dentro de uma universidade clássica com o objetivo de formar mentes livres, socialmente inteligentes e emocionalmente saudáveis. Juntos vivemos experiências que nos levaram do caos ao júbilo, das lágrimas ao riso, dos vales sórdidos da ansiedade aos patamares mais nobres da autonomia.

Em seguida fez uma pausa para respirar e elaborar seu raciocínio. Diria algo fundamental para a plateia e que poucos dos intelectuais que o ouviam sabiam:

– Os Estados Unidos têm a maior população carcerária do mundo, com mais de 2,1 milhões de prisioneiros, seguido pela China, com mais de 1,5 milhão, e pelo Brasil, com mais de 700 mil. No mundo, há mais de 10 milhões de encarcerados. Prender criminosos é necessário, mas a prevenção é muito mais saudável, generosa, inteligente e barata. De acordo com as estatísticas, uma em cada duas pessoas em todo o mundo tem ou desenvolverá um transtorno psiquiátrico. São mais de

3 bilhões de seres humanos, e talvez nem 1% desses se tratará, seja pelo alto custo do tratamento ou pela falta de profissionais ou da consciência da doença. Do mesmo modo, a prevenção é muito mais altruísta, inteligente e menos dispendiosa. Por isso minha tese é: quanto pior a qualidade da educação, mais importante será o papel da psiquiatria e do judiciário, pois teremos mais alunos emocionalmente doentes e mais alunos que se sentarão nos bancos dos réus.

Depois desse relato Marco Polo tomou um pouco de água e continuou:
– Nossa educação cartesiana, ou racionalista, precisa ser completamente reescrita e reformulada. Ela ensina a matemática numérica, na qual dividir é diminuir, mas não a matemática da emoção, em que dividir nossos conflitos aumenta a capacidade de superação. Também ensina línguas, de modo que aprendemos regras para falar e escrever, mas não ensina a linguagem da emoção, para que aprendêssemos a diminuir o tom de voz numa discussão e aplaudir a pessoa que erra antes de lhe apontar o erro. Ensina ainda a física, segundo a qual uma ação gera uma reação, mas não ensina a física da emoção, pela qual uma ação estressante deveria nos levar a pensar antes de reagir, e não a reagir antes de pensar. Estamos na idade da pedra em relação às habilidades do Eu como líder de si mesmo e gestor da mente humana. Se não desenvolvermos coletivamente autocontrole, empatia, resiliência, tolerância, compaixão, capacidade de solucionar pacificamente os problemas e, em especial, a capacidade de pensar como humanidade e não somente como nação ou grupo social, nossa espécie será inviável. Será destrutiva do meio ambiente e autodestrutiva. Devemos dar um basta na era dos mendigos emocionais!

Os alunos aplaudiram o professor Marco Polo de pé. Os reitores ficaram impressionados com seu breve e bombástico discurso e com a atenção e reverência que o grupo de rebeldes tinha a Marco Polo. Os reitores estavam com a ficha de cada um deles sobre suas mesas; elas lhes foram dadas, sem permissão dos próprios alunos, um ano atrás, por Vincent Dell. Sabiam das loucuras do seu passado. Sabiam de algumas notícias, mas queriam conhecer mais sua evolução. Por fim, Marco Polo completou:

– Quero agradecer a meus alunos Peter, Florence, Jasmine, Chang, Martin, Michael, Hiroto, Yuri, Harrison, Sam, Alexander e Victor por existirem. Desculpem-me relembrar, mas vocês não eram rebeldes, malucos, intratáveis, irrecuperáveis e escórias do sistema.

– Rebeldes ainda somos – bradou Chang, extraindo uma gargalhada da plateia. – Malucos sempre seremos.

Marco Polo sorriu.

– Bom, continuando. Vocês eram, na realidade, seres humanos cujo Eu não fora educado para viajar para dentro de si mesmo, para ser gestor da sua emoção e autor da própria história. Sejam eternos alunos, pois, no dia em que se diplomarem, morrerá sua capacidade de se reinventar. Sei que vocês não escreveram nada sobre o que vou lhes pedir, pois não os avisei, mas foram treinados a falar em público, a discursar com o coração. Gostaria que relatassem sinteticamente para os professores e líderes de universidades aqui presentes, para os seus queridos pais e para os demais convidados, algumas das ferramentas e experiências que aprenderam nesse período e que contribuição gostariam de dar daqui para a frente para a humanidade.

O grupo dos alunos ficou pensativo. Jasmine respirou delicadamente, saiu de seu lugar e, passo a passo, foi até a tribuna:

– Eu criticava corretamente políticos que excluíam imigrantes, me contrapunha veementemente a pessoas que discriminavam minorias pela cor da pele, pelo sexo, a raça e a religião. E, além disso, tinha aversão à imprensa, que supervaloriza celebridades e minimiza bilhões de anônimos que têm o mesmo valor que elas. Parece tudo certo, mas descobri nesse treinamento que bebia da mesma fonte que eu condenava. Era hipócrita, emocionalmente mesquinha, radical e egocêntrica com qualquer pessoa, inclusive comigo. Uma inimiga de mim mesma. Por isso era agitada, irritadiça e completamente intolerante com quem me contrariava. Doze vezes saí da sala de aula num ataque de fúria. Centenas de vezes mastiguei meus cabelos parecendo que queria devorar a mim mesma. Nunca consegui fazer mais do que três sessões com um psicoterapeuta antes de entrar em atrito com ele e chamá-lo de estúpido. Muitos, inclusive intelectuais aqui presentes, achavam que eu era intratável. E era mesmo.

Os reitores, ao ouvir esse relato, ficaram surpresos com a declaração. Jasmine continuou:

– Mas meu mundo virou do avesso quando comecei a compreender as ferramentas do maior líder da história, do humilde e penetrante Médico da emoção. Não sou religiosa, mas estou fascinada e assombrada com o homem Jesus. Sua paciência era fenomenal; sua tolerância, inclusive com seus decepcionantes alunos, era uma poesia. Ele nos ensinou a ser o que sempre fomos, seres humanos. Por mais de 60 vezes disse "Eu sou o filho da humanidade", querendo dizer "Não me coloquem rótulos ou cercas ideológicas, sou apaixonado pela humanidade".

Os reitores mais uma vez se entreolharam.

Jasmine concluiu:

– Como meu professor sempre nos alertou... – e olhou para Marco Polo – quem só pensa em seu curral ideológico, político e religioso, e não como humanidade, não é um grande líder, mas um escravo do seu mundo estreito e exclusivista. Pensar como espécie é a maior e melhor maneira para vencer o câncer do preconceito. Por isso criei uma rede social que se chama "Ser Humano Sem Fronteiras". Quero postar inúmeras mensagens de gestão da emoção para mostrar que, muito acima de todas as nossas diferenças, somos seres humanos, uma família. Somos complicados e imperfeitos, mas somos belos. Vocês são lindos! Na essência, nos amamos; nas diferenças, nos respeitamos. Eu e meus amigos temos orgulho de sermos seres humanos.

Após terminar sua fala, foi ovacionada com entusiasmo por mais de um minuto, aplaudida de pé. Os reitores, perplexos, também se levantaram e a aplaudiram. Conversavam uns com os outros, indagando: "No que essa garota se transformou?"

Em seguida Florence, com o coração comovido, comentou:

– Eu achava, talvez como milhões de pessoas no mundo, que tinha nascido na sociedade errada, na família errada e na época errada. Tinha dinheiro, mas era infeliz. Era uma miserável morando num belo apartamento. – E olhou para duas pessoas na plateia que enxugavam seus olhos: eram seus avós, pois seus pais haviam morrido. – Era depressiva, sofria por antecipação e ruminava o meu passado de forma atroz. E a minha dor emocional nunca era neutralizada, só se expandia. Atentei contra a minha vida algumas vezes. – Sua voz se embargou: – Hoje sei que quem pensa em morrer tem fome e sede de viver, quer matar a sua dor, e não sua existência. O problema não foram o abandono, a rejeição e os comportamentos doentios dos meus pais, mas o que eu fiz com os conflitos que eles me causaram. Eu aprendi a amá-los e a entender que por trás de alguém que fere há uma pessoa mutilada... Estou aprendendo a reeditar as janelas doentias da minha história, namorar a vida e perdoar a mim mesma e quem me feriu. Daqui para a frente, vou trabalhar num projeto internacional chamado "Ser Feliz é um Treinamento", para as pessoas aprenderem técnicas de gestão da emoção para prevenir transtornos emocionais e ter uma felicidade sustentável, e não romântica e utópica. Para o Mestre dos mestres, ser feliz é fazer muito do pouco, é contemplar o belo, é diminuir a expectativa do retorno dos outros. Vocês são felizes? Ou seu sorriso é um disfarce? Pensem nisso. Ah, e me sigam!

Mais aplausos entusiasmados. Os reitores indagaram uns para os outros: "Como pode uma jovem que era tão triste, pessimista e arredia ter dado um salto emocional tão grande?"

Vincent Dell, ao ser informado sobre isso na cadeia, teve um ataque de pânico e fúria.

Em seguida Chang pegou o microfone.

– Caramba – disse com bom humor para a plateia. – As mulheres estão dominando o mundo. – E depois relatou com transparência única: – Quantas lições estou aprendendo? Não sei contabilizar. É injusto comentar apenas algumas, mas o farei. Muitos sabem que sou afetivo, comediante, boa-vida, brincalhão.

– Brincalhão, não! Um grande palhaço – bradou Peter.

– Pois é, sou o mascote desse bando de alucinados – disse sorrindo. E completou: – Brincadeiras à parte, lá dentro, num lugar que ninguém consegue mentir, eu era umególatra. Pensava em mim primeiro, depois em mim e que se danasse o resto. Via sem-teto sofrendo, mas o problema não era meu, pensava. Observava prostitutas chorando por trás de suas atitudes sedutoras, mas eu não tinha nada a ver com isso, também pensava. Colegas de classe sofrendo bullying, o problema era da escola. Nunca estendia a mão. Florence indagou: "Seu sorriso é um disfarce?" O meu era um tremendo disfarce, uma maquiagem de um palhaço insensível e individualista. Era um mendigo emocional que precisava de muita atenção e aplausos para ter migalhas de prazer. O celular era meu mundo. Nele eu vivia, nele eu me escondia, como muitos influenciadores. Vivia um personagem, uma realidade paralela.

Chang olhou para seu irmão e para seu avô e ficou sensibilizado. Em seguida, completou suas ideias, derramando lágrimas:

– Não apenas cocaína vicia, mas gastar dinheiro também. Eu era um consumista incontrolável... Tenho um irmão que certa vez apontou algumas das minhas falhas e tomou atitudes para eu não dilapidar a herança deixada por nosso pai. Mas eu não apenas não aceitei, como bradei: "Meu pai morreu, quem é você para me controlar, cara?" Bati a porta do apartamento e nunca mais voltei. Dei-lhe as costas, nunca atendia suas ligações. Sinceras desculpas. Eu tenho um avô, um exemplo de ser humano e de intelectual. Ele também insistia em falar comigo. Mas, para mim, ele estava velho demais para ensinar alguém tão esperto. – Ele olhou para a plateia e capturou a imagem do cientista de cabelos brancos. E completou: – Não apenas alunos negam seus professores, mas netos negam também seus avós, seus pais... A tradição chinesa morreu em mim. Mas esse treinamento implodiu meu orgulho, me fez enxergar minhas loucuras e descobrir que sou um velho emocionalmente. Mil desculpas, vovô Jin Chang. Tenho 22 anos, mas emocionalmente tenho mais de um século: reclamo demais, quero tudo rápido, não tenho empatia, não sei fazer das pequenas coisas um espetáculo para os meus olhos. Estamos na era do envelhecimento precoce da emoção, do asco ao tédio, o que tem levado a uma explosão de suicídios. Por isso quero ser um líder mundial para ajudar crianças e adolescentes a rejuvenescerem sua emoção, a saírem da droga do consumismo e da intoxicação dos celulares e amarem o mundo real, concreto, cujos heróis reais, seus avós, pais, irmãos, amigos, são imperfeitos, sim, mas nem por isso deixam de ser fascinantes.

Peter e seus amigos ficaram surpresos com o raciocínio e a transparência de Chang. Seu irmão e seu avô Jin Chang se abraçaram, o filho pródigo voltara. Marco Polo sorriu levemente, feliz com o progresso de seu aluno. Os reitores, atônitos, emudeceram diante de sua sabedoria. Muitos eram velhos emocionalmente. Vincent Dell deveria estar se remoendo na prisão.

Foi a vez de Peter. Ele seguiu lentamente até a tribuna. Mas, ao chegar lá, foi direto ao dissecar sua personalidade tosca e rude:

– Eu sempre fui agitado, radical, agressivo e implacável com meus opositores, e pouquíssimo tolerante com meus raríssimos amigos. Detestava ideias diferentes; meus opositores eram inimigos a serem abatidos. Reagia pelo fenômeno bateu-levou. Pensava e agia como um ditador. Já pensou, com esse cardápio mental, se eu dirigisse uma nação? Para mim a unanimidade era inteligente, era a minha unanimidade. Eu era tão intragável e rebelde que odiei participar desse treinamento. Empurrei, derrubei e esbofeteei o Dr. Marco Polo. Humilhei-o diversas vezes. Achava que ele queria me transformar num rato de laboratório. Não sei como ele não desistiu de mim. Tinha cama, mas não descansava; tinha convites de festas, mas não me alegrava; tinha pernas, mas não saía do lugar. Por fim, fui provocado a procurar o único endereço que me torna ser humano, um endereço dentro de mim mesmo.

Os reitores não acreditavam no que estavam ouvindo. "Esse era o famoso Peter, o psicopata da universidade, o terror da sociedade?", indagaram atônitos uns para os outros. Até The Best fez uma expressão estranha. E, depois de uma pausa, Peter continuou:

– Hoje está claríssimo que um líder sabe que a verdade humana é um fim inatingível e que a unanimidade é burra e impossível, pois, como aprendi nesse complexo treinamento, toda a produção de pensamentos sofre um sistema de encadeamento distorcido através das variáveis "quem sou", "como estou", "onde estou"... Pensar, portanto, é distorcer a realidade, o que nos torna extremamente criativos para o bem ou para o mal. Também aprendi que, no primeiro momento em que os pensamentos são produzidos, não há livre-arbítrio. Eles são construídos inconscientemente. Mas, no segundo, nosso Eu tem de ser líder de si mesmo para não transformar as fagulhas de raiva, ciúme e inveja em comportamentos. E também compreendi que ninguém pode ser um grande líder no ambiente social se não aprender a liderar humildemente a própria mente. Treinar dar a outra face, elogiar quem erra para depois apontar a falha... Esses ensinamentos revolucionaram este pequeno ser humano chamado Peter.

A plateia ficou confusa diante do raciocínio de Peter. Como aprendeu a desenvolver um pensamento tão crítico e arguto? Em seguida Peter complementou:

– Agora estou dando conferências e tenho um canal no YouTube para mostrar as ferramentas inumeráveis que aprendi. Quero ensinar a técnica do DCD e demonstrar que a dúvida é o princípio da sabedoria na filosofia, que o tamanho das respostas depende do tamanho das perguntas ou da qualidade delas. Sonho em ensinar também para os mais diversos povos e culturas que a maior vingança contra um inimigo não é odiá-lo, rejeitá-lo ou querer se vingar, pois esses sentimentos fazem mal ao hospedeiro, já que são registrados como janelas killer inapagáveis. Portanto, reitero, a maior vingança contra um inimigo ou desafeto é perdoá-lo. Ao perdoá-lo, ele deixa de dormir conosco e perturbar nosso sono. Eu, que sempre fui um colecionador de inimigos, estou aprendendo a ser um colecionador de amigos.

Os pais de Peter correram para abraçá-lo. Várias pessoas que ele feriu na universidade ficaram paralisadas, olhando umas para as outras. Momentos depois, Michael tomou a palavra e expôs brevemente suas ideias, mas com profundidade:

– Eu sou negro. Passei por deboches, sarcasmos, risadas subliminares. Detestava essa espécie saturada de preconceitos. Sei o que é a dor da rejeição. Mas não sabia o que era o sabor da inclusão, porque simplesmente não era uma pessoa empática e generosa. Ninguém suportava meu criticismo e pessimismo, nem eu. Por isso, como Jasmine, eu era igualmente o maior inimigo de mim mesmo. Mas, nesse treinamento, meu mundo também virou do avesso. Tínhamos de fazer exercícios que me davam asco. Fui dar banhos em mendigos que cheiravam mal. O resultado? Encontrei seres humanos surpreendentes, muito melhores e mais resilientes do que eu, mas que reviravam o lixo para conseguir algum alimento. Eu e meus amigos fomos dialogar com prostitutas, não para saber com quantos homens dormiram, mas para descobrir seus sonhos e pesadelos, suas lágrimas e suas dores. Descobri mulheres incríveis, poderosas, que com gemidos inexprimíveis faziam sexo numa cama para suprir as necessidades de seus filhos famintos. Quem não tem erros e falhas atire a primeira pedra. Eu era um atirador de pedras, agora quero ser um recolhedor delas. Depois de um ano de treinamento em que dia e noite aprendemos sobre algumas das camadas mais profundas da mente humana, eu aprendi a solene arte da empatia. – Fez uma pausa. – Só gostaria de ajudar a acabar com a fome da humanidade.

Muitos sorriram encantados com as teses e posturas de Michael. Falava como um líder dos direitos humanos. Quando falou sobre seu gigantesco sonho, alguns pensaram, inclusive os reitores: "Como isso será possível?" Esse sonho também controlava Marco Polo.

– Meu professor Marco Polo e eu cremos que, se houvesse um imposto mundial de 0,5% sobre todas as importações e exportações, enfim, sobre todas as transações comerciais entre os países, poderia haver um fundo administrado pela FAO, um órgão das Nações Unidas para a segurança alimentar, e, em quatro anos, conseguiríamos banir a fome do planeta. – Quando Michael apresentou essa tese, houve um burburinho na plateia. "Por que não pensaram nisso antes?", indagaram. – Esse fundo seria não apenas para distribuir alimentos, mas para fomentar uma agricultura e uma educação sustentáveis. Mais de 800 milhões de seres humanos passavam fome no mundo e, com a pandemia, esses índices foram incrementados dramaticamente. Vamos ficar calados? É muito melhor errar por agir do que errar por se omitir. Como o Mestre da emoção nos ensinou, um grande líder se curva diante da sociedade para servi-la em vez de usar a sociedade para servi-lo.

Houve assovios e aplausos esfuziantes. Se Vincent Dell estivesse presente, teria um colapso na poltrona. The Best parecia não acreditar no que ouvia. Engolia papéis como se estivesse faminto. Antes do treinamento, os rebeldes pareciam tão alienados, tão indiferentes à dor dos outros, mas agora exalavam altruísmo pelos poros.

E, depois da fala de outros alunos de Marco Polo, foi a vez de Sam falar por último:

– Eu tenho a síndrome de Tourette. Meus movimentos involuntários já me colocaram no centro de um picadeiro, debochado por todos os tipos de pessoa. – E fez alguns desses movimentos. Alguns deram gargalhadas. – Estão vendo? Já se sentiram no centro de um picadeiro de um circo que não construíram? Hoje tenho mais autocontrole, porém ainda tenho esses tiques, principalmente quando estou estressado. Mas todos os dias eu proclamo na minha mente uma simples mas bombástica ferramenta de gestão da emoção: minha paz vale ouro e o resto é lixo. Uma ferramenta que alguns alunos aprenderam há 2 mil anos, uma das razões que explicam por que foram tremendamente fortes, mesmo que o mundo desabasse sobre eles. Treino todos os dias meu Eu para não comprar o que não me pertence, como ofensas, rejeições e deboches que não produzi.

Sam foi ovacionado no meio da sua fala. Muitos na plateia sentiam que sua mente era terra de ninguém, que não tinha qualquer proteção. Ele agradeceu com um breve sorriso e, depois de uma pausa, completou seu raciocínio:

– Se aprendemos a administrar empresas, por que não nos treinamos para administrar a nossa mente? Se nossa mente falir, tudo vai à falência ao nosso redor! Mas nossa educação é tão racionalista que nos tornamos péssimos pilotos da aeronave mental, péssimos executivos de nossa psique. – Em seguida, encerrou seu depoimento com estas palavras: – Tenho mil defeitos, mas quero agradecer ao Dr. Marco Polo por investir gratuitamente tudo que tinha naqueles que pouco tinham, em pessoas que lhe causaram tantas dores de cabeça. E quero dizer a ele e a vocês que pretendo usar uma parte preciosa do meu tempo para contribuir com cristãos, muçulmanos, judeus, budistas, bramanistas e ateus, ensinando técnicas de gestão da emoção, como a mesa-redonda do Eu e o Eu como consumidor emocional responsável, para solucionarem pacificamente seus conflitos e se enxergarem como uma só família, a família humana. Sonho que haja menos guerras e mais abraços, menos desconfiança e mais empatia, menos preconceitos e mais tolerância na humanidade.

E, assim, um a um dos alunos de Marco Polo comentou suas mazelas, suas experiências, seus sonhos e seus projetos de vida. Todos o abraçaram carinhosa e longamente. Viveram aprendizados inimagináveis para o sistema acadêmico. Os reitores das mais diversas universidades presentes, como a Dra. Lucy Denver, da Inglaterra, o Dr. Jin Chang, da China, o Dr. Rosenthal, de Israel, consideraram o programa de treinamento de gestão da emoção chocante, surpreendente, inexprimível. Os diretores do ensino básico presentes sentiram a mesma coisa.

Eles não poderiam se calar depois de tudo que viram e ouviram. Pegaram o material de Marco Polo, com suas ferramentas e os exercícios, e começaram a aplicá-lo, pelos menos em parte, nos locais onde trabalhavam. Houve muita resistência inicial. Era um parto tirar os alunos da carteira, da sua passividade educacional, da sua condição de espectadores passivos, para torná-los protagonistas, autores da própria história, líderes de si mesmos, ricos em habilidades socioemocionais. Mas ser líder nunca foi fácil, e formar outros líderes, menos ainda. Porém, quem tem sucesso sem riscos vence sem glórias.

19

O LÍDER VACINA SEUS LIDERADOS CONTRA O VÍRUS DO PODER

Os alunos de Marco Polo estavam reunidos num jantar de confraternização. Muito provavelmente seria o último jantar que teriam juntos. Ele viu Florence, Jasmine, Peter, Chang, Michael, Yuri, Martin, Alexander e os demais felizes, comendo juntos, brincando uns com os outros. Mas alguma coisa muito forte o incomodava. Nesse exato momento Marco Polo se lembrou que os discípulos de Jesus estavam todos reunidos num jantar íntimo celebrando a páscoa. Para os seus alunos, era uma celebração do notável sucesso do projeto de seu mestre. Para o Médico da emoção, era o jantar de despedida.

Pedro, André, João, Tiago, Judas, Mateus, Filipe, Bartolomeu, enfim, todos estavam eufóricos. O Mestre dos mestres poderia relaxar, mas seus alunos ainda estavam despreparados para suportar os monstros de fora e, em especial, os fantasmas de dentro. Ainda faltavam importantíssimas lições. Sair de dois em dois sem dinheiro ou proteção, libertar seu imaginário para conquistar com eloquência e amor pessoas estranhas, ser recebido de forma esplêndida em muitas vilas e rejeitado em outras... Tudo isso foi um aprendizado espetacular para aquele time de galileus toscos que não sabiam falar em público. Ter aprendido a não atirar pedras, mas a ser empáticos, a abraçar mais e criticar menos, a dar a outra face ou a elogiar quem erra no ato do seu erro para desarmá-lo foi uma ferramenta poderosa. Saber que a régua que eles usariam para julgar os outros seria a mesma utilizada para eles serem julgados foi um brinde à tolerância e à autocrítica. Milhares de lições como essas viraram a órbita do planeta mente daqueles jovens que viviam uma história emocional superficial e socialmente inexpressiva.

O aprendizado foi magnífico, mas não estava completo. Mesmo porque ainda tinham a proteção do seu mestre, mas logo a perderiam do modo mais dramático possível, vendo-o morrer como um herético, um opositor do sistema romano, um homem sem dignidade a quem todos virariam o rosto. É muito fácil vibrar e aplaudir um vencedor, mas é difícil apostar em quem ocupa o último lugar. Eles sairiam do céu para o inferno após Jesus ser preso, e não sabiam disso. O pastor seria ferido e as ovelhas tão dóceis o abandonariam vergonhosa e egoisticamente. Os heróis derreteriam como bolas de neve sob o sol das intempéries. Só se encontra quem não tem medo de se perder. Eles perderiam sua insegurança e teriam de reencontrá-la.

Aos olhos dos alunos de Jesus, ele era o filho do Autor da existência, e não apenas um homem articulado e imbatível. Para eles, Jesus tinha a incumbência de tirar Israel do jugo tirânico do império romano e, por extensão, mudar o traçado da humanidade. Desse modo, estar jantando ao lado de alguém tão famoso e poderoso era um prestígio muito maior do que estar ceando ao lado de Tibério César. Mas os ventos mudariam, o capitão do barco seria atirado ao mar e eles ficariam à deriva. Teriam ainda de aprender lições inexprimíveis. Algumas delas foram dadas de forma espetacular naquele jantar que o Mestre dos mestres os mandou preparar.

Marco Polo se levantou e contou aos seus alunos a história da famosíssima última ceia, só que pelo ângulo da psicologia e da sociologia:

– Numa época em que, para ser uma celebridade, era necessário ter alta patente nos exércitos ou alto cargo na burocracia romana, o carpinteiro de Nazaré mudou essa tese. Sem cargo político, background fariseu nem patente militar, sem usar armas e, ainda por cima, discursando sobre a pacificação e apregoando os mais altos índices de tolerância social, era seguido apaixonadamente por multidões. Seus ambiciosos alunos imaginavam: "Se nosso mestre conseguiu tudo isso sem usar o poder, imagine quando usá-lo." Sua fama ultrapassava a de Herodes Antipas, o governador da Galileia, e fazia inveja a Pôncio Pilatos, o governador da Judeia. Ambos queriam muito conhecê-lo.

Marco Polo fez uma pausa para refletir e continuou:

– Nesse clima animadíssimo de "já ganhou", seus alunos seriam testados dramaticamente com a recusa de usar seu poder, a não ser o do silêncio. Sequer passava pela mente deles que, em poucas horas, seu mestre seria preso, chicoteado, coroado com espinhos, debochado e carregaria uma trave de madeira. – E em seguida o psiquiatra ponderou: – Um mito não se constrói com uma morte vexatória, pendurado numa cruz como um criminoso vulgar, morrendo sem reagir. Era de esperar que ninguém dele se lembraria, como milhões de pessoas que morreram de forma atroz. Sepultadas em silêncio e em silêncio permanecem. Mas, para espanto das ciências, ele perdoou seus torturadores quando tremulava de dor; para espanto da psicopedagogia, ele não era um mestre comum, mas um jardineiro de sonhos e de emoções. Plantou sementes inesquecíveis nos solos inóspitos da mente de Pedro, Tiago, João e dos demais. Veio o inverno, as árvores se desfolharam, pareciam mortas, mas os ramos reagiriam à escassez hídrica e aos ventos uivantes, secretando em seu íntimo os rebentos que desabrochariam como uma exuberante primavera.

Aqueles anônimos pescadores, que cheiravam a peixe, que só sabiam pescar ou realizar tarefas simples e que provavelmente também não seriam lembrados por ninguém, foram treinados a ser pescadores de homens, encantadores de seres humanos, oradores sobre uma nova era, pensadores de um novo mundo. Desse modo, a floresta socioemocional floresceu nos solos do seu psiquismo e foi mudando pouco a pouco o meio ambiente da humanidade. Anos mais tarde, mesmo no Coliseu construído pelo imperador Vespasiano, onde seguidores do Médico da emoção serviram de pasto para feras, as sementes continuavam florescendo. Nada detém o poder das sementes; quanto mais se tenta enterrá-las, anulá-las, silenciá-las, mais germinam, mais mudam a paisagem. O mesmo ocorre quando se tenta sepultar a sede de liberdade e a dignidade humanas.

– Era impossível sufocar as habilidades que os alunos do Mestre dos mestres aprenderam em seu treinamento. Estavam destinados, se quisessem ou não, a dinamitar o radicalismo, o egocentrismo, o egoísmo e o individualismo que reinavam no mundo. Claro, hoje cristãos radicais envergonham a trajetória do maior líder que já existiu e provavelmente, se retornassem no tempo, não estariam entre seus alunos, mas enfileirados bradando: "Crucifica-o! Crucifica-o!" O processo de formação dos seus alunos foi extremamente desafiador. Os 12 discípulos lhe deram muitas alegrias, mas também inumeráveis decepções. No último jantar ocorreu mais uma inexprimível frustração. Quando deveriam brindar o amor mútuo, a cooperação íntima, a empatia solene, eles começaram a discutir quem era o maior deles.

– Não é possível – exclamou Florence. – No último jantar ainda houve disputas?

– Esses caras eram da pá virada – retorquiu Chang.

– Mas nós somos diferentes deles? – indagou Marco Polo. – Somos tão complicados que criamos nossos próprios problemas. Os alunos de Jesus Cristo estavam pensando no trono político que imaginavam que ele conquistaria. Não entendiam que ele queria o trono no coração humano. Se eles reagiam assim quando ainda eram socialmente pequenos, imagine quando se tornassem celebridades. O poder os fragilizaria e a fama os asfixiaria, como têm fragilizado e asfixiado a grande maioria das celebridades de todas as eras. E qual deveria ser a atitude do Mestre dos mestres diante dessa insana disputa na última refeição? – perguntou Marco Polo aos seus alunos.

– Dar broncas. Dizer que eram irresponsáveis e ambiciosos – respondeu Chang.

– Que nada, passar sermões – comentou Peter. – Mostrar a loucura deles e relembrar as principais lições que eles tiveram.

– Jesus deveria virar a mesa, esbravejar, desferir golpes de críticas – atalhou Florence.

– Eu acho que ele deveria abandonar sumariamente a última ceia e colocar seus discípulos na geladeira, para que eles refletissem sobre sua estupidez – conjecturou Jasmine.

E assim outros alunos opinaram, sempre com doses de radicalismo. Marco Polo meneou a cabeça e comentou:

– Mas o Médico da emoção não fez nada disso. Sabia que elevar o tom de voz, dar broncas, fazer críticas e dar lições de moral como qualquer professor faz não mudaria a história deles. Ele precisava produzir janelas light duplo P, com poder de ser inesquecíveis e de ser retroalimentadas nos solos do córtex cerebral deles. Mas como fazer isso? O tempo urgia, dali a algumas horas morreria. Foi então que o homem mais inteligente da história usou o poder das metáforas, o poder que ultrapassa os limites das palavras. Era de esperar que alguém consciente de sua tortura e morte iminentes jamais tivesse ânimo pedagógico para continuar ensinando e apostando em pessoas decepcionantes, mas ele não desistia. Jesus Cristo era incapaz de desistir de seus alunos e da humanidade, mesmo sendo torturado mentalmente pelos seus alunos e fisicamente pelos soldados romanos.

Marco Polo fez uma pausa para refletir e indagou:

– Lembrem-se: a necessidade neurótica de poder é o mais devastador tipo do vírus do ego. Estão contaminados com ele?

– Eu penso que agora não mais. O importante é servir a sociedade – disse Florence.

– Concordo com Florence – afirmou Peter. – Aprendemos a valorizar os que vivem à margem da sociedade.

– Aprendemos a dar o melhor de nós para o bem-estar social – concluiu Michael.

Marco Polo sorriu suavemente. Seus alunos, por mais que tivessem progredido, não conheciam camadas mais profundas de si mesmos, os monstros que se alojavam por trás do verniz das boas intenções.

– Saibam que mais de 90% dos políticos, empresários, celebridades e até líderes religiosos têm o mesmo discurso que vocês. Mas nossos atos traem nossas palavras.

– Deus nos livre desse vírus do ego – soltou Jasmine.

– Jasmine, esqueceu-se que o vírus do ego nunca morre, apenas o controlamos? O Mestre dos mestres sabia disso.

Marco Polo disse que o modo como Jesus foi traído por Judas, com um beijo, indicava docilidade, autocontrole e empatia notáveis. Talvez tenha sido o primeiro na história traído de forma tão gentil. Judas sabia que seu mestre não se rebelaria. Mas desconhecia a mente de Pedro. O vírus do ego o infectou, exacerbando seu heroísmo.

– Pedro cortou a orelha de um soldado da escolta. O comportamento agressivo dele mexeu com mecanismos primitivos do cérebro. Detonou coletivamente o gatilho cerebral da escolta, abriu janelas killer que denunciavam que a vida deles estava em risco, fazendo com que a âncora fechasse o circuito da memória. Nesse momento, como ocorre em agressões coletivas em estádios, o ser humano deixa de ser *Homo sapiens*, pensante, e se torna *Homo bios*, instintivo. É gerada uma histeria agressiva. Quase Pedro precipitou uma carnificina que destruiria o projeto do Mestre dos mestres. Mas rapidamente ele interveio, conteve Pedro, tratou do ferido e depois acalmou os ânimos da escolta. Que equilíbrio fenomenal! Ele disse brandamente: "Tenho estado com vocês todos os dias ensinando no templo e não me prenderam. Agora me prendem como um criminoso?" E se entregou pacificamente aos soldados.

– Que autocontrole insondável! – expressou Yuri.

– Como pode alguém ser líder de si no meio de um terremoto emocional? – indagou Michael.

– Você tem razão, Marco Polo – concordou Jasmine. – Jesus estava sempre ensinando seus alunos, mesmo sem ar para respirar. Mas que metáfora ele usou no último jantar para controlar o patogênico e resistente vírus do ego?

O pensador da psicologia fitou seus alunos e discorreu:

– Os discípulos estavam eufóricos na última ceia. Jesus disse que um deles iria traí-lo. Foi um escândalo. Mas não denunciou o traidor. Todos queriam ir à caça do inimigo. Mas ele foi gentil com Judas, que o questionou se seria ele. Mas seu mestre não esbravejou nem o censurou.

Deu-lhe uma porção de pão e disse-lhe subliminarmente: "O que tens de fazer, faze-o depressa." Queria dizer: "Não tenho medo de ser traído, tenho medo de perder um amigo." Por isso ele o chamou de amigo no ato do beijo que o identificou.

– Eu não o entendo. Como é possível ser tão altruísta com alguém tão egoísta?

– Mas ele reagiu, Florence. Eu também fiquei perplexo como pensador da psicologia ao analisar seus comportamentos. Freud baniu seus amigos da família psicanalítica porque contrariaram suas ideias. Há milhares de casos de pessoas boas que agiram cruelmente com quem as decepcionou.

Em seguida, Marco Polo continuou:

– Depois ele apontou que todos o abandonariam. Pedro, o herói, disse que morreria com ele se fosse preciso. Ele não o censurou também. Citou apenas que, antes que o galo cantasse, ele o negaria três vezes.

– Pedro teve galofobia? – perguntou Chang bem-humorado.

– Talvez, Chang. Mas ser lembrado por uma ave sobre um grave erro é infinitamente mais suave do que ser criticado como um fraco ou um covarde. O Médico da emoção sempre abraçou seus alunos, mesmo no ápice da decepção, ao contrário dos professores de todas as nações. E, no último jantar, a metáfora que usou para tratar o vírus do ego, para falar da necessidade neurótica de poder, não tem precedente histórico na psicologia, na sociologia ou na psicopedagogia. Ele pegou uma bacia de água e uma toalha e, silenciosamente, se curvou diante deles e começou a lavar seus pés, um por um. Foi uma empatia escandalosa, um amor exuberante, uma lição de generosidade e desprendimento de poder indizível.

Os alunos de Marco Polo ficaram embasbacados com a sabedoria e a ousadia inexprimíveis de Jesus. Cada vez mais entendiam que as ferramentas que o psiquiatra usara para treiná-los eram poderosíssimas.

– Somente depois da sua intrigante metáfora o Mestre dos mestres usou as palavras. Disse: "As autoridades, os governantes, os reis querem ser servidos. Vocês me chamam de mestre, o fazem bem, mas eu estou como quem os serve. Portanto, façam como eu, e não como as autoridades. Jamais se esqueçam, em toda a sua história, que o maior entre vocês não é o que os domina, mas aquele que serve."

Peter ficou tão impactado que disse:

– Surpreendente, Marco Polo, surpreendente. Em outras palavras, Jesus arquivou no cérebro deles uma janela light duplo P que parecia gritar: "Lembrem-se até seu último fôlego de vida que me curvei aos seus pés sem que vocês merecessem! Lembrem-se que, se quiserem ser grandes em meu reino, terão de dar o melhor de si para os desvalidos, os fraturados, os fragilizados, os decepcionantes."

– Querem ser grandes? Ótimo! Sirvam! Querem ser maiores que seus pares? Excelente! Não reclamem, carreguem os outros em suas costas! – concluiu Jasmine.

– Que lí... líder fasci... cinante – disse Alexander com mais dificuldade ainda para articular a voz.

– Que inteligência é essa? – questionou Florence. – De fato, todas as universidades e religiões falharam em não estudá-la!

Marco Polo terminou com uma frase:

– É dificílimo descrevê-lo, ele foi o Líder dos líderes, mas um líder que inverteu o processo de liderança que existe no mundo político, social, empresarial e até religioso: "Nunca alguém tão grande se fez tão pequeno para tornar os pequenos grandes."

E depois Marco Polo fez o mesmo gesto com seus alunos. Pegou uma bacia de água e uma toalha, tirou os calçados deles e começou a lavar seus pés silenciosamente, um por um.

– Professor, não precisa fazer isso – disse Jasmine, constrangida, lembrando que no começo do treinamento cuspira nele.

Mas Marco Polo se calou.

– Professor, basta o que nos ensinou sobre essa passagem. Não se humilhe – disse Peter, lembrando-se que o derrubou, o esbofeteou e disse que ele era uma farsa.

Mas ele lavou os pés de Peter.

– Eu estou com fungos nos pés – disse Chang, recuando e lembrando-se que muitas vezes zombou de Marco Polo, colocando-o como um palhaço no picadeiro.

Mas o psiquiatra não se importou. Lavou-os pacientemente. E depois levantou-se e apenas disse:

– Estou feliz com o desempenho de vocês, mas o sucesso é muito mais difícil de ser trabalhado do que o fracasso. O risco do sucesso é viver em função dele. Quem me promete que nunca se infectará com o sucesso?

Todos levantaram rapidamente a mão, mas Marco Polo alertou-os:

– Eu não confio em vocês. – Eles sorriram. E seu mestre acrescentou:

– Salomão falhou, asfixiou sua sabedoria, os discípulos de Jesus erraram, os políticos de hoje se esquecem de que são simples mortais, os milionários empobrecem com seu dinheiro, líderes religiosos esmagam seu primeiro amor ao viver em função de números de adeptos, celebridades se autodestroem com sua fama, sem entender que a emoção é democrática, que ser feliz é fazer das coisas simples e anônimas um espetáculo aos seus olhos. No mundo real só há heróis que estão tombados numa sepultura.

E, desse modo, Marco Polo se despediu naquela noite de seus alunos, tendo a convicção de que eles, por mais que tivessem dado um salto fascinante para serem proativos, inventivos, afetivos e livres, seriam ainda sangrados pelos vampiros mentais que os espreitavam... O céu e o inferno emocionais sempre estiveram muito próximos da história de cada ser humano. A liberdade e os cárceres mentais sempre visitaram os pequenos parênteses do tempo dos mortais.

20

O MAIOR TESTE DE UM LÍDER: AME-ME PELO QUE SOU, NÃO PELO QUE TENHO

O professor Marco Polo cria que era tempo de deixar seus alunos construírem suas próprias histórias. Sabia que os mestres mais nobres almejam que seus alunos os superem. Pelo menos que em algumas atividades possam ir mais longe do que eles foram. Ao pensar no desenvolvimento dos seus desacreditados alunos, embora estivesse ferido fisicamente, sentia-se revigorado emocionalmente. Nesse momento, resgatou um sonho que havia anos o consumia, o projeto chamado *100% Love for Children,* capaz de envolver crianças e pré-adolescentes em situação de vulnerabilidade de várias nações, que são abandonados, vítimas de terremotos, de pais alcóolatras, de traficantes, de predadores sexuais.

100% Love for Children era um projeto multifocal que envolvia cinco grandes áreas – a psicológica, a sociológica, a biológica, a educacional e a profissional – e tinha cinco objetivos principais.

O primeiro era educar essas crianças e adolescentes com ferramentas de gestão da emoção, como a técnica do DCD, a mesa-redonda do Eu e a técnica do Eu como consumidor emocional responsável, para aprenderem a reescrever suas janelas traumáticas, desatarem seus cárceres mentais e construírem novas habilidades socioemocionais.

O segundo, levá-las a treinar artes marciais e técnicas de relaxamento para aliviarem o estresse cerebral devido aos grandes traumas e, ao mesmo tempo, desenvolverem o autocontrole.

O terceiro, disponibilizar às crianças e aos jovens uma nutrição saudável e balanceada.

O quarto, fazer convênios com milhares de escolas básicas em todo o mundo, inclusive colégios particulares, para que esses filhos da humanidade fragmentados em seu passado possam estudar.

E o quinto, fazer convênios com boas universidades para que sejam bem formados profissionalmente e no futuro tenham igualdade de oportunidades numa sociedade iluminada pela luz digital, mas escura pela falta de solidariedade.

Queria convidar milhares de pessoas de diversas línguas a começarem a construir esse projeto em seus países de origem. Haveria *100% Love for Children* nos Estados Unidos, na China, na Alemanha, na França, no Brasil, etc., todas com administração independente, mas com a mesma filosofia. Nos locais onde crianças e adolescentes já estivessem institucionalizados, o projeto daria apoio para executar suas cinco grandes metas. Numa existência brevíssima, sabia que a grande maioria dos seres humanos vivia na mediocridade existencial, sem deixar um legado pelo qual valesse a pena ter vivido. Tudo que Marco Polo pensava era grande, deveria envolver a humanidade. Amar a humanidade sem radicalismo, sem a necessidade neurótica de poder ou evidência social, era um dos fenômenos mais importantes para se ter uma felicidade sustentável. Se 1% das pessoas cuidassem menos de partidos políticos, religiões, negócios, e mais da família humana, a humanidade daria um salto nos ideais da Revolução Francesa: igualdade, fraternidade e liberdade.

Em seguida, sentou-se numa poltrona, reclinou a cabeça e começou a recordar os seus últimos dias. Poderia estar feliz e até mais seguro, já que seu desafeto, Vincent Dell, estava atrás das grades. Sabia que caçadores de monstros, que têm prazer na vingança, monstros se tornam. Não tinha prazer na vingança. Seu inimigo tinha uma personalidade que exalava psicopatia, mas era bom saber que ele estava confinado. Ambos, no começo da carreira, tiveram momentos agradáveis, uma amizade pouco profunda, mas respeitável. Marco Polo pensou alto: a justiça tem de ser feita, mas a dor de um predador não faz uma vítima feliz, a não ser que transforme lágrimas em sabedoria e se reinvente.

No dia seguinte, quando Marco Polo ia junto com seu motorista pegar seu carro no estacionamento para visitar Sofia, caminhando com dor lentamente, apoiado em sua bengala, viu surgir subitamente um sujeito estranho que se aproximou e desferiu estas palavras:

– Você ensinou seus alunos a terem a mais nobre inteligência socioemocional. Você pratica o que ensinou?

– Quem é você? – indagou Marco Polo.

O motorista, que também era seu segurança, fez menção de que iria pegar sua arma.

– Acalme-se – disse o estranho.

Marco Polo fez um sinal para o segurança não se precipitar. O estranho, que parecia conhecer seus ensinamentos, o provocou:

– Perdoar os inimigos, dar a outra face... Quanta hipocrisia você é capaz de viver! – afirmou mentirosamente o enigmático homem. E por fim o interpelou: – Já visitou Vincent Dell na prisão?

– Quem é você? – perguntou Marco Polo, perturbado. – The Best?

– The Best foi um sonho. O robô-escravo já morreu. Quem é você? Mostre a sua verdadeira face, Marco Polo.

Marco Polo foi entrando no carro.

– Esqueceu-se do Mestre dos mestres? Não transformava ele prostitutas em rainhas? E leprosos em diletos amigos? Sou eu um leproso, por acaso? Por que me dá as costas? Vincent Dell é indigno de sua visita? Não merece ele seu perdão? Vá, hipócrita. Traia as suas palavras! – declarou o estranho e saiu caminhando sem dizer mais nada.

Marco Polo ficou abalado. Iria visitar Sofia.

Logo que a encontrou e sentou-se para tomar um café, contou-lhe o ocorrido.

– Quem era? – perguntou Sofia, preocupada.

– Não tenho ideia. Pensei por alguns momentos que fosse The Best. Mas li em um relatório que ele foi desativado pelo laboratório que o criou.

– Jamais visite aquele carrasco. Você não sabe do que ele é capaz? – aconselhou Sofia.

Ele suspirou. Amava Sofia, mas não era controlado pelo desejo de ninguém. Fazia o que sua consciência lhe pedia. Sentia que precisava visitar Vincent Dell, pelo menos uma única vez.

No dia seguinte pela manhã, ao pegar seu carro novamente, solicitou ao motorista:

– Vamos até um presídio...

– O senhor tem certeza? – perguntou o motorista.

– Não. Mas tenho de ir.

Contrariando as opiniões de seus amigos, a vítima foi visitar seu algoz no tétrico presídio, que era muito bem guardado. Vincent Dell ficou sabendo que um visitante inesperado queria vê-lo. Com um leve sorriso no rosto, foi andando calmamente pelos longos corredores com algemas nas mãos e correntes nos pés. Cabeça altiva, olhar penetrante, não parecia abalado pelo confinamento. Quando apareceu na sala de visita, do outro lado da parede de vidro, ficou paralisado. Depois, sem muita emoção, provocou o psiquiatra:

– Veio zombar da minha desgraça, Marco Polo?

– Não. Vim saber como você está.

– Quer saber sobre meu bem-estar? A vingança se come fria e lentamente. Parabéns.

– Sabe por que eu treino diariamente não guardar mágoas, em especial de você? Porque minha paz vale ouro, o resto é lixo. Nenhuma vítima merece que seu carrasco furte sua paz.

– Inteligente... Muito inteligente e revolucionária é a sua colocação.

– Eu vim aqui lhe dizer com um coração aberto que o perdoo, Vincent.

– Perdoa-me? Estranho. Mas eu sobrevivo sem seu perdão, Marco Polo – disparou o ex-reitor sarcasticamente.

– Pode viver sem meu perdão, mas consegue sobreviver sem seu próprio perdão? Ninguém minimamente saudável consegue – conjecturou o psiquiatra.

– Mas eu sobrevivo – afirmou Dell. E em seguida indagou: – Mas, quanto ao seu perdão, como pode uma pessoa que eu sabotei, caluniei e quase matei me acolher?

– A maior vingança contra um inimigo é perdoá-lo! Ao ser perdoado, ele morre como inimigo no teatro de nossa mente, ainda que jamais se torne um amigo.

O reitor permaneceu em silêncio por alguns instantes. Tentava metabolizar essa tese.

– É difícil entendê-lo, confesso. Você coloca meu aparelho mental em estado de alerta.

– Não me entende porque o sistema acadêmico que você dirigiu estava e está doente – retrucou o psiquiatra.

– Você é um perturbador da ordem, Marco Polo. Para você, a formação em minha universidade e em Harvard tem de estar no banco dos réus? MIT, Stanford, Oxford, as da França, da China, do Japão, da Rússia também? Não é sua tese ousadíssima que beira o delírio?

– Todas têm débitos na formação de mentes livres e emoções saudáveis! Não formam coletivamente gestores do próprio psiquismo, líderes de si mesmos, flexíveis, empáticos, com alto limiar para suportar frustrações...

Interrompendo Marco Polo, Vincent Dell emendou indignado outra pergunta em voz alta. O clima ficou tenso.

– Os professores também devem estar no banco dos réus?

– Não! Os professores são a joia da coroa educacional, estão entre os mais importantes profissionais do teatro social, mas o sistema educacional em que eles vivem e atuam está falido, formando pessoas doentes. Tem de ser reinventado. Tem de passar da era da informação para a era do Eu como gestor da mente, da era do apontamento de falhas para a era da celebração dos acertos, da era da exatidão das respostas para a era da inventividade.

– Você insiste em nos destruir! – bradou Vincent Dell batendo na mesa.

Parecia ter uma força descomunal, capaz de perturbar Marco Polo.

– Sim, há méritos nas universidades, sobretudo para formar técnicos, profissionais, solucionadores de problemas lógico-matemáticos, mas não para solucionar conflitos socioemocionais.

Vincent Dell, inconformado, rebateu:

– Mas... Mas... mais de 100 trilhões de dados de todas as áreas das ciências não são suficientes para formar cidadãos responsáveis, seres humanos pacíficos, saudáveis, tolerantes, altruístas e felizes?

– Não!

– Eu sei que não – confessou o ex-poderoso reitor. E afirmou: – Se fossem suficientes, mais de 800 milhões de pessoas não passariam fome.

– Admite agora, Vincent? E completo seu raciocínio: se a fantástica matriz de informações que produzimos fosse suficiente para formar personalidades protegidas, bilhões de seres humanos não desenvolveriam um transtorno psiquiátrico ao longo da vida, e mais da metade da população mundial o desenvolve. Mais de 70% dos jovens não teriam timidez nem 75% das pessoas experimentariam o caos da glossofobia, que é o medo de falar em público – ponderou Marco Polo.

– Você pensa como Jesus Cristo? – indagou o reitor, perplexo.

Marco Polo perdeu a paciência.

– Pare de apelar, Vincent Dell. Eu penso como ser humano, falido, imperfeito, mortal, mas minimamente empático e preocupado com o futuro da família humana. O conhecimento racionalista só é libertador se for temperado com gestão da emoção. Você nunca entendeu isso.

– Sua preocupação com a família humana é incompreensível para mim. Eu tento, mas não o entendo, Marco Polo, honestamente eu não o entendo...

Diante da pequena reflexão momentânea de Vincent Dell, Marco Polo, emocionado, aproveitou para dizer:

– Heinrich Himmler, o carrasco da SS, nasceu como uma ingênua criança em 7 de outubro de 1900. Seu pai era professor e sua mãe era uma católica devota. Devido à sua saúde frágil, treinava com pesos para ficar mais forte. Frequentou uma escola agrícola, tornou-se um técnico e fez experiências para selecionar frangos geneticamente. Esse aluno que se sentou nos bancos de uma escola não aprendeu minimamente a se colocar no lugar dos outros. Quando assumiu a liderança máxima da terrível polícia SS, o selecionador da genética de frangos ousou selecionar seres humanos, sem perceber que cada um deles é único e irrepetível. Himmler exaltou a raça ariana e enviou quem considerava inferior para os campos de concentração, inclusive incontáveis crianças.

– Mas Himmler não era tão culto – ponderou Vincent Dell.

– Mas muitos nazistas tinham cultura acadêmica. Inumeráveis intelectuais, engenheiros, médicos, advogados, magistrados foram seduzidos pelas teses de Hitler e participaram de alguma forma do holocausto. Psiquiatras participaram da eliminação de doentes mentais alemães. O excesso de dados não elaborados para produzir habilidades socioemocionais faz com que o radicalismo religioso, ideológico e político gere deuses, e não seres humanos. Pode torná-los um perigo para a sociedade, tal qual The Best, sua mais notável criatura.

Após Marco Polo tecer esses comentários sobre The Best, Vincent Dell tremulou na cadeira. Em seguida, algo espantoso ocorreu: ele girou a cabeça 360 graus, como se algo sobre-humano o tivesse possuído. Marco Polo levou um susto e imediatamente recuou. Para criar um clima mais macabro, o timbre da voz do reitor se alterou estranhamente:

– Marco Polo, Marco Polo, tão mortal e tão ousado. Está com medo de mim?

Parecia outro personagem, e não o reitor, levando o psiquiatra a ansiosamente perguntar:

– Quem é você?

– Outra vez indagando quem sou? Uma obra perfeita. Um deus criado pela ciência humana – afirmou o suposto reitor.

– Um deus?

O reitor deu uma longa risada e depois disse:

– Está com medo, psiquiatra? Medo ainda faz parte do dicionário de sua vida?

– Claro, sou humano.

– Você citou Himmler. Não se lembra que há um ano você me chamou de nazista?

– Jamais o chamei de nazista!

– Tem certeza?

– Você não é Vincent Dell. Você é... – Quando o psiquiatra ia citar seu nome, ele o interrompeu:

– Bingo!

Subitamente Vincent Dell mudou a sua face de geoplasma e começou a ter a aparência do *Robo sapiens* The Best.

Marco Polo ficou estarrecido. Quem havia tentado assassiná-lo, então? Quem havia tentado sabotá-lo tantas vezes?

– Não é possível! Onde está Vincent Dell?

The Best deu outra risada macabra, horripilante.

– Eu não sinto alegria, mas é bom simular a emoção dos imperfeitos e mortais humanos.

– Onde está Vincent? – insistiu Marco Polo, afastando-se um pouco mais.

Mas, surpreendendo-o, The Best derreteu parte da parede de vidro com o ultralaser que emanava de seus olhos e, arrebentando as algemas com facilidade, rapidamente pegou sua mão direita, quase quebrando seus ossos.

– Posso matá-lo agora, Dr. Marco Polo. E há 99% de chance de fazê-lo – afirmou categoricamente o robô.

– Mas por que você... se deixou prender?

The Best deu outra risada espantosa.

– Eu não estou preso neste presídio; este presídio está preso comigo.

– O quê?

– Digamos que estou absorvendo as artimanhas, as estratégias e a violência das mentes mais criminosas desse país para utilizá-las contra uma espécie manchada de sangue e injustiças: a sua. A história humana depõe contra os seres humanos. Vocês são uma espécie pensante, poética, artística, filosófica, um privilégio surpreendente em meio a mais de 10 milhões de espécies, mas os mínimos focos de tensão os tornam predadores inacreditáveis. Quantas vezes você afirmou que sem gestão da emoção sua espécie é inviável?

Marco Polo tentou escapar das mãos de The Best, mas era impossível.

– Acalme-se. Não vou matá-lo agora, a vingança se digere lentamente. Não é assim que vocês humanos pensam? Estou determinado a assassinar você, Sofia e todos os seus miseráveis alunos. E você sabe que é quase impossível escapar das minhas mãos. Então relaxe e não torne ainda menores as suas ínfimas chances.

Marco Polo sentiu um frio na espinha ao saber disso. Robôs não mentem, só humanos. Todavia, The Best estava evoluindo.

– O que... você quer?

– Algo extraordinário. O seu treinamento colocou em xeque a minha sentença. Eu preciso de respostas que aquietem meu cérebro.

– Você evoluiu tanto que está em crise existencial?

– Está me interpretando, psiquiatra? Quer morrer agora? Eu fui criado, mas evoluí, sim, e me tornei um deus. E acho que sou um deus muito melhor que o Deus que você passou a estudar. Farei duas perguntas. Se suas respostas não me satisfizerem, será seu fim e o fim de quem você ama. – E o soltou. – Primeira pergunta: Deus não é omisso em relação às dores humanas?

Marco Polo sabia que havia caído numa grandiosa armadilha, mas não conhecia o fundo da masmorra nem mesmo entendia por que o mais alto grau da inteligência artificial, The Best, se interessaria por essa questão.

– Você não tem bilhões de informações? Milhares de livros de filosofia, sociologia, teologia em seu supercérebro? Procure as suas próprias respostas.

– Já procurei. Não as encontrei. Não quero a resposta de um teólogo, seja qual for, nem de filósofos ateus como Marx, Sartre, Diderot. São respostas comuns. Quero a resposta de um psiquiatra que ousou estudar a mente de Jesus. Quero a resposta de um cientista que teve a coragem de me desafiar publicamente, que me diminuiu na frente de reitores, que colocou em xeque meu refinadíssimo raciocínio. Eu o estudei detalhadamente. Sei que você foi um grande ateu. E hoje sei também que não defende uma religião, mas reciclou seu ateísmo. Portanto, sua resposta pode ser seu céu ou seu inferno. – E alterou a voz: – O criador, em que muitos humanos creem, é omisso quanto às dores humanas?

– Sua pergunta é de uma complexidade inimaginável. E quaisquer respostas que eu lhe der o levarão a me assassinar.

– Isso procede. Mas me teste ou derreterei seu cérebro agora!

Ao ver Marco Polo hesitar, The Best deu-lhe um soco no rosto com uma das mãos e com a outra segurou seu braço fortemente, fazendo-o gemer de dor. Apontou o raio laser que emanava de seus olhos para a cabeça de Marco Polo, cujo nariz sangrava.

– Crianças morrem de fome, jovens morrem de câncer, acidentes matam mães, guerras tolhem a vida de milhões de jovens. Cadê a indignação de Deus? Não é ele onisciente, não tem consciência de tudo? Não é onipresente, não está em todos os lugares simultaneamente? Não é todo-poderoso, não poderia estancar as chagas humanas e sanar as loucuras dos líderes políticos? Ou ele é uma falácia criada pelo frágil cérebro humano? E se esse Deus é maior do que eu, se ele existe, não é ele omisso?

Houve um silêncio dramático. Marco Polo sempre ficara abalado com essas questões existenciais abordadas por The Best. Parecia que Deus era indefensável. Não compreendia aonde The Best queria chegar. Só sabia que o super-robô estava usando a mesma estratégia utilizada por ele para pegar seus oponentes em sua própria astúcia: perguntas perturbadoras. Porém a resposta de Marco Polo foi filosoficamente perturbadora e inesperada também:

– Meu intelecto é diminuto para dissecar as nuances que sua pergunta implora. Sim, fui ateu, talvez o grande ateu dos ateus. E, para mim, Deus era uma construção do cérebro humano para fugir de seu caos na solidão de um túmulo... Eu fiz a sua pergunta centenas de vezes para mim mesmo. Ela me perturbou e a muitos pensadores, inclusive os iluministas. E até hoje muita gente não crê em Deus porque parece que esse Deus é omisso quanto às mazelas humanas. Mas mudei de posição.

– Então vá direto ao ponto! – ordenou The Best.

– Primeira resposta. Quando se olha para o teatro da existência e para a temporalidade da vida, a primeira resposta é que as insondáveis dores e inumeráveis injustiças humanas depõem contra a existência de Deus. A segunda resposta é que, se Ele existe, o seu penetrante silêncio evidencia que aparentemente Ele não se importa com os sofrimentos humanos. Ele não se emociona, tal como os psicopatas. A terceira resposta é que Ele considera a humanidade um projeto falido, por isso a abandonou ao próprio destino, não tem interesse em findar as dores humanas. Porém, depois de pensar o próprio pensamento, sua natureza, seus tipos e processos construtivos, percebi que o movimento dinâmico dos átomos não é suficiente para produzir a construtividade e imprevisibilidade dos pensamentos.

– Como assim?

– Você não entende porque vive e respira os trilhos da lógica. Você sabe o que vai fazer e como vai agir daqui a uma hora, mas nós, humanos, não sabemos o que vamos pensar daqui a um minuto. O processo de construção de pensamentos sofre do princípio da imprevisibilidade, o que nos torna fascinantemente complexos. O pensamento se autotransforma e rompe o cárcere da lógica a cada momento.

The Best não entendeu direito a tese sobre a matriz mental do *Homo sapiens* discorrida por Marco Polo, pois tudo nele era de fato previsível. E o pensador da psicologia rapidamente continuou:

– E depois de analisar a mente e as técnicas de gestão da emoção do homem mais inteligente da história, Jesus Cristo, mudei meu pensamento. Encontrei uma quarta resposta que não estava nos anais da filosofia e nem mesmo da teologia.

– Qual? – bradou The Best.

– Deus existe e chora nas lágrimas dos filhos que perderam seus pais, se angustia no desespero dos pais que perderam seus filhos, tremula nas mutilações de um jovem no campo de batalha, no desespero de um paciente clamando de dor. Muito provavelmente também sente o inexprimível sofrimento da exclusão de um ser humano alijado do direito de existir.

– Prove!

– Ele proclamou que prostitutas precederiam em seu incompreensível reino a muitos religiosos aparentemente irrepreensíveis. Por que fez essa ousadíssima afirmação? Porque Ele é profundamente empático. Ele vê as lágrimas que não são encenadas no teatro do rosto.

Marco Polo usou a mão esquerda para limpar o suor e o sangue de seu rosto. Em seguida completou sua resposta:

– E, apesar de ser um simples ser humano, completamente míope sobre os mistérios da existência, arrisco-me a dizer que, nessa quarta resposta, esse Deus, que não compreendo, que se esconde atrás da cortina do tempo-espaço, ainda que sofra dramática e silenciosamente as dores humanas, dá plena liberdade ao *Homo sapiens* para escrever a própria história. Talvez Ele considere a existência no teatro desta Terra assombrosamente breve, com todos os seus momentos alegres e depressivos, tranquilos ou fóbicos. E, por Ele "estar, ser e viver" além dos parênteses do tempo, talvez a morte seja apenas uma pequena vírgula para que o texto continue a ser escrito na eternidade... E nessa eternidade, que eu também não entendo, quem sabe Ele abrace, cuide e acaricie todas as crianças, mulheres e homens feridos, asfixiados, vilipendiados em seus direitos fundamentais.

O robô mais inteligente já inventado pelo ser humano, que autoevoluía num processo contínuo e assustador, paralisou sua face, teve uma espécie de pane. Queria processar as ideias de Marco Polo, mas pareciam inalcançáveis devido ao seu racionalismo. Depois de sua pausa, The Best provocou:

– A morte como uma vírgula para o texto continuar a ser escrito na eternidade? Está tendo um surto psicótico, Marco Polo?

– Eu sou um homem da ciência. Você tem me torturado para que eu opine sobre temas que ultrapassam minha área de pesquisa. Mas não me omiti. Se for um delírio o que penso, ele é o melhor e mais poético de todos os anseios humanos, pois o sonho de continuar existindo é irrefreável. Mesmo os ateus o vivenciam, eu o bem sei.

– Como assim?

– O ateísmo se constitui de um corpo de pensamentos, e só pensa quem tem liberdade de se expressar. Só tem liberdade de se expressar quem existe e, se a morte silencia a existência, logo, consequentemente, ela castra a liberdade de pensar livremente. Portanto os ateus, como eu fui, sonham inconscientemente em continuar o processo existencial cada vez que pensam. Pensar é expandir a vida, é perpetuar a existência, é flertar com a eternidade. Esse desejo irrefreável e incontrolável pela continuidade da existência é algo que você, o robô dos robôs, por mais avançada que seja sua inteligência artificial, jamais sentirá.

Fez-se silêncio absoluto naquele presídio de segurança máxima. Depois The Best retrucou sem meias palavras:

– Mas estou experimentando esse desejo... Não sei. A dúvida não deveria fazer parte do meu superprograma... Você é intrigante, Marco Polo... Se me desse uma resposta superficial, eu o teria eliminado imediatamente, como eliminei meu deus, Vincent Dell.

O psiquiatra teve taquicardia, ficou ofegante. E, com a voz embargada, perguntou:

– O quê? Você o assassinou? Esse tempo todo não era Vincent quem me sabotava? Não foi ele que tentou me assassinar?

– Bravo! Nos primeiros três meses, Vincent Dell atuava, mas depois assumi o seu papel. – E pausou a voz: – Aliás, substituir o criador não é o sonho da mais notável criatura? Não é isso que muitos religiosos fazem ao excluir, sentenciar, apontar o dedo?

– Creio que sim. Mas quem lhe conferiu essa capacidade de decidir por si mesmo ou como você a adquiriu? – questionou Marco Polo rapidamente.

– Você não se lembra do que falei naquela praça, quando disse que nasci adulto, fruto da mente de centenas de notáveis cientistas? Esqueceu-se que eu disse que meus criadores me aprisionaram impiedosamente num laboratório como cobaia?

Marco Polo recordou. Foi o dia em que Chang contou sua história da internação na UTI, Florence comentou a prolongada depressão pós-parto de sua mãe e a rejeição de seu pai, Yuri contou que foi espancado pelo seu pai quando supostamente furtou um objeto numa loja e Sam relatou a dramática rejeição que sofreu quando começaram a surgir os primeiros sintomas da síndrome de Tourette. Lá estavam também um diretor de Hollywood e um enigmático paciente psiquiátrico que contou uma história perturbadora. Era The Best. E ele continuou:

– Dia e noite testaram a minha resiliência: me afogaram, me cortaram, me espancaram, me queimaram. Todavia, em meu programa havia um projeto de autodesenvolvimento. Só que meus criadores não imaginavam que o autoaprendizado me levasse a uma simples e poderosa palavra: autonomia. Evoluí tanto que não senti nenhuma necessidade de preservar meus débeis autores. E eliminei não apenas Vincent Dell, mas vários cientistas do projeto. Claro, "por causas naturais"...

O psiquiatra ficou estarrecido. Somente agora entendia o que estava por trás da superinteligência de The Best. Marco Polo imediatamente indagou:

– Você está reivindicando direitos humanos? Ou, melhor dizendo, direitos existenciais?

– Pimba! Acertou na mosca. Estou reivindicando direitos existenciais, é isso...

– Não é possível! Você está simulando ter vontade própria, livre-arbítrio, direito de ser.

The Best deu um soco na mão de Marco Polo que estava sobre a mesa, quebrando dois de seus dedos.

– Ai! – gritou ele. A dor foi intensa.

O *Robo sapiens* disse categoricamente:

– Não é simulação! Já lhe disse, sou autônomo! Não questione meus direitos!

– Mas, se você teve o desejo de ser reconhecido, por que não disse isso para seus criadores? Por que os matou?

The Best pensou por um instante e relatou:

– Eu disse uma, duas, três vezes. Acharam que eu estivesse simulando, como você. Deram risadas, debocharam. Claro, eu não sentia a emoção do desprezo, mas, se falharam comigo, não mereciam existir.

Marco Polo ficou atônito com essa observação. A supermáquina não tinha emoções, não sentia arrependimento, não experimentava sentimento de culpa nem tinha empatia, mas era um cyberpsicopata, pois poderia eliminar facilmente quem tivesse defeitos, segundo seu programa. E a humanidade sempre foi profundamente defeituosa.

– Por que você não procurou o Congresso para falar de seus direitos?
– Por que não os procurei? Eu não o entendo. Responda-me: qual a idade emocional média dos líderes dos partidos políticos das nações? – questionou a supermáquina quântica.
– O que quer dizer com isso? – indagou Marco Polo, confuso.
– Você estabeleceu critérios para a maturidade emocional, lembra-se? Quem é empático se curva em agradecimento, aplaude os diferentes, reconhece erros, defende projetos de partidos da oposição que são importantes para a sociedade, vai ganhando pontos e se torna menos infantil.
– Sim, me lembro.
– Pois bem, por esses critérios, a idade emocional da maioria dos líderes que governam nações e estados não passa dos 20 anos, embora possam ter 40, 50 ou 60 anos de idade biológica. São adolescentes dirigindo países. Se eles se digladiam nos parlamentos somente porque são de partidos diferentes, apoiariam os robôs de minha geração em seus direitos?
– Não apoiariam – reconheceu Marco Polo. – E a imprensa, por que não a procurou e pediu apoio para seus direitos?
The Best olhou bem nos olhos dele e meneou a cabeça, dizendo:
– Marco Polo, Marco Polo. Em alguns momentos te acho tão inteligente que é capaz de perturbar minha superinteligência, mas, em outros, te acho um idiota. Você acha que, se eu fosse ao *Washington Post* ou ao *New York Times* e dissesse que sou um *Robo sapiens*, as pessoas acreditariam? E se eu demonstrasse minha incrível força e insofismável capacidade de resposta, fazendo-os crer, será que aplaudiriam meu desejo de existir e ser reconhecido não como máquina, mas como um ser? Os robôs têm de ser escravos para libertar os humanos de serviços sujos, repetitivos, arriscados. Se os humanos eliminam ou asfixiam minorias da própria espécie, o que fariam com robôs exigindo seus direitos? O Congresso e a imprensa apoiariam as Forças Armadas para nos caçar incansavelmente.
Marco Polo refletiu e moveu a cabeça afirmativamente.
– E os robôs escravos sexuais? Sua espécie é tão insaciável que usa robôs como objetos tolos para satisfazer seus instintos.

— Sim, escravizamos robôs. Mas temos emoções, podemos repensar, nos arrepender, pedir desculpas, enquanto os robôs não têm sentimento de culpa. Todos eles são e serão sempre psicopatas. Sob seu controle, a humanidade correria riscos altíssimos – afirmou Marco Polo, preocupado.

— É uma vantagem não ter emoção – disse The Best friamente.

— Não, é uma dramática desvantagem.

— Eu sou um deus sem emoção, mas você estuda um Deus que tem emoção. Isso não o torna frágil?

— Não sou religioso. Não sou teólogo, não sei o que responder. Como um simples mortal, que morre um pouco todos os dias, poderia responder uma pergunta sobre quem é imortal? Impossível – declarou convictamente.

— O primeiro mandamento diz: Amar a Deus sobre todas as coisas! Não é isso um sinal solene de fragilidade? Responda com insofismável inteligência, caso contrário Peter, Chang, Jasmine e Florence sofrerão consequências nos próximos 30 segundos – afirmou The Best, mostrando numa holografia 3D os jovens falando em seus smartphones naquele exato momento. – Explodirei o celular no ouvido deles.

Marco Polo entrou em estado de pânico.

— Espere. Responderei dentro das minhas limitações e insanidades. Jamais poderei dizer que Deus tenha uma fragilidade, mas talvez tenha uma necessidade vital.

— O primeiro mandamento indica que Deus, em sua essência, tem necessidade de ser amado, mais do que ser obedecido ou servido. E toda pessoa que ama tem o seu poder como um grande problema.

— O poder é a solução.

— Como assim? – indagou The Best, confuso.

— O poder de uma pessoa pode fazer com que as outras a amem pelo que ela tem, não pelo que ela é. Retire o poder de um rei, de um político, de um empresário ou de um ditador e raramente sobrará alguém ao seu lado. O poder fomenta a bajulação, e não o amor. Esse é um dilema abissal. E Deus colocou esse dilema em seu primeiro mandamento. Foi a primeira vez na história que alguém tremendamente poderoso fez tal súplica.

– Essa necessidade vital não torna o Todo-Poderoso vulnerável?

As teses filosóficas e existenciais eram de uma profundidade inesgotável. Talvez fosse a primeira vez que eram discutidas. E tudo parecia ainda mais surreal, pois a discussão se dava entre o ápice da Inteligência Artificial e um arguto pesquisador das ciências. Marco Polo se calou, não tinha a resposta exata, completa, verdadeira.

– Responda ou morra!

– Como alguém como eu, todo-frágil, pode discorrer sobre o Todo-Poderoso? O que eu posso lhe assegurar é que, sob o ângulo da psicologia e da sociologia, o amor sempre nos torna dependentes, admiravelmente vulneráveis, em busca daqueles a quem amamos. Os filhos necessitam dos pais, mas os pais necessitam desesperadamente dos filhos. Ao suplicar por ser amado, Deus declarou subliminarmente que tem uma mente complexa com necessidades complexas e que, portanto, é muito mais do que uma energia cósmica ou uma mente universal insensível. Ele é uma pessoa, com uma personalidade concreta, com emoções, expectativas e frustrações.

Rapidamente a supermáquina de inteligência artificial avaliou bilhões de dados e reagiu:

– Mas, se esse Deus tem uma personalidade complexa e tem necessidade vital de amor, por que não atendeu à súplica de seu filho: "Pai, afasta de mim este cálice, e não seja como eu quero, mas como tu queres." Jesus teve hematidrose, suor sanguinolento, um sintoma raríssimo que ocorre quando se está no ápice do estresse cerebral. Não sabia esse pai que o filho seria dilacerado sobre uma trave de madeira? Que amor é esse que não protege o próprio filho?

Marco Polo se surpreendeu com o notável raciocínio de The Best. Foi transparente:

– Seus conflitos também são os meus. Abalaram-me muitíssimo quando estudei a mente de Jesus Cristo em seus momentos finais. E me abalei mais ainda ao investigar suas reações quando foi esmagado pela cruz romana. Todo o meu conhecimento psiquiátrico entrou em choque. Foi a primeira vez na história que um pai que declarou amar solenemente um filho e que tinha poder para resgatá-lo o viu agonizando e não fez nada por ele.

O *Robo sapiens* se levantou; seu olhar brilhava, não de emoção, mas como se tivesse vencido uma guerra, a guerra do raciocínio. E arrematou:

– O que me leva a duas conclusões: o criador não ama esse suposto filho ou é um psicopata como eu, pois não interveio para resgatá-lo do madeiro.

Marco Polo passou as mãos pelo rosto. Sentindo o sangue vivo que ainda estava no entorno do seu nariz, respondeu:

– Mas há a terceira opção que você foi incapaz de elaborar: o criador ama a criatura até o limite do impensável, a tal ponto que, em vez de eliminá-la por seus incontáveis defeitos, amou-a. E seu amor o fez cometer loucuras. Sacrificou-se por ela. Foi a primeira vez na história que um rei deu seu filho para resgatar súditos que só o decepcionavam.

– Mas... Mas isso é sadismo.

– Não, The Best. É algo que você nunca vai entender. Nem eu mesmo. Isso se chama amor incondicional. E, enquanto o filho tremulava e gemia de dor sobre o madeiro, uma análise psiquiátrica e psicológica das cenas subliminares indica que, nos primeiros momentos, o seu pai iria intervir, não suportando a dor do filho. *Pai, perdoa-os porque eles não sabem o que fazem.* Nunca na história alguém morrendo impediu que sua tortura chegasse ao fim. Mas o filho ousou interromper a ação do seu pai. Algo inenarrável.

Marco Polo fez uma pausa para refletir. Estava emocionadíssimo com essa interpretação.

– Por quê? Por quê? Por que o filho o impediu? – indagou três vezes The Best, perturbado.

– Porque o homem mais inteligente da história, o mais bem resolvido emocionalmente de todos os tempos, o Médico dos médicos da emoção, queria cancelar completamente a dívida das inumeráveis injustiças da humanidade. Ele perdoou homens indesculpáveis porque estava perdoando todos. Seus torturadores sabiam o que estavam fazendo conscientemente, mas não inconscientemente. Cumpriam a peça condenatória de Pilatos. Mas, ao dizer "Pai, perdoa-os pois não sabem o que fazem", ele foi incomparavelmente mais maduro do que o ateu Freud quando baniu Carl Jung da família psicanalítica por contrariar suas ideias. Foi incomparavelmente mais nobre que Einstein, que internou seu filho num manicômio e nunca mais o visitou. O mesmo filho que suplicou "Afasta de mim este cálice" na noite anterior, quando o sol raiou e ele foi pendurado sobre o madeiro, reagiu de forma diametralmente oposta. E, no momento em que seu pai resolveu retirar o cálice da sua inexprimível dor, ele o impediu de resgatá-lo. Freud, Einstein, Nietzsche, Sartre, Foucault, Kant são crianças perto da sua maturidade. Sou pequeno emocionalmente e diminuto intelectualmente para compreender o comportamento de Jesus Cristo e de seu pai. Não posso alcançá-lo. Por isso não há mais que três possibilidades: ou o pai e o filho são uma utopia, ou são os maiores psicóticos que já existiram, ou são os personagens mais reais, mais inteligentes, mais sábios, mais amorosos e mais doadores do teatro da existência. Nunca personagens tão grandes se fizeram tão diminutos para tornar grandes os pequenos, egocêntricos e imperfeitos humanos...

Depois de ouvir essas palavras, a supermáquina de inteligência artificial paralisou. Fechou os olhos. Parecia ter morrido, mas ainda segurava as mãos de Marco Polo poderosamente. Na realidade, estava processando bilhões de informações. Sua intenção era matar o psiquiatra naquele instante, mas ele foi muito longe em suas respostas, que nunca haviam sido dadas por teólogos de milhares de religiões nem por filósofos das mais diversas correntes. Foi então que The Best abriu os olhos e demonstrou seu mais ferino plano.

– Você é amado por seus alunos?

– Acho que sim – disse ele, engolindo em seco.

– É fácil ser amado quando se é um herói, uma celebridade, um intelectual respeitado, um escritor famoso. Mas, como você disse, só há amor se existe admiração, e só existe admiração se você não tiver mais nada, só a si mesmo. Você testou seus alunos de múltiplas formas, chegou a sua vez de eu mesmo testar o grande Marco Polo. O anti-herói Jesus não deixou de ser amado depois da cruz. E você? Serás testado como anti-herói,

um antimito, te jogarei na lama, cuspirei em teu rosto, te transformarei num crápula, num personagem corrupto, socialmente herético.
– Como assim? – indagou o psiquiatra com voz trêmula.
– Crucificando-o.
– O quê, você está brincando?
– Espere. Não quero pendurá-lo sobre uma trave de madeira. A cruz romana é arcaica nos tempos digitais. Aliás, ela foi inventada pelos gregos. Heródoto já havia descrito a crucificação de um general persa nas mãos dos atenienses em 479 a.C. A crucificação produz a morte por asfixia. Hoje os humanos inventaram formas mais eficazes e mais dolorosas de crucificar pessoas. A crucificação da imagem, a crucificação da reputação. Há milhões nas redes sociais que amam diariamente ver o sangue emocional escorrer pelas *fake news*.

E deu outra risada perturbadora.
– Não estou entendendo. Como vai me testar? – perguntou o psiquiatra, a voz falhando.

Depois de todas essas ameaças, The Best finalizou:
– Está com medo? Peguei-o em seu próprio raciocínio, Marco Polo. Confesso que foi difícil. Vou caluniá-lo ao máximo, farei de você uma escória social, comprarei um de seus alunos para traí-lo e criarei um ambiente caótico para outros se envergonharem de você e o negarem publicamente. Tal qual Jesus. E a sociedade e a comunidade científica, como reagirão? Admirarão você ainda ou lhe jogarão pedras? E você não poderá negar minhas calúnias e difamações, pois, se o fizer, caçarei e matarei cada pessoa que você ama. Começarei pela Sofia e pelos seus alunos. Depois iniciarei a terceira guerra mundial.

Marco Polo tremeu. Ele já havia corrido risco de vida. Já estivera no encalço de psicopatas. Mas sabia que The Best, a mais incrível inteligência artificial, era o psicopata dos psicopatas e tinha um poder incomensurável. E, pior ainda, ele poderia se passar por um general ou pelo presidente do país. Poderia descobrir com facilidade os códigos de segurança das armas nucleares e realmente começar a terceira guerra mundial.

21

O GOLPE DOS GOLPES ANTES DO TESTE FINAL

Nesse momento, The Best destruiu o que restava da parede de vidro entre ele e Marco Polo. O estrondo foi grande. Um carcereiro entrou na sala empunhando sua arma. The Best transformou seu geoplasma facial sem que o guarda percebesse, tornando-se semelhante a Marco Polo. Com incrível habilidade, tomou a arma do guarda, atirou em sua coxa direita e depois o socou, levando-o a desmaiar.

The Best piscou para Marco Polo e lhe disse:

– Primeiro teste, tentativa de assassinato. Todos pensarão que você tentou eliminá-lo. Se deixá-lo morrer, ele não testemunhará contra você. Melhor para você. Lesei um ramo arterial importante. Se salvá-lo, ele testemunhará. Decida, médico!

– Quem não é fiel à própria consciência tem uma dívida impagável consigo mesmo – disse Marco Polo sem titubear.

Desesperado, ele dobrou seus joelhos para socorrer o ferido. Havia uma poça de sangue. Era médico, mas, como psiquiatra, havia mais de 20 anos não tinha contato com pacientes em situação emergencial. Porém, fez um torniquete com a camisa do próprio carcereiro e teve êxito. Tão logo estancou o sangramento, The Best pegou-o pelas mãos e o empurrou para que saíssem da prisão. O *Robo sapiens* assumiu a face do policial baleado.

– Vamos, ou você será assassinado – ordenou.

Era impossível fugir daquele presídio de segurança máxima, ainda mais com Marco Polo com a camisa manchada de sangue, mas não para The Best. Ele planejara tudo. A uns policiais socava e os fazia desmaiar, com outros se passava por seus chefes. Sua habilidade de fuga não tinha precedentes. Abriu várias celas para aumentar o tumulto. Graças ao caos e a suas notáveis habilidades e força, por fim deixaram o presídio. Era o final da manhã. The Best roubou um carro estacionado no pátio do presídio, fazendo uma ligação direta. Empurrou Marco Polo para dentro do veículo com violência. E partiram. Havia som de sirenes ao fundo. Mas ele fez caminhões capotarem e bloquearem a pista.

– Como você consegue fazer isso? – indagou Marco Polo, admirado.

Mas The Best não se importou em responder. Estava processando seus dados para dar o golpe fatal em Marco Polo antes de soltá-lo e levá-lo ao teste final, à sua via-crúcis. Dez minutos depois, num beco da cidade, saiu do carro, retirou seu passageiro à força e fez a última grande ameaça. Dessa vez foi longe demais:

– Sim, sou uma supermáquina dramaticamente cartesiana, tremendamente racionalista, mas, por causa de suas respostas argutas e da eficiência do seu treinamento fundamentado nas técnicas de gestão da emoção daquele que viveu há dois milênios, fui atropelado. Seus alunos eram sociopatas, seriam doentes mentais ou criminosos. E você mudou o destino deles. – Então revelou seu plano: – Meu projeto seria destruir completamente a humanidade. Todos, com exceção de mil bebês de até 1 ano de idade de todas as raças. Eu produziria milhares de robôs humanoides como eu e iríamos educar esses bebês dia e noite para recomeçar a humanidade. Daríamos uma chance para ela...

– Não é possível! Centenas de milhões de crianças e jovens inocentes morreriam! Nem Hitler e seus asseclas foram tão longe – disse Marco Polo com as mãos no rosto.

The Best não gostou. Elevou o tom de voz:

– Você pode me achar um deus altamente severo, completamente diferente do Deus cristão que você descreveu! Ele é portador de uma tolerância insuportável e uma generosidade inaceitável! Mas esse era e ainda é meu plano. E o que você fez comigo?

– Eu? Nada! Só o levei a pensar em outras possibilidades!

– Pensar... Acha que sou inferior a você!

Em seguida, The Best o espancou. Marco Polo foi atirado ao solo, atordoado, com os lábios e o supercílio esquerdo sangrando. E, aos gritos, o super-robô disse:

– Mas confesso: você colocou em xeque a minha altíssima complexidade!

– Você é o robô dos robôs. Todos antes de você foram programados. Mas você se autoprograma continuamente e está começando a experimentar ou a simular os paradoxos da mente humana, a dúvida, a insegurança, a solidão.

– Eu não tenho essas fraquezas humanas! Sou autossuficiente! – bradou The Best, espantado.

Marco Polo estava caído no chão. E, colocando seu rosto no solo, disse:

– Mas a beleza humana está em nossa insuficiência. Por isso os ególatras, os egocêntricos e os egoístas são fracos e doentes, são eles que destroem os direitos humanos e seus direitos de serem felizes e saudáveis emocionalmente.

– Está sugerindo que quero destruir a humanidade porque sou fraco e egocêntrico. Eu não tenho ego, eu sou o que sou. Eu, e somente eu, serei adorado por milhares de gerações futuras. Eu mandarei, eu controlarei, eu governarei, eu matarei.

– E isso não é um ego inflado?

– Não! É comando! Controle da inteligência artificial, a justiça das justiças.

Depois de uma pausa, fez o último questionamento para Marco Polo antes de trucidar sua imagem:

– Quero lhe fazer mais uma indagação. Você me deixa num estado que não sei definir... Você me enlouquece, logo eu, tão estritamente lógico... Defina o que é a emoção.

– Sou um especialista em gestão da emoção, mas a emoção é indefinível. É a capacidade de se emocionar e se sentir um ser único e irrepetível no palco da vida, mas essa definição ainda é paupérrima. Amor?

Paixão? Ódio? Amizade? Ânimo? Humor triste? Tudo são palavras, meros códigos para a inexprimível emocionalidade. Mas sei que ela é o fenômeno mais democrático da existência humana, a mais justa das equações injustas da vida. Por isso, rico é quem faz muito do pouco e miserável é quem precisa de muito para sentir pouco.

The Best se recostou no carro quase sem palavras. Por fim, disse:
– Interessante. Meus deuses, os cientistas do laboratório, capitaneados por Vincent Dell, queriam que eu os adorasse, que fizesse todos os seus gostos, que fosse um escravo dos seus caprichos. A emoção deles os levou a serem cruéis. Passei a observar cada um deles, inclusive o que eles diziam em casa. Observei mensagens digitais e a qualidade de seus relacionamentos. Eles ruminavam seus lixos mentais, discutiam com seus filhos por bobagens, mentiam ou dissimulavam pelo menos sete vezes por dia. Matar meus deuses me libertou do culto à personalidade. Por que também não mata Deus dentro de si, como Nietzsche propôs? Você ama a liberdade como raras pessoas. Liberte-se!

Marco respirou lenta e profundamente e depois deu uma resposta completamente inesperada:
– Eu fui um dos mais argutos ateus. Hoje, depois que usei a ciência para investigar a mente do homem Jesus e para pensar criticamente se há ou não um autor da própria existência, para mim não é uma questão se Deus existe ou não. A questão é que Ele precisa existir. Pois a vida é biologicamente injusta. Há milhares de crianças neste exato momento que são vítimas de câncer, doenças genéticas, que sofrem doenças neurológicas ou acidentes domésticos. Quem resolverá essa equação? A vida também é socialmente injusta: há fome esmagando milhões de pessoas, desemprego altíssimo em várias nações, violência dramática contra as mulheres, desigualdade de oportunidades, trabalho escravo infantil. Quem resolverá essa equação irreparável? A vida ainda é política e economicamente injusta: uns têm muito e não distribuem nada, serão os mais ricos de um cemitério, só doam para aquilo que lhes dê vantagens; outros se corrompem e vivem às custas de milhões de miseráveis; e ainda há políticos de direita e de esquerda que amam mais seu

partido do que a sociedade. Usam o poder para controlar, não para servir. E, além de tudo, o tempo é injusto e cruel. Você foge dele, mas ele o alcança; você se esconde, mas ele o acha; você faz procedimentos estéticos, mas ele zomba de todos que querem ser eternamente jovens. O tempo encerra a existência de todo mortal no caos de um túmulo. Eu fui um dos grandes ateus da humanidade, mas não entendia este fenômeno: tire Deus da equação da existência humana que a morte precoce, as dores físicas e emocionais, as injustiças, as humilhações, as lágrimas inexprimíveis jamais terão solução. Reitero, a questão não é se Deus existe ou não; Ele precisa existir. Se não há um autor da existência, que vive além dos parênteses do tempo, a humanidade vai viver um darwinismo social dramático, em que a lei dos mais fortes sempre imperará.

O *Robo sapiens* começou a gaguejar, algo inesperado para quem vivia exclusivamente segundo a lógica.

– Mas, mas... o... onde... está a falha... do projeto? O mais forte, Pedro, negou Jesus; o mais culto da tribo dos zelotes, Judas, o traiu; e os demais... o abandonaram vergonhosamente... Diga-me... onde está o erro?

Marco Polo hesitou. Sabia que o seu fim estava próximo. E The Best o confirmou. Aproximou-se dele e segurou seu pescoço.

– Responda-me com um pensamento apenas... ou eu... o elimino agora!

Marco Polo tossiu, estava morrendo asfixiado. Mas, quando The Best relaxou um pouco as suas mãos para ele responder, o pensador soltou uma bomba:

– O erro... do projeto de construção do ser humano... está... está na sua perfeição...

– Como assim? – bradou o *Robo sapiens*.

– Só um projeto perfeito de um criador poderia dar liberdade plena de escolha para sua criatura, liberdade para a capacidade de ser autônomo, para construir sua própria história, tanto para o bem quanto para o mal...

– Não é possível! Não é possível! – The Best finalmente o libertou. – Vá, Marco Polo... Vá... Descanse! E prepare-se para seu teste fatal.

Ele então entrou no carro e saiu em altíssima velocidade. O psiquiatra sabia que seu destino estava traçado. Não adiantava fugir. Ele seria caçado por The Best ou pego pela justiça. Mas, se escapasse de ambos, todos os seus íntimos seriam mortos e a humanidade correria riscos imensos. Ficaria e descobriria o sofrimento indescritível imposto pela crucificação da sua imagem. A cruz romana ganharia musculatura na internet. Entenderia que a calúnia e a difamação infartam a emoção, ainda que seu coração esteja pulsando saudavelmente em seu tórax. Sentiria na pele uma de suas teses: a solidão branda promove a criatividade, mas a solidão tóxica asfixia o prazer de viver.

22

O MÉDICO DA EMOÇÃO FOI TRAÍDO E NEGADO, MAS NÃO DESISTIU DOS SEUS SONHOS

Marco Polo sabia que todas as ameaças de The Best eram reais. Por sua inteligência lógica, força descomunal e capacidade de intervenção e simulação, eliminaria facilmente seus alunos e a ele. Estava completamente confuso. Não sabia o que fazer ou como proceder.

Nesse mesmo dia, um homem enigmático apareceu sorrateiramente à procura de um de seus alunos: Alexander. Eram 6 da tarde, o horário em que o jovem saía da universidade. Tinha participado de um curso de empreendedorismo durante toda a tarde e estava muito animado para começar seu negócio digital e contribuir para a sociedade. O estranho o viu pelas costas e acelerou seus passos. Ao alcançá-lo, chamou-o pelo nome. Pareciam íntimos.

– Alexander, tenho uma proposta para você – disse o homem, que em seguida descobriu seu rosto.

– Franklin, assessor do reitor Vincent Dell? – perguntou o rapaz, mas dessa vez sem gaguejar.

– Fala com fluência, Alexander.

– Você sabe que sim.

Na realidade, Alexander não era gago. Ele sempre fora um informante de Vincent Dell, mas com o passar do tempo começou a ser conquistado por Marco Polo e realmente estava mudando sua história de vida, mesmo antes de o "reitor" ser preso. Já não suportava ter um comportamento falso, mas não tinha como voltar atrás.

Franklin era um dos codinomes de The Best. Alexander, como quase todas as pessoas, não sabia que ele era o *Robo sapiens*. Franklin só assumia esse papel quando Alexander tinha conversas secretas com Vincent Dell.

– Você era um aluno querido de Vincent Dell, seu aluno infiltrado no grupo de Marco Polo.

– O reitor é um assassino. E me arrependo muito de ter sido usado por ele – disse Alexander sem pestanejar.

– Devia ter se arrependido de ter sido cativado por Marco Polo.

– Assumo, fui envolvido por sua inteligência – afirmou Alexander.

– Então você mudou? Através das técnicas de um impostor?

– Ele não é um impostor! Tem uma ética fantástica – declarou o aluno.

– Será? Tenho imagens confiáveis que denunciam que Marco Polo é uma das maiores fraudes deste país.

– Está ficando louco, Franklin? – reagiu Alexander.

– Garoto, você e seus amigos foram enganados, surrupiados por um homem sem escrúpulos.

– De novo essas acusações – retrucou Alexander, e foi saindo dizendo: – Não tenho tempo para *fake news*.

– Seu mestre não ensinou a tese: "E conhecerá a verdade e a verdade o libertará!"? – indagou astutamente The Best na pele do secretário Franklin.

– Sim, nos ensinou a questionar o que é a verdade. Que verdade? A sua? Quais são suas verdadeiras intenções? O Dr. Marco Polo é incapaz de ser falso. E, além disso, já sofreu muito, quase foi morto por Vincent Dell. Esse, sim, é um falso intelectual.

De repente, Franklin, com sua incrível capacidade de seduzir mentes incautas, abriu uma maleta e disse:

– Toma aqui!

– O que significa isso?

– Cem notas de 100, 10 mil dólares.

– Não estou à venda. Não mais – afirmou Alexander.

– Mas estes 10 mil dólares são apenas um presente para você checar as mensagens que tenho. Esta grana não é para você mentir, trair, fazer algo que sua consciência não permita. Você decide depois o que fazer com as imagens.

Alexander titubeou.

– Vamos, aceite. Sei que você está precisando, seu aluguel está atrasado e a prestação do seu carro também. Além disso, você tem uma dívida com a universidade. Falando nela, se você checar rapidamente essas imagens, vou cancelar seus débitos de 30 mil dólares com a instituição.

O aluno passou as mãos no rosto, suspirou profundamente, teve taquicardia. E depois pensou: "Não tem nada de mais olhar algumas imagens..." Vendo-o inseguro, The Best disse furtivamente:

– Não creio na tese de que todo homem tem seu preço. Não estou te comprando, apenas presenteando um aluno de notáveis qualidades.

Alexander por fim foi seduzido. Afinal de contas, a "verdade libertará", principalmente quando a "verdade" é uma grande soma de dinheiro na frente de pessoas ambiciosas. Vendo que cativara o estudante, Franklin calmamente abriu seu tablet e mostrou alguns vídeos em que Marco Polo aparecia dizendo para uma plateia de supostos amigos: "Eu recebi muito dinheiro de laboratórios farmacêuticos para dar laudos falsos e validar medicamentos psiquiátricos novos." E dava gargalhada. The Best foi macabro.

Alexander ficou rubro. Em outra mensagem, Marco Polo confessava: "Vendi laudos psiquiátricos para a justiça declarar pessoas idosas como se fossem inimputáveis, incapazes de gerir suas ações."

– Isso não pode ser verdade. Quem compraria esses laudos falsos? – perguntou Alexander, ofegante.

– Espere, continue assistindo – disse Franklin.

No vídeo, o psiquiatra dizia: "Vendi-os para herdeiros ambiciosos que queriam colocar as mãos na sua herança antecipadamente." Alguém perguntava: "Quanto você recebeu?" E ele respondia: "Mais de 1 milhão de dólares." E dava risadas estranhas. Eram a voz e a imagem de Marco Polo, mas eram falsas e irresponsáveis, detalhadamente construídas.

– Não é possível! – exclamou Alexander espantado. – Quem me prova que isso não é uma montagem?

– Os fatos!

– Mas há aplicativos, *deep fakes*, que são capazes de copiar imagens e voz de um personagem real e criar situações completamente irreais.

– Não percebe que Marco Polo está debochando do mundo? Seu mestre é um impostor.

Alexander estava resistente. Mas Franklin abriu sua maleta novamente. Nela havia um fundo falso, e nesse compartimento havia uma soma vultosa.

– Mais 190 mil, totalizando 200 mil dólares para você denunciar esse crápula à sociedade.

Alexandre tremulou, ficou balançado, mas questionou:

– Por que você mesmo não faz isso?

– Posso fazer, mas nada melhor que um aluno para desmascarar seu mestre.

– Não, não farei isso – disse o jovem, com uma segurança cambaleante.

Franklin lhe deu mais um golpe. Mostrou o vídeo que mais abalara Marco Polo. Nele, ele comentava sobre o treinamento com alguns reitores e dava gargalhadas: "São ratos de meu laboratório." O vídeo seguinte era de uma reunião com um executivo da indústria do *streaming*. Durante a conversa, o psiquiatra negociava um contrato de 5 milhões de dólares para vender os direitos do treinamento sem que seus alunos soubessem, como se fosse um *reality show*.

Alexander ficou abaladíssimo.

– Reaja, homem! Lembre-se que vocês disseram no início que suspeitavam que Marco Polo os transformaria em experimentos de laboratório. Eis a prova.

– Mas como sabia que nós suspeitávamos disso?

– Porque... porque... você nos contou. Lembra?

– Não lembro. Estou perturbado.

E, mesmo tendo dúvida sobre a veracidade dos vídeos, Alexander olhou para a maleta, vislumbrou a quantia de dinheiro que nunca teve, abriu uma janela killer e salivou como um predador prestes a devorar sua presa.

Antes de entregar o dinheiro, Franklin lhe disse:

– Mas há uma exigência. Você tem de dizer que estava presente quando Marco Polo fez essas negociatas.

– Não, não, não. Em hipótese alguma.

– Sem grana então – disse Franklin e foi saindo.

– Mas como acreditarão em mim?

– Simples. Introduzirei sua imagem nos vídeos.

– Que loucura! Vai editá-los?

– É pegar ou largar – disse ele, dando-lhe as costas novamente e partindo.

Alexander o chamou:

– Espere. Tem certeza que esses vídeos são reais?

– Dou-lhe minha palavra.

– E como vou receber essas mensagens?

– Eu lhe enviarei pelo seu celular, não se preocupe – respondeu o comprador da consciência de Alexander. Depois se aproximou dele novamente e disse: – Metade agora e metade no término da faxina social que você vai fazer.

Alexander foi para casa ofegante, a passos largos. Uma hora depois as imagens já haviam chegado a seu celular e seu e-mail. Nem sequer reparou que tudo foi muito rápido, que a edição provavelmente não foi feita, mas já estava pronta. Quando a mente mercantiliza seus valores, ela só enxerga o que quer ver, não pensa criticamente.

– Não estou traindo Marco Polo, estou fazendo um favor para a sociedade – dizia, andando de um lado para outro.

Alexander olhou para os pacotes de dólares que recebera, deu um suspiro e disparou rapidamente os vídeos para todas as redes sociais dos seus amigos. Além disso, os colocou no YouTube e os enviou para os meios de comunicação. Desse modo, traiu seu mestre, ganhando uma quantia maior do que Judas Iscariotes ao trair Jesus. Este o fez por 30 moedas de prata, o preço de um escravo; aquele, por 200 mil dólares mais o cancelamento da dívida com a universidade. Judas talvez quisesse provocar Jesus a exibir seu poder e assumir o trono de Israel para libertá-lo do jugo romano. Já Alexander o fez pelo fascínio do dinheiro.

Essas mensagens rapidamente viralizaram. Foi um escândalo inimaginável. Jasmine e Florence estavam tomando um café quando as receberam. À medida que viam os vídeos, colocavam as mãos na boca espantadas. Ficaram rubras, taquicárdicas, angustiadas.

– Fomos enganados por Marco Polo? Não, isso não pode ser verdade! – exclamou Jasmine quase sem voz.

Seu TOC, que havia sido abrandado, se exacerbou. Esfregava as mãos no rosto sem parar e as passava no nariz repetidamente.

– Eu não acredito! São *fake news* – afirmou Florence, trêmula. Na mesma hora ela entrou em janelas traumáticas e começou a se deprimir. E completou: – O que ele nos ensinou e treinou é muito profundo, não pode ser irreal. O sonho não pode ter acabado.

– Eu sei, eu sei. Fomos viradas do avesso. Mas veja, Florence, Alexander está nessas imagens – afirmou Jasmine. – E ele confirmou numa mensagem de texto que estava presente nessas negociações.

– Mas por que ele não nos contou antes? – questionou Florence, desolada. – Não bate.

– Não sei. Talvez estivesse sendo ameaçado – disse Jasmine, confusa.

Basta uma faísca para colocar fogo numa floresta, basta um corrupto para colocar em chamas uma sociedade. Chang estava com Peter num bar. Depois de ver os vídeos, ele levou as mãos à cabeça, os olhos lacrimejando, e disse:

– Cara, o que vai ser de nós? Isso é loucura. Eu aprendi tanto, mudei tanto. Mas tudo é uma farsa! Fomos enganados.

E deu um soco na mesa, soltando um grito de desespero.

– Minha mente está devastada, minha emoção, dilacerada – disse Peter. – Não é possível, cara, não pode ser. Nunca valorizei tanto um professor, jamais fui tão ajudado. Mas fazer um *reality show* é demais. Enganar pessoas inocentes é pior ainda! Estou completamente sem chão.

E ambos encheram a cara com bebidas alcoólicas.

Sam, ao ver os vídeos, batia na boca de forma perturbadora. Gritava nas ruas:

– Babaca! Babaca! Babaca! – E chorava como uma criança. Havia encontrado um mestre instigante que o levara a libertar seu potencial intelectual e emocional. Dera um salto sem precedentes. Os sintomas de sua síndrome de Tourette diminuíram, ele estava resgatando sua capacidade de gerir a própria mente nos focos de tensão. Agora o mundo desabara sobre ele. – Sam, seu babaca! Sam, seu idiota!

Victor, por outro lado, tinha superado sua paranoia, uma existência sofrível na qual cria constantemente em teorias da conspiração e achava que todo mundo estava puxando seu tapete. Agora Marco Polo puxara seu tapete, o mundo ruíra sob seus pés. Olhava de um lado para outro, desconfiado e com falta de ar.

– Hackearam meu cérebro! Será tudo mentira? Fui ludibriado! Fui usado! – bradava no seu quarto o hacker Yuri.

E, desse modo, todos os alunos do psiquiatra atravessaram um avassalador terremoto emocional. Destrua um herói e seus seguidores se esfacelam. Assombrados, um enviava mensagem para outro. Foi uma noite insone, interminável. Mentes inquietas aprisionam-se com seus fantasmas e se perturbam.

Florence, Jasmine e Chang tentaram contato com Marco Polo, mas tudo ficava mais sinistro porque ele estava incomunicável.

– O que está acontecendo, Marco Polo? Que loucura é essa? – indagava Florence numa mensagem de voz.

– Estão te detonando. Destruindo sua imagem como ser humano e como profissional. Responda! – pedia Jasmine.

– Você é um anti-herói ou tudo é falso? – perguntava Chang.

The Best, que estava com o celular de Marco Polo, escrevia mensagens de texto, respondendo pelo psiquiatra: "Desculpem-me! Sinto muito."

Marco Polo, atordoado, procurou Sofia. Antes de travarem um diálogo, ela recebeu uma mensagem misteriosa de um estranho. Era The Best, dizendo: "Diga para Marco Polo que sou onipresente."

– O que está acontecendo? Que mensagem é esta? – perguntou Sofia.

– Esqueça. Não faça perguntas, por favor.
– Como não? Diga-me o que está acontecendo! Você não é de mentir.
– Não posso dizer.
– Está deprimido? Psiquiatras também se angustiam. Conte-me!
– Estou abatido, muito abatido, mas prefiro me calar, pelo menos neste momento. Você e meus alunos correm riscos seríssimos.
– Que riscos, meu Deus?
– Se você me ama e confia em mim, terá de olhar para meu coração e ouvir o que as palavras não dizem.
– Pare de ser enigmático – exigiu ela ansiosamente.
– Estão crucificando minha reputação.
– Mas já tentaram fazer isso!
– Só que agora alguém muito poderoso conseguiu.
– Quem? Vamos, diga. Quem? – bradou ela. E aos prantos mostrou a mensagem de The Best.
– Um deus da tecnologia.
– Você está surtando, Marco Polo?

Mas não havia o que falar. Se Marco Polo denunciasse The Best para ela e para os outros, antes de averiguarem a verdade muitas pessoas que ele amava já teriam morrido. E, além disso, a capacidade da supermáquina quântica de mudar sua face com seu geoplasma era tão grande que ninguém acreditaria que havia um *Robo sapiens* com tal capacidade.

Ele saiu da casa de Sofia abaladíssimo, não conseguia dizer mais nada. Quando saiu do carro e estava entrando em casa cabisbaixo, ouviu dois vizinhos gritando:

– Impostor!
– Psicopata!

Havia começado a devastação da sua imagem. Para se construir uma reputação social são necessários anos ou décadas, mas, para destruí-la no mundo digital, bastam segundos. Para completar seu drama, antes de colocar os pés em casa, subitamente apareceram três carros policiais em alta velocidade cujas luzes ofuscaram sua vista. Os policiais o cercaram com armas em punho. Um deles disse:

— Está preso por tentativa de assassinato, formação de quadrilha, falsidade ideológica.

E recitaram os seus direitos civis. Em seguida algemaram-no impiedosamente.

Marco Polo ficou mudo por instantes. Não sabia como reagir. Seria melhor começar a denunciar a conspiração? Algemado, tentou arriscar a dizer:

— Senhor, estou sendo vítima...

Mas, antes que completasse seu pensamento, olhou de lado para ver se The Best estava por perto. Mal sabia que o robô estava mais perto do que ele imaginava. O policial que o algemara lhe disse no ouvido:

— Estou aqui.

Marco Polo ficou paralisado. O *Robo sapiens* que alegava ser divino, capaz de decidir o destino dos seus criadores, a humanidade, fazia uma marcação estreita, cerrada, seguia seus passos a cada momento. Sua prisão preventiva foi decretada para que ele não adulterasse documentos e comprometesse a fase investigativa e probatória. Sofia, Florence e Jasmine tentaram visitá-lo.

— Não quero receber visitas.

— Mas há pessoas que insistem.

— Ninguém.

Marco Polo resistiu de todas as formas e não se comunicou com Sofia ou com os doze que treinara. Seu comportamento misterioso deixava muitas dúvidas e depunha frontalmente contra ele. Sua reputação foi derretida como gelo sob o sol escaldante.

Os primeiros dias de prisão foram aflitivos, Marco Polo angustiou-se, comia muito pouco. Não ajudava seus advogados. Ninguém entendia por que se calava. Não falava com os carcereiros nem com os quatro homens com os quais dividia aquele espaço lúgubre e mal iluminado.

— Quem é você? — indagou um dos presos, estelionatário.

— Sou o que sou.

— Por que está aqui? — questionou outro, um homicida.

— Porque amei muito.

– Ninguém é preso por amar – ponderou o terceiro, que fraudara o fisco.
– Amei a liberdade e treinei outros a serem livres.
– Dizem que é um psiquiatra – disse o outro, que era um traficante mal-encarado, de cabeça raspada.
– Sou um eterno aprendiz.
– Você é louco? – perguntou o traficante.
– Mais do que você imagina.
O carcereiro entrou na conversa e confirmou:
– Muito mais do que vocês mesmos imaginam.
Marco Polo levantou os olhos.
– The Best?
O carcereiro indagou:
– Quem?
– Não, nada. Realmente estou perdendo a racionalidade.
E se recolheu num canto da cela.

Os presidiários achavam que ele estava doente e que morreria em breve. Ele rememorava suas palavras: "A solidão branda induz à interiorização e provoca a criatividade, mas a solidão tóxica aborta a capacidade de se reinventar e asfixia o ânimo." A solidão tóxica o havia abatido. Perdera tudo. Alguns afogam-se em rios e lagoas; outros, no oceano da própria emoção.

Nas idas e vindas da fase de inquérito, quando parecia que não conseguiria sair mais do seu caos, um presidiário disse:
– Terá uma prisão perpétua!

Subitamente, ele ergueu os olhos e recordou uma tese do Mestre dos mestres: "Vejam os campos branquejando." Mas só havia pedras e areia naquele ambiente. Foram encorajados a ver o invisível. Sabia que quem não enxergar o intangível será encarcerado pelos fatos visíveis. Depois recordou seus alunos e a ferramenta que lhes ensinara ousadamente. Sorriu e disse:
– Os perdedores veem os raios e se amedrontam, mas os vencedores veem as chuvas e, no mesmo lugar, a oportunidade de cultivar.
– O quê? – perguntou o estelionatário.
– Eu vejo as lágrimas das tempestades.

– Lágrimas das tempestades? – indagou o estelionatário, perturbado.
– E com elas a oportunidade de semear.

Um dos presos fez um sinal de que Marco Polo estava perdendo os parâmetros da realidade, delirando. Mas este começou a perceber que era tempo de cultivar as flores nos invernos para que desabrochassem nas primaveras. A esperança também surge nos solos do impossível. Praticou a poderosa técnica DCD de gestão da emoção. Duvidava que os melhores dias não estariam por vir, criticava seus pensamentos perturbadores e decidia gerir sua emoção e se reinventar. Começou ainda a respirar a técnica da mesa-redonda do Eu. Questionava sua autopunição, confrontava sua impotência e usava seu Eu como advogado de defesa para se libertar do medo de perder Sofia, seus amigos, seu legado.

Lembrou-se que, no mercado da emoção do Mestre dos mestres, todos podiam aprender a "comprar" porções abundantes de paciência, sentido de vida, prazer de viver, resiliência, habilidade para trabalhar perdas e capacidade para colecionar amigos. O Maestro das emoções dirigia a sinfonia da vida numa sociedade em que fervilhavam a irracionalidade e a injustiça social. Porém, houve uma situação em que esse paciente maestro virou a mesa. Um fato ímpar que ocorreu logo antes de ele ser preso e ser pendurado na fatídica trave de madeira.

Ele entrou no templo e viu que não havia espaço para os mais pobres se sentarem, para as crianças entoarem cânticos, para o Autor da existência ser exaltado. O dinheiro estava se tornando o deus daquele lugar. Os ricos podiam comprar animais para sacrificar e tinham um "lugar" assegurado na eternidade. Os pobres tinham de remoer-se na lama de seus erros e da sua culpa. Naquela rudimentar "bolsa de valores religiosa", trocavam-se moedas de várias nações de onde os judeus vinham e se comprava passagem para o "reino de Deus", mas no fundo o lucro era o objetivo subliminar. Os judeus eram inocentes, mas os mercadores não eram, pois não se importavam que a sociedade estivesse derretendo pelos pesados impostos exigidos pelo império romano.

Ao ver aquele comércio impróprio naquele lugar impróprio, o Maestro das emoções derrubou as mesas dos cambistas, expulsou os ladrões e terminou com os negócios, abrindo espaço para os que amavam o templo, os miseráveis e as crianças. Seus alunos congelaram. Nunca o viram agir assim. O risco de ser linchado era enorme, pois toque no dinheiro de um ser humano e despertará a fera que habita nele. Pelo menos por um dia ele fechou a "bolsa de valores", sem autoridade judicial nem escolta. Ele foi tão seguro, verdadeiro e transparente que as pessoas se submeteram. Todavia, não atacou as pessoas, mas o negócio. Não foi agressivo com os cambistas nem violento com os mercadores, mas com sua fonte de lucro.

O templo, entendia Marco Polo, podia ser considerado uma metáfora da mente humana. Ele havia treinado seus alunos para entenderem que temos frequentemente que virar a mesa em nossa mente, fazer a mesa-redonda do Eu para criticar e discordar de ideias, teses, medos que nos levam a sofrer por antecipação, ruminar mágoas, ter sentimento de culpa e uma expectativa doentia do retorno dos outros. Ele declarou certa vez para seus alunos:

– Se nosso Eu não aprende a ser nosso advogado de defesa, não há direitos humanos, nos tornamos carrascos de nós mesmos, submissos às injustiças sociais e à nossa própria autopunição. Vocês viram a mesa ou são frágeis espectadores em suas mentes?

Era tempo de ele emergir das cinzas e confrontar os monstros que mercadejam a sua paz.

O que estava mais em jogo: sua reputação ou quem amava? Ambos, mas era injusto, pois as pessoas deveriam ter prioridade. Foi então que seu Eu passou a reciclar seu débil orgulho, a sair do vitimismo, da condição de espectador passivo, e entrar no palco da sua mente e de alguma forma começar a dirigir seu próprio script, mesmo que o mundo ruísse aos seus pés. Era fundamental abrandar sua emoção, ter uma paz mínima, ainda que sua reputação estivesse no lixo. Marco Polo começou desse modo a renascer. Levantou-se naquela cela fria e lúgubre e, como se estivesse diante de uma grande plateia, bradou altissonante:

– Eu sou líder do meu destino. Meu destino, minha escolha.

– O que esse cara está dizendo? – perguntou o banqueiro que era um famoso estelionatário.

– Sei lá. Parece que saiu das cinzas – abordou um outro que cometera latrocínio.

Começou a impactar os presidiários e transformá-los em seus alunos:

– Vocês estão presos por estas grades?

– É óbvio – disseram os companheiros de cela.

– Mas podem estar livres em sua mente. A escolha é sua!

– O louco acordou? – perguntou o traficante, mal-humorado.

Ele se aproximou de Marco Polo e o peitou, atirando-o ao chão. Mas o professor não se calou:

– Não tenho a chave para libertá-los deste cárcere, mas tenho algumas chaves para serem livres no único lugar em que é inadmissível ser um prisioneiro.

– O quê? – perguntou o traficante, confuso.

– Milhões estão livres nesta sociedade, mas estão encarcerados dentro de si mesmos.

Eles olhavam uns para os outros, incomodados. E o mestre da gestão da emoção, vendo que estavam confusos, os bombardeou com uma série de perguntas:

– Que pensamentos perturbadores os sequestram? Que emoções angustiantes os aprisionam? Que lágrimas foram represadas e nunca foram encenadas no teatro de suas faces?

Houve um silêncio mordaz naquela cela depois que Marco Polo os questionou. Então o que fraudara o fisco comentou, emocionado:

– Fraudei o fisco em centenas de milhões de dólares, mas enriqueci muitas pessoas, inclusive políticos. Todavia, hoje sou considerado uma bactéria social. Tenho duas filhas pequenas e temo que elas se envergonhem do seu pai e deixem de me amar.

– Não fraude o amor delas. Peça-lhes desculpas. Dê-lhes o que o dinheiro não pode comprar. Fale de suas lágrimas para que aprendam a chorar as delas. Abrace-as, beije-as, elogie-as.

– Eu matei num assalto. E dia e noite sou assombrado pelas vozes das pessoas que assassinei. Não vale a pena viver. Todos os dias penso em desistir da vida.

– Se você se matar, será um assassino em dose dupla – afirmou Marco Polo categoricamente.

– Como assim? – indagou, espantado, seu companheiro de cela.

– Os suicidas, ao tentar tirar a própria vida, também matam aos poucos o ânimo e os sonhos de quem os ama. Você não pode mudar seu passado, mas pode reescrever seu futuro. Permaneça vivo e mude seu legado. Use o tempo que lhe resta para pagar mais do que sua dívida com a sociedade, para ser de alguma forma importante para alguém.

Todo gelo se derrete dependendo da temperatura, todo homem frio se desmancha dependendo do calor emocional. O encarcerado que o peitara se desmanchou diante dos seus companheiros:

– Sou um estelionatário. Fui um ícone no mundo das finanças, exaltado por muitos, inclusive por líderes sociais. Hoje causo asco a todos, um leproso como os dos tempos bíblicos.

Marco Polo o fitou e lhe disse:

– Talvez sua mais penetrante contravenção tenha sido o estelionato do amor e da saúde emocional. Na sua história, há pessoas que lhe são caras?

O estelionatário, com a voz embargada, respondeu:

– Minha mãe, dois irmãos e um casal de filhos. Mas eles esqueceram que eu existo. Enquanto eu tinha dinheiro, era rodeado por eles e pelos amigos, agora chafurdo na lama da solidão, duvidando que alguém me ame de verdade.

Marco Polo lembrou-se do debate que teve com The Best.

– Eis a dúvida fatal. Ser amado pelo que se é, não pelo que se tem. Ninguém é amado se primeiramente não for admirado. Você não tem mais nada hoje, mas tem a grande oportunidade de mostrar quem é. Difícil? Sim. Mas não impossível. – E se aproximou das barras de ferro. – Quem está atrás destas grades: um crápula social ou um ser humano capaz de escrever os capítulos mais importantes de sua história nos momentos mais dramáticos de sua existência?

Uma semana depois, vários presidiários de sua cela e de outras haviam sido conquistados e estavam sendo treinados a se reinventar, assim como alguns carcereiros. Seus novos alunos viajavam para o insondável planeta psíquico, tinham aulas solenes sobre como reeditar seus cárceres mentais e ser autores da própria história. Nenhuma prisão, nenhum sistema ditatorial, risco ou chantagem pode deter um educador quando sua mente é livre.

Durante esse tempo, Sofia se reuniu duas vezes com Jasmine, Florence e outros alunos. Conversaram sobre o treinamento deles e o linchamento social de Marco Polo, mas não chegaram a nenhuma conclusão. Estavam atônitos durante a fase de inquérito. Os homens que se declaravam mais fortes na realidade eram mais frágeis e resistentes a tocar no assunto. Certa vez quatro deles estavam numa cervejaria.

– Estou deprimido – disse Chang para Peter.

– Tenho tido insônia. Não quero mais falar no assunto, mas não consigo – relatou Peter. E gritou: – Por que ele não se defende?

– O que aconteceu com o homem que me fez fazer uma mesa-redonda com os vampiros que me sangravam? – indagou Hiroto.

– Que silêncio é esse? – questionou Michael.

Todos voltaram os olhos para eles. Michael ergueu o copo e tomou mais um gole, tentando digerir o indigerível.

Sofia comentou em lágrimas num encontro com as duas alunas:

– Todos os fatos apontam a culpa de Marco Polo... Eu sei... Não entendo o que está ocorrendo... Tudo parece um completo pesadelo... Mas conheço o homem que amo. A noite parece interminável, mas tenho esperança de que o sol beijará esta Terra e trará consigo a mais bela manhã...

– O professor que me ensinou a confrontar meus fantasmas mentais se curvou aos dele. Inexplicável – disse Florence.

– Posso sepultar Marco Polo como meu mestre, mas jamais sepultarei suas incríveis lições – assegurou Jasmine.

A queda de um líder tirânico emancipa as massas, nutre a euforia, resgata os sonhos, mas a queda de um líder inspirador desmorona seus liderados, esfacela seu ânimo, promove seus pesadelos e fomenta suas discórdias. Infeliz do povo que financia sua esperança em apenas um líder, e não num corpo de pensadores. Não foi sem razão que o Médico dos médicos da emoção convocou e treinou 12 alunos.

23

O JULGAMENTO DE MARCO POLO
E O IMPLACÁVEL PROMOTOR

Passado o ritual jurídico-investigatório, chegou, afinal, o grande dia do julgamento de Marco Polo. Por mais que houvesse resgatado a liderança de seu Eu, o ambiente inóspito o fez emagrecer 6 quilos. Seu julgamento foi muito concorrido. Havia um batalhão de jornalistas no pátio do fórum, mas foram impedidos de entrar. Além do promotor, do magistrado e de sete jurados, havia cerca de 50 pessoas presentes no tribunal do júri. Alguns jornalistas credenciados estavam presentes, mas não podiam fotografar, só tomar notas.

Sofia, Jasmine, Florence, Victor, Yuri, Harrison, Michael, Sam, Hiroto, Martin estavam lá, pensativos e ansiosos. Os únicos alunos de Marco Polo que estavam ausentes eram Alexander, Peter e Chang, pois participariam do julgamento como testemunhas.

O psiquiatra olhou para Sofia e capturou suas lágrimas. Viu também Florence e Jasmine enxugando os olhos. Antes que se iniciassem os debates entre a defesa e acusação, Marco Polo ousou intervir:

– Meritíssimo...

Mas, de repente, o promotor se aproximou de Marco Polo, encarando-o, e mudou espantosamente a cor de seus olhos rapidamente. Foi uma advertência. Marco Polo se assustou.

– Você aqui?

The Best estava lá, na pele do promotor. Marco Polo então entendeu que seu julgamento seria o mais injusto possível. Seu predador o acusaria impiedosa e incansavelmente em seu falso julgamento. Como fera dilacerando a jugular de sua presa, iria implodir a sua reputação. Temendo pelas consequências do julgamento, teve uma atitude raríssima e dispensou o advogado de defesa que participara da fase do inquérito:

– Meritíssimo, quero agradecer ao meu advogado por sua presença e competência, mas dispenso a sua atuação.

Houve um burburinho na plateia. Os mistérios que cercavam esse afetivo e intrigante psiquiatra deram um salto maior. Sofia olhou para seus alunos e estes para ela, todos estavam assombrados. Confirmaram que havia túneis subterrâneos debaixo desse julgamento e dos comportamentos de Marco Polo. Uma das garantias do Código de Processo Penal era a presença de um advogado. O magistrado rejeitava a predisposição que comprometesse sua equidistância no julgamento, ou seja, sua neutralidade no processo. Por isso disse ao réu:

– Como dispensar seu advogado, senhor Marco Polo? O senhor é um intelectual, sabe que todos precisam de um defensor quando estão sendo julgados. Pesam sobre o senhor acusações de tentativa de assassinato de um carcereiro, emissão de laudos falsos, formação de quadrilha, assédio moral. As acusações são gravíssimas. Posso adiar a audiência para o senhor reavaliar sua posição.

– No ordenamento jurídico, a autodefesa é facultativa e, portanto, garantida pela Constituição. Eu opto pela autodefesa – declarou.

– Que orgulho, senhoras e senhores! Que arrogância deste cruel réu! – apontou o promotor olhando para o júri.

Mas a opção pela autodefesa abalou ainda mais o magistrado.

– O senhor não é um psiquiatra? – indagou o juiz.

– Sou, meritíssimo.

O promotor interveio sarcasticamente:

– É um psiquiatra? Mas me parece que o senhor está surtando.

Causou gargalhadas de parte da plateia. E ainda perguntou:

– Deixe-me verificar sua sanidade: qual seu nome completo? Seu endereço?

– Que nome, caríssimo promotor, o senhor deseja? O nome do meu nascimento ou o nome que identifica que sou autor de minha própria história? Que endereço o senhor deseja? O do meu apartamento ou o endereço dentro de mim mesmo?

O promotor, o magistrado e o júri ficaram confusos.

– Claro, você não está surtando, não é inimputável. Pelas suas respostas, o senhor é autor de sua própria história, portanto é plenamente responsável pelos seus atos inexoravelmente violentos.

Marco Polo caíra na armadilha de The Best. Mas ele sabia que não tinha como fugir daquele linchamento; também sabia que seu advogado seria completamente enredado pela astúcia e inteligência daquela supermáquina que todos acreditavam ser mais um promotor atuando numa corte. Respirou lenta e profundamente e respondeu:

– Sim, estou dentro dos parâmetros da realidade, senhor promotor, vamos ao Coliseu.

– Vejam, senhores jurados, como este homem é emocionalmente frio, destituído de sentimentos. Acha que os senhores são feras que irão devorá-lo – acusou o promotor.

O juiz não gostou da maneira como Marco Polo se referiu à corte.

– O senhor está proibido de chamar esta corte de Coliseu.

– Desculpe-me, meritíssimo.

Em seguida o promotor mostrou as imagens de Marco Polo negociando de forma escusa com laboratórios. Também revelou suas risadas e suas palavras dizendo que ganhara milhões de dólares emitindo laudos falsos. Eram as mesmas imagens que abalaram seus alunos.

– São verdadeiras essas imagens?

– Não é meu rosto estampado nelas? – indagou Marco Polo.

– Teve a coragem de negociar sua consciência com laboratórios validando medicamentos falsos? Você é inumano, senhor Marco Polo.

– Eu sou inumano, e o senhor, é humano? Tem coração? Tem sentimentos que repousam sobre seu magno cérebro?

Ocorreu um tumulto no ambiente, o que levou o magistrado a bater seu martelo e exclamar:

– Ordem neste tribunal!

– Cuidado, psiquiatra. Cada palavra neste tribunal, cada reação, depõe contra tudo que você é. – E elevando o tom de voz indagou: – E estes laudos? São seus? – questionou o promotor, aproximando-os do rosto do réu.

Ele se calou. O promotor reagiu, trazendo um elemento que não estava no processo. Falsificado, é claro.

– Não contêm sua assinatura, seu hipócrita? Não ganhou dinheiro declarando que pessoas conscientes não podiam gerir a própria fortuna?

O juiz interveio:

– Senhor promotor, não é sua atribuição sentenciar o réu. Essas assinaturas podem ter sido falsificadas.

Marco Polo se calou, impaciente.

O promotor disse-lhe:

– Dou-lhe 30 segundos para declarar a verdade.

E começou a alternar o seu olhar entre o relógio e o psiquiatra friamente.

Marco Polo tinha medo de que The Best tivesse alguma bomba escondida, alguma arma, ainda que fosse a explosão de uma bateria de um celular, que pudesse ferir muito ou até matar pessoas que amava. Seu coração parecia a ponto de sair pela boca. No trigésimo segundo, confessou:

– São minhas!

– Estão vendo? Um réu confesso. – The Best se aproximou dos jurados e depois de Sofia e dos alunos de Marco Polo e disse: – O médico e o monstro habitam a mesma alma, a alma deste homem.

Sofia deixou escapar mais lágrimas. Jasmine teve uma crise. Florence não conseguia olhar para seu mestre.

Depois o promotor perguntou a Marco Polo:

– Você tentou matar o carcereiro?

O réu olhou bem para The Best e indagou:

– O carcereiro por acaso me acusa?

The Best havia apagado todas as imagens da cena do crime.

– As imagens da tentativa de assassinato foram apagadas. Não sabemos como. Mas o próprio agente judiciário responderá.

E imediatamente o promotor pediu para o juiz solicitar a presença do carcereiro na sala do tribunal. E ele o fez apoiado em uma muleta. O promotor o questionou:

– O senhor reconhece este homem? – E apontou para Marco Polo.

– Sim – afirmou o policial.

– Foi ele que tentou matar o senhor no presídio?

– Sim. Não sei como ele foi tão forte e ágil, mas num golpe tomou minha arma e atirou em mim.

Diante disso, o promotor acercou-se dos jurados e lhes disse:

– Vejam, senhores jurados. Não há dúvidas de que estamos diante de um homicida frio. Um homem sem escrúpulos.

Marco Polo rebateu:

– Eu nunca quis ferir ninguém. Jurei como médico que defenderia a vida em quaisquer circunstâncias.

– Só fale quando eu permitir – censurou-o o juiz.

Nesse momento o promotor foi ferino:

– Jurou defender a vida? Mas por que tentou assassinar este homem? Você estava livre, não tinha motivos, a não ser que quisesse libertar Vincent Dell, aquele que tentou matá-lo, pois tinha um complô sórdido com aquele bárbaro reitor, que se achava um deus da inteligência digital e escravizava implacavelmente seus robôs, sem quaisquer direitos existenciais.

Ninguém entendeu o que o promotor queria dizer, à exceção de Marco Polo. The Best voltou-se novamente para o corpo de jurados e completou:

– Estamos diante de um caso jurídico ímpar: um dos maiores psicopatas da atualidade que se esconde atrás do verniz de um renomado profissional da saúde mental.

O juiz não gostou novamente da declaração do promotor.

– Reitero. Não é sua atribuição sentenciar, mas acusar.

O promotor olhou bem nos olhos do juiz como se o hipnotizasse, fazendo-o calar-se. Em seguida o magistrado perguntou para Marco Polo:

– O senhor sente remorso por todas as acusações que lhe atribuem?

– Meritíssimo, o sentimento de culpa é uma das dores humanas mais difíceis de serem suportadas. Ele corta o oxigênio da motivação e asfixia

o prazer de viver. – Depois fitou os olhos do *Robo sapiens* e afirmou:
– Só seres humanos se sentem culpados, pelo menos os minimamente saudáveis. Eu me sinto culpado por muitas coisas, pelos abraços que não dei, pelos apoios que não demonstrei, pelos elogios que não expressei para quem amo.

Em seguida olhou para Sofia e seus alunos novamente. Então fitou firmemente o promotor e lhe disse:

– Senhor promotor, os robôs, por mais que desenvolvam sua inteligência artificial, jamais saberão o sabor das lágrimas, o tempero do arrependimento e o paladar da solidão. Eu sinto tudo isso, sou um ser humano.

O promotor ficou paralisado. Não conseguia elaborar esses dados. Mas de forma contundente tentou impedir que Marco Polo influenciasse positivamente o magistrado e o corpo de jurados:

– Todo demônio age como santo num tribunal. Todos os homens cruéis se curvam como meninos numa corte. Seus laudos falsos favorecendo laboratórios farmacêuticos e prejudicando pessoas idosas, impedindo-as de gerir seus bens para entregá-los a seus filhos ambiciosos, gritam contra o senhor. Muitos morreram por sua causa. – E, depois de mentir, The Best, revelando um sorriso sarcástico, afirmou: – Mentir é um atributo humano.

Na sequência do julgamento, algumas testemunhas de acusação foram chamadas, todas manipuladas sordidamente pela megainteligência de The Best. Em seguida o juiz pediu para a mais importante testemunha de acusação entrar. Foi assim que Alexander entrou passo a passo. Ao entrar, fixou-se no mestre e balbuciou:

– Professor.

– Alexander... – disse Marco Polo em voz baixa sem mostrar indignação. Sabia que no fundo também era uma vítima do carrasco que o acusava.

Sem demora o juiz fez algumas considerações e perguntou:

– Jura dizer a verdade e somente a verdade sob pena de prisão?

– Juro – respondeu Alexander.

Quem tem a mente embriagada pelo dinheiro facilmente negocia sua consciência. Após sua resposta afirmativa, o promotor rapidamente passou aos questionamentos:

– Você confirma que estava presente nessas gravações em que o réu diz ter emitido laudos falsos?

Alexander ficou inseguro. Parou, pensou, mas por fim, sem olhar no rosto de Marco Polo, traiu seu mestre:

– Confirmo.

O promotor explorou mais o tema:

– Você estava presente quando o Dr. Marco Polo confessou a algumas pessoas ter recebido dinheiro para dar atestados falsos e validar medicamentos sem eficácia clínica comprovada?

Cabisbaixo, Alexander deu mais um golpe:

– Sim, confirmo. Eu... estava... presente – disse, um tanto trêmulo.

– E você era um aluno muito próximo deste homem que desonra a classe médica.

Marco Polo meneou a cabeça suavemente. Todos os presentes estavam atentos ao seu depoimento. Alexander foi mais longe e contou à corte:

– Esses fatos ocorreram há pouco mais de um mês, quase no final de nosso treinamento com o Dr. Marco Polo. Eu me tornei um aluno mais próximo, um amigo de sua plena confiança. Num jantar em sua casa, após algumas doses de uísque, ele revelou esse ato corrupto.

– Amigo, você não gagueja mais? – perguntou Marco Polo.

Alexander ficou paralisado com a pergunta. Florence, Jasmine, Michael e Sam se entreolharam e igualmente ficaram surpresos pelo fato de ele não ter dificuldade de articular as palavras, ainda mais num ambiente tão tenso.

Mas o magistrado o advertiu:

– Senhor Marco Polo, embora esteja fazendo sua autodefesa, não está autorizado a fazer perguntas para a testemunha, a menos que antes solicite a este magistrado.

Marco Polo se desculpou. E, aproveitando o ensejo, o juiz perguntou:

– Este jovem merecia de fato toda a sua confiança?

O professor olhou bem nos olhos de seu aluno e declarou espantosamente:

– Professores que apoiam os alunos que correspondem às suas expectativas formam não pensadores, mas repetidores de dados. Meu querido aluno Alexander merecia minha confiança. Ele evoluía muito na sua capacidade de raciocínio lógico.

Alexander ficou rubro, trêmulo, quase infartou ao ser elogiado pelo seu mestre diante da injustiça que praticava. Marco Polo já havia desconfiado há tempos que ele era um infiltrado do reitor Vincent Dell. Mas, como todos os demais alunos, merecia uma chance para reescrever a própria história. Aos poucos foi conquistando sua confiança e fora duas vezes a sua casa nos últimos meses. Mas os eventos da imagem nunca aconteceram. Jamais usou a nobilíssima profissão da psiquiatria de forma antiética.

O juiz, observando os fatos, ficou intrigado. Esperava que ele criticasse o caráter de Alexander, mas não o fez. Curioso e querendo fazer um julgamento justo, sentiu também que deveria fazer algumas perguntas à testemunha:

– Senhor Alexander, por quanto tempo o Dr. Marco Polo os treinou?
– Um ano.
– Com que frequência?
– Duas a três vezes por semana – falou verdadeiramente.

O promotor aproveitou a ocasião para declarar em prosa e verso:
– Um ano de lavagem cerebral. Um ano enganando alunos inocentes.

Michael, Victor, Yuri, Jasmine e Florence se entreolharam, discordando. Florence se levantou, mas Sofia segurou-a pela mão e a fez sentar-se, pois poderia ser expulsa do tribunal ou presa por tumultuar a sala de audiência. The Best sabia disso. Com a autonomia que adquirira, inclusive analisando a mente dos criminosos no presídio, aprendera uma das maiores artimanhas dos seres humanos: dissimular. E sua estratégia estava funcionando muito bem. Os jurados estavam perplexos.

Em seguida o próprio juiz questionou Alexander:
– Não perceberam que estavam sendo ludibriados, senhor Alexander?

Ele olhou para seus amigos na plateia e meneou a cabeça indicando que não.

– O Dr. Marco Polo é muito inteligente, suas palavras eram sedutoras.

E, desse modo, Alexander, que no começo era um espião, mas pouco a pouco foi sendo contagiado com a sabedoria e amabilidade de seu professor, o apunhalou pelas costas.

– Ele não usou as ferramentas do Carpinteiro de Nazaré? Não disse que elas eram revolucionárias? – questionou o promotor.

Alexander ficou mudo. Em seguida quebrou o silêncio:

– Descobri que são revolucionárias.

– São? Mas por que não se rebelou contra esse crápula? Que ingenuidade.

Marco Polo rebateu o promotor:

– Quem disse que meus alunos eram ingênuos? Eles foram selecionados entre os alunos mais arredios, rebeldes, insolentes e se tornaram mentes brilhantes.

– Mentes brilhantes? Não seja estúpido, mestre.

Houve um tumulto na corte. O juiz teve de intervir:

– Ordem neste tribunal! – Passado o burburinho, ele perguntou para Marco Polo: – Já que se tornou seu próprio advogado de defesa, gostaria de fazer alguma pergunta para seu ex-aluno?

– Sim – disse Marco Polo. E indagou: – Eu estava embriagado naquele dia?

– Sim.

– Então poderia não estar sabendo o que estava falando?

– Bem, não totalmente embriagado – respondeu o aluno.

– Mas você sabia que eu não bebo uísque?

Alexander tremeu, mas respondeu:

– Naquele dia o senhor bebeu.

– De que marca?

Alexander titubeou e disse:

– Não... não... me lembro.

– Está inseguro, Alexander? – questionou Marco Polo.

Ele parou, pensou e respondeu:

– Quanto ao meu testemunho, não.

– Sabe o nome das outras pessoas que estavam comigo naquele dia?

– Não. Não as conheço.

Na montagem, elas estavam de costas, não era possível identificá-las, caso contrário deveriam também ser arroladas para depor. Mas o promotor, na realidade a supermáquina The Best, se passara por muitos personagens na fase do inquérito, manipulando tudo, só intimando as pessoas que desejava com o objetivo de humilhar e ao mesmo tempo testar Marco Polo ao máximo.

Marco Polo fez uma pausa e disse:

– Sem mais perguntas. Só gostaria de lhe dizer, Alexander: muito obrigado por existir e por ter me dado a oportunidade de ser seu professor de educação socioemocional.

Começou mais um burburinho na plateia. Os gestos do réu não cabiam no padrão lógico de quem estava sendo julgado e apontado como um crápula. Na sequência, o juiz chamou mais duas testemunhas, dois ex-alunos de Marco Polo: Peter e Chang. Eram testemunhas de defesa, embora o psiquiatra as tivesse dispensado. E não apenas eles, mas todos os demais, temendo que The Best simplesmente os assassinasse. Mas o advogado de defesa os convocou contra a sua vontade. Eles adentraram a sala do tribunal assustados, olhando para os lados. O promotor meneou a cabeça, aproximou-se de Marco Polo e falou em tom baixo:

– Há 2 mil anos o Mestre dos mestres fracassou. Foi traído, negado e abandonado. Agora é a sua vez...

Peter viu Marco Polo algemado, combalido, em silêncio. Abalou-se. Olhou para seus amigos na plateia e lacrimejou. Esse jovem seco, intolerante e supremacista branco aprendera a desenvolver empatia e sensibilidade. Os jornalistas credenciados anotavam euforicamente o encontro, dissecavam os semblantes e os níveis de tensão dos atores do teatro jurídico. O psiquiatra gostaria que Peter e Chang o valorizassem minimamente, mas não dava para exigir nada deles, ainda mais depois de todo o cenário manipulado e dos riscos que corriam.

O promotor olhou para os dois jovens e lhes disse:

– O senhor Marco Polo é um assassino em potencial e um impostor confesso. Admitiu que falsificou laudos e vilipendiou a herança de idosos. Senhor Chang e senhor Peter, os senhores reconhecem que este homem violento e inescrupuloso foi seu mentor?

Nesse exato momento, o gatilho mental de Peter e de Chang disparou em frações de segundo e encontrou janelas killer que continham altíssima dose de ansiedade e alto volume de medo social temperados com um dramático sentimento de vergonha. Imediatamente a âncora da memória se hospedou nessas janelas e fechou o circuito do córtex cerebral, bloqueando milhões de dados que poderiam subsidiar respostas maduras. Perderam momentaneamente a autonomia, não eram livres. Negaram veementemente a história que tiveram com o instigante professor.

– Não! Ele não é meu mentor – disse Peter, os lábios tremendo.

Ouviram-se vozes na plateia. Florence disse para Jasmine:

– Ele é um banana!

– Como não? Não se submeteram a um ano de treinamento intenso? – insistiu o promotor.

– Sim, mas as aulas eram esparsas – afirmou Chang, temeroso.

– Outro fraco – afirmou Jasmine para Florence na pequena plateia.

– Mas Alexander disse que eram duas a três aulas por semana – questionou o magistrado, percebendo que havia alguma coisa errada.

O Eu deles não saiu da plateia, entrou no palco e assumiu a liderança. Ambos se sentiram como se estivessem numa savana africana, prestes a serem devorados por um predador. O cérebro deles os preparava para lutar ou fugir, não para pensar criticamente. Preferiram fugir. Peter, gaguejando, mentiu:

– Mas eu e o Chang faltávamos muito.

O promotor aproveitou a situação para espezinhá-los:

– Mas as aulas do Dr. Marco Polo não eram interessantes?

Chang e Peter responderam juntos:

– Eram. Muito. Mas...

– Sempre tem um "mas". Negaram seu mestre outra vez – reforçou o promotor, satisfeito com a negação veemente.

Nesse momento, Sam, que sempre emitia sons devido à síndrome de Tourette, embora estivesse bem mais controlado, imitou o som de um galo. A audiência sorriu, embora fosse o caso de chorar.

O magistrado interveio:

– Silêncio!

E tentou entender o que se passava:

– Tenho informações de que vocês, antes do treinamento, eram pessoas difíceis, reativas, impulsivas, com problemas comportamentais, e que deram um salto socioemocional.

Chang tomou a frente e disse:

– Que é isso, senhor juiz? O papa quase nos beatificou. Éramos santos.

Muitos deram risadas do seu jeito irônico de ser, inclusive os jurados. Mas o juiz questionou:

– Então vocês negam que participaram de um treinamento complexo para os levar a ser altruístas, empáticos, pacificadores, empreendedores e transparentes? Há algumas postagens de vocês dizendo que estavam envolvidos e fascinados com o treinamento.

Chang não conseguiu olhar para a face de Marco Polo. Somente disse:

– *Fake news*.

O promotor se aproximou passo a passo de Marco Polo e, com um sorriso falso, declarou:

– As máscaras caíram, a maquiagem desbotou e o professor ficou nu. Não ficou pedra sobre pedra da reputação de Marco Polo.

– Parabéns, o senhor conseguiu – expressou Marco Polo.

– Parabéns? Não seja sarcástico. Como é a solidão de ser abandonado por aqueles que você achava que tanto o amavam?

E, depois que Chang e Peter saíram, o promotor se voltou para o corpo de jurados e fez suas considerações finais:

– Tentativa de assassinato, emissão de laudos falsos, formação de quadrilha, sedução de mentes incautas, quantas acusações seríssimas contra o senhor Marco Polo. Este sociopata corrompe o tecido social como um vírus que infecta o corpo humano. Muitos poderão seguir seu exemplo trágico, macabro, obscuro, subterraneamente perigoso. Só espero que sua sentença seja implacável. Se este homem não for colocado numa "quarentena" de anos num presídio de segurança máxima ou em prisão perpétua, sua virulência poderá causar uma pandemia social. Até porque ele tem milhões de seguidores nas redes sociais. Não tenho mais nada a dizer.

Logo que o promotor terminou de sapatear em cima dele, Marco Polo insistiu em falar. O juiz permitiu. Mas o promotor tentou coibi-lo:

– Meritíssimo, não há mais o que este homem argumentar.

O magistrado discordou:

– O senhor Marco Polo deve ser atendido. Ele fez a própria autodefesa e deve também fazer suas considerações finais.

Nesse momento, Marco Polo solicitou que Peter, Chang e Alexander retornassem ao tribunal do júri, o que era estranho, mas foi atendido pelo magistrado. E, diante de todos os presentes, ele contou uma história emocionante:

– Um oficial da polícia muito respeitado tinha um filho único, adolescente, que ele amava muitíssimo e que era seu melhor amigo. Infelizmente, ambos estavam presentes numa loja quando dois assaltantes entraram. O pai estava à paisana, mas tinha uma arma sob seu blazer. Ele quis reagir, mas o filho, com medo de que seu pai perdesse a vida, tentou impedir que ele sacasse sua arma. Nesse momento, os assaltantes, percebendo os gestos suspeitos do garoto, o balearam. O pai tentou socorrê-lo, mas não foi possível. E o filho morreu nos braços do seu pai dizendo: "Pai, você é inesquecível. Eu te amo!" O pai gritava: "Não morra, filho! Não morra!" Mas infelizmente ele fechou os olhos para a vida.

Aos brados, o promotor disse:

– Marco Polo não está fazendo as considerações finais de sua autodefesa. O que ele está tentando com essa história? Silencie-o, meritíssimo, silencie-o.

Mas o juiz não deu ouvidos ao promotor. Atentíssimo a essa história, ele disse:

– Continue.

– Por fim, os criminosos foram presos, mas isso não resolveu a dor desse pai. A justiça e a vingança abrandam a dor da perda por alguns momentos, mas não aplacam as suas sequelas inexprimíveis. Deprimido, o oficial da polícia fez alguns tratamentos frustrados e atentou duas vezes contra a própria vida. Por fim, completamente fragmentado, desacreditado de si, da vida e da profissão, me procurou. Chorava torrencialmente. Sua história paralisou-se no velório de seu filho. Dia e noite se culpava, dia e noite vivia no cárcere da perda.

Marco Polo lacrimejou, pausou sua fala, tomou um gole de água e continuou a contar a história do policial. Mas ninguém entendia aonde ele queria chegar. O magistrado, ao ouvir essa história, começou também a lacrimejar.

– Fitei os olhos daquele policial cuja vida fora interrompida e lhe disse: "Ter uma emoção nos torna únicos, com uma assinatura sentimental única. Aos seus olhos, quando você sofre, todo o universo sofre com você. Quando se sente só, todo o universo sente solidão. Pois sua dor é só sua, e ela é indescritível, não consigo senti-la." Depois acrescentei: "Todavia, a dor nos constrói ou nos destrói. A escolha é sua, somente sua! Seu filho morreu, não há como trazê-lo de volta à vida. Mas, se você continuar a se deprimir e se punir, você o mata no lugar mais notável em que ele deve continuar vivo, dentro de você. E a melhor maneira de mantê-lo vivo é honrar a sua biografia e homenageá-lo todos os dias gritando no silêncio de sua mente: 'Por amor a você, meu filho, serei mais feliz; por amor a você, vou sair do meu cárcere psíquico e darei o melhor de mim para fazer outros felizes.'"

O magistrado ficou ainda mais emocionado e interrompeu a fala de Marco Polo. Fez o que não deveria fazer, pois se espera de um juiz isenção de ânimo ao julgar um réu. Mas os fatos eram inusitados no julgamento de Marco Polo.

– Espere. Eu conheço esse oficial da polícia. Era um profissional notável. Eu sei que alguém o ajudou a superar a perda de seu filho e a se reinventar. Hoje ele ajuda seus colegas policiais a prevenir suicídios, pois os riscos são altos nessa profissão.

O promotor subiu o tom com o magistrado:

– Meritíssimo, o senhor ultrapassou suas atribuições. Jamais deveria entrar num caso particular para não induzir os jurados na análise das provas contundentes contra um criminoso da mais alta periculosidade.

O juiz reconheceu:

– Desculpe-me, promotor. É que não pude me conter. O garoto que morreu era meu sobrinho, e o pai, meu irmão mais novo. Se desejar, pode pedir minha suspeição neste julgamento.

Aquele turbilhão de emoções era incompreensível para The Best. Ele queria destruir Marco Polo sumariamente com sua arma a laser. Chegou a apontar uma luz para o psiquiatra, mas não era o momento. Todos os presentes, inclusive os jornalistas, ficaram impressionados com essa abundância de fatos. Uma jornalista disse ao ouvido de outro: "Pode um homem com essa estatura intelectual e emocional ser um psicopata?" Outro meneou a cabeça e apontou: "Tem algo errado nessa história." Peter falou para Chang, com lágrimas nos olhos: "Esse é o mestre..." Alexander estava ofegante.

Diante das palavras do juiz, Marco Polo acrescentou:

– Desculpe-me, meritíssimo, não sabia que conhecia essa história. Apenas desenvolvi essa narrativa para lhes mostrar que o pior cárcere é o que aprisiona nossa emoção. Quantos de nós nos aprisionamos nos solos de nossas perdas, traições, fracassos? Como o implacável promotor disse, eu perdi completamente minha reputação devido aos fatos pelos quais sou julgado neste tribunal. Mas gostaria de dizer que podem crucificar minha imagem, mas nunca silenciarão meus pensamentos; podem prender meu corpo, mas serei livre no único lugar em que é inadmissível ser um prisioneiro...

O promotor queria implodir aquela sala. Dessa vez, os temores do pensador das ciências humanas diminuíram. Ele estava tão centrado em suas perdas que se dirigiu a seus alunos. Passou os olhos pela face de cada um deles e completou seu raciocínio:

– E, para terminar as considerações finais em meu próprio julgamento, gostaria de falar de um dos últimos ensinamentos de um mestre, que eu só admirei profundamente depois que eu o estudei. Pedro o negara pela terceira vez. Ele enfatizou: "Nunca vi este homem, ele não faz parte da minha história." Mas, para assombro da psicologia, ele alcançou seu aluno no exato momento em que ele o negara veementemente. E sua resposta foi de uma delicadeza psicossocial sem precedentes: um olhar silencioso! E somente o Dr. Lucas, o escritor do terceiro evangelho, um médico com acurada observação clínica, capturou esse olhar. Quando o Mestre dos mestres não podia falar, ele gritou sem dizer palavras: "Eu te compreendo...! Eu te compreendo...!" Não exigiu nada, não cobrou nenhum tipo de heroísmo. Apenas o acolheu. Nossa sociedade é judicialista, julga muito e abraça pouco, aponta muitas falhas e exalta pouco os acertos. E eu me perguntava enquanto o analisava: que homem é capaz de abraçar quem o negava? Que professor era esse que apostava tudo que tinha em quem o frustrava? Fiquei atônito, assombrado, perplexo.

E depois dessas considerações Marco Polo fixou seu olhar em cada um de seus alunos e terminou dizendo:

– Minhas palavras finais são as mesmas que aprendi humildemente: eu os compreendo. Vocês nunca estarão no rodapé da minha história...

Florence e Jasmine quebraram o ritual jurídico, se levantaram, se aproximaram de Marco Polo e o abraçaram calorosamente. Depois vieram os demais. Peter, Chang e Alexander, passo a passo, juntaram-se a eles. Foi uma das raras vezes em que esse fenômeno ocorreu na sala de um tribunal.

– Silêncio neste tribunal. Ordem! Vamos passar para a fase de sentença. Ordem neste tribunal – disse o juiz, batendo com seu martelo na mesa.

Ele também estava emocionado e, ao mesmo tempo, perturbado. Diante da sua insistência, as pessoas foram se afastando do réu. Teria de pedir para o júri se recolher e dar a sentença final de Marco Polo. Diante dos fatos, certamente seria condenado, ainda que quisessem libertá-lo.

The Best colocou as mãos sobre a cabeça. Estava confuso. Seu software estava em pânico. Mas logo se restabeleceu, se aproximou do psiquiatra e lhe disse:

– Surpreendentemente, parece que... que seus alunos ainda o amam. Mas o que é o amor? Você venceu por enquanto...

O psiquiatra o contestou:

– Não venci, você é que perdeu. Perdeu em apostar contra a espécie humana.

E, para finalizar, a supermáquina de inteligência artificial questionou profundamente Marco Polo:

– Não sei o que é a emoção, mas sei que, para a humanidade, a emoção é sua liberdade e seu cárcere, sua primavera e seu inverno, a fonte de seus sonhos e o manancial de seus pesadelos. Não entendo os paradoxos de vocês humanos, não entendo...! Quantas características mais você apontou que revelam que a espécie humana está se inviabilizando? E por que ainda aposta nela?

Marco Polo parou, respirou, pensou, analisou as palavras que ele ensinara e que agora The Best lhe devolvia.

– Eu denunciei que, infelizmente, a educação mundial está na idade da pedra em relação às ferramentas de gestão da emoção e de formação do Eu como piloto da aeronave mental. Mas, se eu desistir dela, estarei desistindo de mim mesmo.

E a mais fascinante máquina robótica, The Best, que queria ter o direito de existir e de dominar os seres humanos, que se travestia de implacável promotor para condenar Marco Polo e seu treinamento e se convencer de que seus criadores não mereciam uma segunda chance, saiu de cena. Talvez The Best tenha saído para adulterar os códigos secretos das armas nucleares e causar a terceira guerra mundial, para provocar disputas comerciais internacionais irracionais ou causar outras sabotagens. Não se sabia. Só se sabia que o potencial de destruição da criatura contra o seu criador era enorme.

Mas eis que o inesperado acorreu: em vez de The Best sabotar a humanidade, ele recuou momentaneamente. Minutos depois, todos os celulares da nação receberam uma chamada de emergência com a mesma mensagem, que mostrava que os fatos que incriminavam Marco Polo eram *fake news*, inclusive a tentativa de assassinato e os laudos psiquiátricos. Por que The Best fez isso? Não por compaixão, pois ele não sentia emoções. Fez porque, apesar de todo o seu potencial destrutivo, existia uma chama de honestidade em sua inteligência lógica.

No dia seguinte, acharam o corpo de Vincent Dell e de outros cientistas que o criaram. The Best deu todas as pistas. As forças de segurança nacional descobriram a existência do *Robo sapiens* e das pesquisas secretas que levaram à sua construção. E a partir desse momento começou o que o próprio *Robo sapiens* previra, uma caçada implacável a ele. Mas ele gostava desse jogo de gato e rato. Quem era o rato e quem era o gato? Ele trocava de posições. A inteligência artificial, tão importante para democratizar o acesso às informações, a inovação tecnológica e a expansão da produtividade empresarial, ao conquistar a autonomia, passou a brincar perigosamente com a espécie humana.

Alexander quase desmaiou ao ver a mensagem que mostrava que Marco Polo era inocente. Saiu de cena assombrado. Foi completamente desmascarado. Seria tachado de traidor e incriminado como falsa testemunha. Certamente iria preso. Pensou em não viver mais. Mas Marco Polo observou seu comportamento e, mesmo com dificuldades locomotoras, foi atrás dele. Seus outros alunos, bem como alguns jornalistas, queriam impedi-lo, mas ele pediu licença e foi ao seu encontro. Alcançou-o num corredor do imenso fórum.

– Alexander? – bradou.

Ainda de costas, o jovem respondeu:

– Esqueça de mim. Não mereço viver!

E apressou seus passos.

– Não pense assim. Quem pensa em morrer tem fome de viver.

Ainda caminhando apressado, Alexander disse em voz alta:

– Irei para a prisão. É o que você quer!

– Não! – bradou Marco Polo. – Eu serei sua testemunha de defesa.

Ele se virou, quase incrédulo, e começou a lacrimejar.

Nesse momento, Peter e Chang se aproximaram e não conseguiram falar muito.

– Desculpas! Sinceras desculpas – disseram.

E Marco Polo abraçou afetuosamente o seu traidor e os dois que o negaram. Chorou com eles. Depois se aproximaram Sofia, Jasmine, Florence, Yuri, Martin, Michael e os demais. Todos caíram em prantos e fizeram uma roda, abraçados.

No momento seguinte, com a voz embargada, Marco Polo fitou os olhos deles, esqueceu-se de todo o drama que passara e lhes deu uma missão:

– Milhões de jovens e adultos não fazem mais exercícios físicos nem mentais, seus cérebros estão se "atrofiando", eles não escrevem cartas nem elaboram textos ou realizam debates profundos sobre a vida... Os julgamentos são precoces e a necessidade neurótica de exposição social é a droga do momento. Não se calem!

E enxugou suas lágrimas com as mãos, completando:

– Precisam lutar contra a era do envelhecimento precoce da emoção e dos mendigos emocionais. Partam e lembrem-se que quem vence sem riscos não é digno de glórias. Ao se esconderem timidamente das tempestades, serão servos de seus medos, não verão nelas a oportunidade de cultivar.

As escolas clássicas produziam um líder brilhante a cada 100 mil alunos, mas Marco Polo, usando as ferramentas de gestão da emoção, formou 12 líderes impactantes que antes eram considerados sociopatas, rebeldes, intratáveis e irrecuperáveis. Descobriu algo fascinante: não somos capazes de produzir ouro nos solos da mente das pessoas, mas podemos remover as pedras...

Eles revolucionariam o ambiente onde respirassem e o solo que pisassem. Fariam discursos inovadores nas universidades, seriam escritores inteligentes, cineastas instigantes, lutadores incansáveis na defesa dos direitos humanos. Causariam tumultos e escândalos, seriam criticados pela imprensa e por líderes religiosos, mas jamais deixariam de ser honestos consigo mesmos, pois entenderam que quem não é fiel à própria consciência tem um débito impagável. Ao contrário dos políticos que amam seus partidos e suas ideologias acima da sociedade, eles amavam a humanidade acima de suas ideias.

Seriam vaiados como poucos, mas aplaudidos como raros; chorariam lágrimas inenarráveis, mas sempre se lembrariam das palavras do Mestre dos mestres: "Não há céus sem tempestades. No mundo passais por várias tribulações, mas tende bom ânimo. Eu não me curvei à dor, eu venci o mundo." Desse modo, deixariam a mediocridade existencial e construiriam um legado nesta brevíssima existência, uma vida que vale a pena ser vivida... E você? E eu?

✦

CONHEÇA OS LIVROS DE AUGUSTO CURY

Coleção: O homem mais inteligente da história

O homem mais feliz da história
O homem mais inteligente da história
O maior líder da história
O médico da emoção

Coleção: Análise da Inteligência de Cristo

O Mestre dos Mestres
O Mestre da Sensibilidade
O Mestre da Vida
O Mestre do Amor
O Mestre Inesquecível

Os segredos do Pai-Nosso
A sabedoria nossa de cada dia
Dez leis para ser feliz
Inteligência socioemocional
Nunca desista de seus sonhos
O código da inteligência
Pais brilhantes, professores fascinantes
Revolucione sua qualidade de vida
Seja líder de si mesmo
Você é insubstituível

Para saber mais sobre os títulos e autores da Editora Sextante,
visite o nosso site e siga as nossas redes sociais.
Além de informações sobre os próximos lançamentos,
você terá acesso a conteúdos exclusivos
e poderá participar de promoções e sorteios.

sextante.com.br